Escritura y sexualidad
en la literatura hispanoamericana

D1622450

Colección: Espiral Hispano-americana
Editorial Fundamentos

Centre de Recherches
Latino-Americaines
Université de Poitiers

Coloquio internacional
Escritura y sexualidad
en la Literatura
Hispanoamericana

ESPIRAL
HISPANO
AMERICANA

© Editorial Fundamentos, 1990
Caracas, 15. 28010 Madrid. Spain.
Teléfono 319-96919. Fax 319-5584

ISBN: 84-245-0553-0
Depósito Legal: M-37690-1990
Impreso en España. Printed in Spain.
Compuesto por Francisco Arellano. Juan de Olías, 11-13. Madrid.
Impreso por Tecnigrafi. Algete. Madrid
Diseño de portada: Fernando Fernández

INTRODUCCION

Más de una vez, en algunos de nuestros coloquios anteriores, las animadas discusiones derivaron hacia el problema de la sexualidad y de las manifestaciones de su expresión literaria en los autores entonces estudiados. De ahí que consideráramos que el tema era lo suficientemente sugerente e interesante, y además relativamente poco desarrollado en el ámbito hispanoaméricano, como para que le dedicáramos un Coloquio, el que tuvo lugar en Poitiers, los días 1 y 2 de octubre de 1987.

Consciente de que la problemática escritura y sexualidad posee múltiples connotaciones y de que puede ser abordada desde variadas perspectivas (la más evidente, una perspectiva temática: la presencia de una historia o de personajes donde la sexualidad cobra un relieve singular), nuestro deseo fue que en este Coloquio se intentara, además, una suerte de orientación comprensiva del fenómeno, es decir, que se tratara de poner de manifiesto los vínculos entre la sexualidad y la escritura, intentando poner en evidencia las implicaciones, referencias e interferencias que podrían postularse entre la sexualidad y la producción textual.

El resultado de este primer intento nos parece positivo. A pesar de la heterogeneidad de los trabajos presentados, y precisamente gracias a ella, el lector interesado podrá encontrar a lo largo de estas páginas toda una serie de útiles y motivadoras reflexiones —centradas esencialmente en el ámbito de la poesía y de la narrativa hispanoamericanas— que tienden a situar, aprehender y explicar ese vasto y complejo fenómeno.

ALAIN SICARD — FERNANDO MORENO
Centro de Investigaciones Latinoamericanas
Universidad de Poitiers.

PERSPECTIVAS ANTROPOLOGICAS DE UN PROBLEMA DE CRITICA LITERARIA

Alicia Puleo

Creo que es útil, como propedéutica para todo ejercicio del pensamiento, recordar a Descartes y su exhortación de abandonar, al comienzo de la tarea, toda precipitación y prejuicio. Los prejuicios no son sólo los que invaden y rigen parte de nuestra vida cotidiana, sino también los que se esconden bajo ropaje científico. Estos últimos se articulan en complejos ideológicos para terminar presentándose como teorías objetivas que luego el tiempo se encargará de refutar.

Este fenómeno es particularmente evidente en las llamadas "Ciencias Humanas", en las que el sujeto y el objeto del conocimiento se confunden. Ocurre entonces que una concepción del mundo se examina a sí misma con los correspondientes aciertos y deformaciones que tal proceso de reflexión puede acarrear. La epistemología nos advierte de la perturbación máxima que implica la actividad cognoscitiva del sujeto en un objeto tan peculiar como es el mismo sujeto y su mundo, esa "Casa del hombre", en la terminología hegeliana. Esta "Casa del hombre", este horizonte tecnológico-cultural en el que somos y nos constituimos como humanos, tiene a las ciencias como uno de sus componentes y, al mismo tiempo, como fuerza transformadora. Transformarse en autoconciencia crítica resultaría así el ideal regulador. Este ideal está siempre más allá de nuestros esfuerzos como el horizonte que se despliega ante la vista del viajero alejándose gradualmente ante cada nuevo avance. Esta imagen husserliana nos invita a aceptar nuestro destino de interrogar, de eternos insatisfechos ante toda respuesta dada de una vez por todas.

Es importante entonces que nos formulemos preguntas que impliquen una mínima epojé fenomenológica aun cuando luego nos asedien las teorías ya establecidas con la voz de la autoridad del *magister dixit* o con el encanto de la novedad y la moda.

Para el caso que nos ocupa, pienso que los interrogantes que se imponen son los siguientes:

¿Existe alguna relación entre escritura y sexualidad?

¿La sexualidad del autor condiciona en cierta medida la producción textual?

¿Se trata de una relación de causa y efecto?

La elección misma del tema "Escritura y sexualidad" es reveladora de una corriente de interés que desborda la crítica literaria. La hipotética relación establecida entre sexualidad y producción textual se origina en el psicoanálisis para luego ampliarse con desarrollos polémicos en la antropología. Hasta la adusta Filosofía se inclina ahora sobre esa incógnita que llamamos "sexualidad" incluyéndola dentro de su tarea de cuestionamiento de lo obvio que dice ser la suya. Una prueba de ello en el mundo hispánico es el seminario sobre Sexualidad y Filosofía dictado por Fernando Savater en la Universidad Menéndez y Pelayo de Santander en 1988.

Resulta claro que desde el punto de vista pansexualista inaugurado por Freud no cabe dudar de la existencia de una relación entre sexualidad y es tura. Puesto que la sexualidad se eleva a fundamento y clave epistemológica, la escritura se define como un producto de la sublimación que en cuanto tal contiene rasgos de su origen. El trabajo de los críticos literarios que adhieren a esta teoría será entonces el de establecer los modos en que la relación se concreta y las técnicas de análisis pertinentes, sean éstas de rastreo biográfico o de interpretación de las metáforas obsesivas. En la línea interpretativa de afirmación de una relación causa-efecto entre sexualidad y escritura puedo citar una traducción al español del prólogo que George Steiner hizo a su compilación de artículos titulada *Homosexualidad: Literatura y política* (Alianza Editorial, 1982). En este prólogo, Steiner afirma que las mujeres y los homosexuales son particularmente aptos para la creación dependiente de la imaginación y de los sentidos gracias a sus características fisiológicas. Consuela a los varones heterosexuales de su incompetencia artística concediéndoles el dominio exclusivo y privilegiado de las teorías abstractas.

Pero las profundidades de donde hipotéticamente surge el correr de la pluma se ahondan y retrotraen en el tiempo. La resolución del Edipo ya no es explicativa. Con la tendencia junguiana, las experiencias de la infancia se transforman en memoria de la especie. La dimensión filogenética irrumpe en los textos a través de metáforas y símbolos que a los ojos del investigador aparecen como arquetipos. Así, los trabajos de Gaston Bachelard intentan rastrear las constantes que la producción literaria de distintos autores ofrece y dar de estos complejos significativos una explicación que exceda los límites de la experiencia personal e histórica de un escritor determinado. Algunas de estas interpretaciones apuntan a la sexualidad, por ejemplo, las referidas a la poética generada por las imágenes del fuego.

Gilbert Durand, en la misma línea pero en un afán de sistematicidad, reúne mitos y textos literarios para elaborar un cuadro de lo que serían, desde su punto de vista, las estructuras antropológicas de lo imaginario.

Estas investigaciones tienden a colmar el vacío teórico existente entre nuestro cuerpo físico, entre nuestra realidad como especie dominadora de todas las otras pero especie animal igualmente y la esfera de lo que en el siglo XIX llamaban el Espíritu, producción intelectual, artística, propia y exclusivamente humana. Desgraciadamente, su defecto consiste en ignorar tanto el aspecto histórico como el social e individual, lo cual es grave, tanto por sus posibles implicaciones ideológicas como por deshechar las ventajas de un instrumento tan necesario para las Ciencias Humanas como el del pensamiento dialético y su estrategia relacional. Pero esta polarización se observa también a menudo en el punto de vista opuesto que se desinteresa sistemáticamente de los datos que disciplinas como la etología pueden brindar para facilitar estudios comparados sumamente enriquecedores.

Tanto desde un punto de vista freudiano como junguiano, el sentido de la relación sexualidad-escritura se realiza en el orden en que he nombrado a sus componentes. La líbido, como inconsciente individual o colectivo, determina la constitución de esa persona que se expresa en la escritura. Sartre, si bien valoró el inmeso aporte del psicoanálisis, postuló el libre arbitrio, en una posición en ello cercana a la de Alfred Adler. En su método regresivo-progresivo de análisis literario, la estructuración de la líbido particular de cada caso individual es el fruto de una decisión tomada en una zona que, aunque crepuscular, participa de la consciencia. Con Sartre, nuestra relación se transforma. Sexualidad y escritura aparecen como dos formas del proyecto en que se articula y constituye la consciencia. De esta manera, se hallan profundamente unidas y es posible señalar infinitas correspondencias pero no será índice de una relación explicativa causal.

La relación sexualidad-escritura fue también objeto de interés para el feminisno de la diferencia.

Mientras que el feminismo ilustrado minimizaba o negaba toda causalidad biológica de la oposición genérica y explicaba las diferencias existentes en los roles sexuales por medio de categorías simbólicas, el feminismo radical o de la diferencia se apropiaba de las mismas razones esgrimidas desde siempre para legitimar la discriminación de la sociedad patriarcal e intentaba darles un sesgo positivo.

Características tradicionalmente consideradas como femeninas (predominio de la intuición sobre la razón discursiva y otras) fueron reivindicadas por esta corriente feminista como determinaciones derivadas de la constitución fisiológica de las mujeres.

Los hombres, desde este punto de vista, se hallaban tan desprovistos de estas características "por naturaleza" y en ello residía su inferioridad.

No entraré en el análisis de los avatares históricos de esta corriente del feminismo, pero me parece importante para nuestro tema recordar el proyecto de creación de una escritura femenina, o sea, de una escritura que asumiera la diferencia sexual como fundamental. Frente a esta actitud radical representada particularmente por la corriente francesa, las norteamericanas oponen un pragmatismo según el cual el lenguaje existente es capaz de expresar la experiencia femenina[1].

En la línea del feminismo de la diferencia nos encontramos con los trabajos que Luce Irigaray reúne en la revista *Langages* de marzo de 1987 bajo el título de *Le sexe linguistique*. Los artículos provienen de especialistas de diversos ámbitos. Algunos son, a mi parecer, sumamente discutibles. Así, el primero es una elaboración de las tesis de Bachofen

_____

[1] Sobre la polémica entre estas dos tendencias, ver el artículo de MARGARET HOMANS "Her Very Own Howl: The Ambiguities of Representation in Recent Women's Fiction", en *Signs,* The University of Chicago Press, Invierno 1983, volumen 9, número 2; pp. 186-205.

sobre el matriarcado primitivo, teoría que actualmente se halla refutada por los datos provenientes de las investigaciones y abandonada por la totalidad de los antropólogos. En otro artículo, desde la neurofisiología, los resultados de ciertos tests se interpretan decididamente en el sentido de una diferencia biológica entre los sexos sin hacer la más mínima referencia a explicaciones culturalistas alternativas que ya han sido dadas al mismo fenómeno por otros especialistas. Hago referencia a estos trabajos porque me parece importante no perder de vista el cuadro en el que se presenta el estudio que propiamente nos interesa en este caso, que es el de la misma L. Irigaray sobre el discurso masculino y femenino.

Este artículo consiste en un análisis de enunciados de hombres y mujeres emitidos en situaciones similares de terapia psicoanalítica o de experimentación, lo cual hace posible su estudio comparativo. La autora procede por métodos inductivos inspirados, según ella misma lo declara, en Z.S. Harris, R. Jakobson y E. Benveniste y de sus propios trabajos con J. Dubois. La variable elegida es la de sujeto sexuado y aunque se trata de enunciados de lengua oral, las conclusiones pueden ser de interés para quien se ocupa de la escritura. Por esta razón, resumiré rápidamente algunas de las conclusiones de su trabajo.

Las diferencias que señala en el sintagma nominal uno o sujeto son las siguientes: mientras que en el discurso femenino predomina la segunda persona (tú o usted, *vous*), en el masculino predomina la primera. El sujeto masculino del enunciado connota fuertemente el discurso y lo hace girar en torno a sí mismo. En las frases producidas a partir de la consigna de utilizar una palabra determinada, tanto hombres como mujeres utilizan mayoritariamente pronombres personales masculinos. Irigaray se interroga sobre la razón: en el caso de las mujeres se debería a un intento de pseudo-neutralidad del discurso; me pregunto si este dato puede ponerse en relación con la preferencia de algunas autoras por los personajes principales masculinos. En todo caso, lo que resulta sugerente es que las mujeres tiendan a designar preferentemente a los hombres como sujetos.

Tanto en el sintagma nominal 1 (sujeto) como en el sintagma nominal 2 (objetos directo e indirecto) existe en el discurso femenino una mayor utilización de animados e inanimados concretos referidos casi siempre a esa segunda persona (*vous*) que funcionaba como interlocutora. La autora deduce de ello que si bien se observa una relación estrecha con el mundo material, éste siempre aparece como poseído por el otro. La relación sujeto femenino-mundo se realiza a través de un tercer término que actúa como mediador y depositario del mensaje ya que si el sujeto es "yo" el objeto indirecto es "tú" y viceversa. En frases de experimentación, las mujeres solían entrecruzar los sexos entre el sujeto de la principal y el de la proposición subordinada. Este entrecruzamiento no se producía en las frases masculinas. En ellas, ambos sujetos eran por lo común masculinos. Este quiasmo sujeto/objeto tampoco aparece en el discurso masculino en el que el objeto indirecto suele ser el mismo sujeto en frases del estilo "yo me pregunto", discurso circular y cerrado, soliloquio en el que "tú" no cuenta. Me planteo por mi parte la posibilidad de relacionar este rasgo del discurso con la inquietud metafísica y la obsesión de la soledad existencial de innumerables personajes de la literatura latinoamericana (el pintor de *El túnel* de E. Sábato, Oliveira en *Rayuela* de Cortázar, etc.).

El discurso masculino abunda en verbos que denotan el proceso mismo de enunciar. Podemos interpretar esta particularidad del sintagma verbal en el sentido de una mayor auto-afirmación del sujeto (frases del tipo: "yo me preguntaba...") y también como una distancia entre el sujeto y lo que éste enun-

13

cia. Yo creo que este considerar al mundo en tanto imagen producida por la actividad del sujeto correspondería en Filosofía a ese segundo momento de la Fenomenología hegeliana en que nos hallamos frente a una realidad escindida. El sujeto se convierte en fundamento sobre el que reposa el resto del mundo reducido a fenómeno, a mero acontecer mental. Se ha superado la ingenua creencia realista. El sujeto quiere ahora captar el momento en que actividad casi divina crea el mundo al tiempo que lo interpreta y deforma perdiéndolo para siempre en su inalcanzable calidad de noúmeno. ¿Y no corresponde acaso con esta actitud de superación de la inmediatez del mundo y del yo el desarrollo de la crítica dentro de la misma creación literaria? Denunciar la ilusión referencial, confesarse como autor y hacer participar al lector de una reflexión metaliteraria son los modos por los que una obra como la de Cortázar puede sacarnos de la rutina, renovar nuestra experiencia de la literatura y de la realidad. *Rayuela* exige un lector activo que se descubra a sí mismo como co-autor, que participe aunque fuera tan sólo un poco en esa función demiúrgica de la escritura. Me parece sugestivo que el lector pasivo tradicional fuera llamado por Julio Cortázar "lector hembra" o "niño bueno" en desdichado apelativo que le valió numerosos reproches femeninos y que él mismo abandonó cuando descubrió, según declaraba, que muchas mujeres habían entendido su obra y aportado claves para su interpretación.

En relación con este poner al mundo como objeto resultante de la actividad de un sujeto (recordemos que la etimología de "sujeto" nos lleva al "*subjectum*" latino, lo que subyace, y al griego "*υπσκειμετοτ*" que significa "fundamento") podemos, volviendo ahora al artículo de Irigaray, citar otras dos conclusiones suyas: la primera señala que el discurso masculino integra al mundo preferentemente en una completiva y no como objeto de la frase de base. La segunda subraya que el mundo aparece en este discurso denotado a través de conceptos abstractos mediados por el "yo" (sintagmas del tipo: "mi discurso", "mis dificultades"). La materialidad del mundo se diluye. Entre el sujeto masculino y el mundo, la mediación no es un "tú" interlocutor, sino un sistema de categorías articuladas alrededor del ego.

Esta peculiar apropiación del mundo se combina con un discurso fuertemente connotado a diferencia del discurso femenino que en la elección de adjetivos y verbos intenta dar una visión objetiva, científica, de aquello de lo que habla. Contra toda expectativa de la opinión comúnmente aceptada, el sujeto femenino intenta borrar su presencia del discurso, alcanza ese punto de vista neutral que generalmente se dice no posee.

Tenemos así un discurso que no teme expresar sus juicios de valor y simples gustos frente a otro que despliega una estrategia de la ausencia para dejar lugar al "tú" y a las cosas mismas.

A pesar de la tendencia biologista que hacía sospechar la inclusión del artículo de neurofisiología antes comentado, L. Irigaray se inclina por una interpretación culturalista de los resultados de sus investigaciones. Rechaza, además, la alternativa excluyente de atribuir todas estas diferencias entre los discursos de ambos sexos o bien a la lengua o bien a la sociedad. Afirma que son efecto de ambas. Considerando que no existen esquemas lingüísticos biológicamente determinados, la lengua se define como un producto histórico y social. La lengua es portadora de ideología como lo demuestran las normas que rigen el género. La marca del masculino, domina sintácticamente a la del femenino. La lengua, en su tendencia a la marca de género masculino es correlato del orden genealógico que da el nombre del padre a las mujeres, los niños y los bienes. También lo es de las religiones patriarcales para las que Dios es hombre. También la necesidad y el deber se expresan en la forma del masculino (*il est nécessaire*). Esto podría ser estudiado como manifestación del origen del poder y de las leyes masculinas.

L. Irigaray hace alusión a la profunda influencia que en la subjetividad puede tener esta carga ideológica de la lengua que no favorece precisamente la autoafirmación femenina. Y, efectivamente, los resultados de su análisis demuestran que el "yo" femenino tiende a borrarse, a desaparecer. Como ya hemos señalado, en las frases producidas en situaciones de experimentación ambos sexos utilizan pronombres masculinos.

A patir de estos resultados, L. Irigaray esboza la hipótesis de una lengua que habría evolucionado desde un estadio matriarcal primitivo a uno patriarcal que aún subsiste. Esta suposición, que no comparto, es solidaria de la tesis antropológica presentada en el mismo número de *Langages* y a la que me referí anteriormente.

Lo que me parece sumamente importante en el artículo de Irigaray es el haber elevado el discurso sexuado a objeto de estudio y haber precisado las diferencias que a menudo se perciben intuitivamente bajo categorías lexicales y sintácticas. Las investigaciones han de desarrollarse para examinar un corpus más extenso que permita verificar o invalidar las conclusiones actuales.

Hace mucho ya que las miradas se vuelven con desconfianza hacia ese sistema que llamamos "una lengua". Que el lenguaje configura nuestra visión del mundo y que es portador de ideologías no es ninguna novedad en el siglo XX, pero que nos impone una aprehensión sexualizada de factura masculina es algo sobre lo que no se ha puesto suficiente atención.

Sexualidad y escritura se manifiestan entonces ligadas por el mismo elemento en que la segunda se realiza: el lenguaje, una institución sexuada. Pero probar que existen diferencias en el uso del lenguaje

16

entre hombres y mujeres no es lo mismo que encontrar tales diferencias en la obra de escritores y escritoras. Quizás los grandes escritores sean en cierto sentido hermafroditas como afirmaba Virginia Woolf en *Una habitación propia*. En el proceso de la escritura juegan factores intraliterarios, como pueden ser la pertenencia a un movimiento o escuela y la influencia de la literatura anterior que nos lleva a pensar toda obra bajo la imagen del palimpsesto.

Pero si bien no está probado que la identidad sexual del autor se manifieste en las elecciones al nivel paradigmático y sintagmático podemos afirmar que escriba quien escriba la relación de los sexos se filtrará en las normas de la lengua y, como lo indicaron Bachelard y Genette[2], hasta en las metáforas sugeridas por el género de un determinado sustantivo.

Este lenguaje sexuado y masculino no es un mero instrumento del que podemos servirnos deplorando sus límites o su parcialidad. En un sentido más profundo, la lengua es constitución del sujeto que habla o escribe. ¿Qué es el sujeto? ¿Qué soy como conciencia sino ese fluir del discurso que a veces cuesta reconocer como propio, esa espontaneidad del logos, ese surgir involuntario y, sin embargo, lógicamente estructurado, esto es, mediado por la sociedad y la cultura?

Nada es en nosotros puro y sin mezcla. Postular una sexualidad natural e inmediata que como instancia primigenia condicione la escritura es a mis ojos un nuevo realismo de los universales.

¿Qué es la sexualidad? ¿Qué teoría de la sexualidad existente puede responder satisfactoriamente a nuestros interrogantes?

Debemos advertir que si la literatura es un discurso, también la sexualidad se constituye como un

---

[2] G. GENETTE, *Figures II*, Seuil; pp. 101-122 y G. BACHELARD, *Poétique de la rêverie*, P.U.F., 1984.

discurso social. Recordemos los trabajos de Foucault[3] en su *Histoire de la sexualité* tendentes a demostrar que la sexualidad es fruto de una elaboración histórico-cultural. Raymond Jean, en su introducción a *Lectures du désir*, se muestra escéptico ante la posibilidad de encontrar un texto literario que fuera el producto de un deseo en estado puro, un deseo no modelado por la ideología. Justamente por ello, considera que no se puede reducir el estudio de la intervención del deseo en la escritura sólo al nivel de la función poética y olvidar la función referencial.[4]

Pero una concepción culturalista de la sexualidad no nos impide preguntarnos si la sexualidad impone de alguna manera su marca a la obra literaria. ¿Podemos ignorar esta pregunta al leer comparativamente a Jorge Asís, Gioconda Belli y Manuel Puig, por ejemplo?

Propongo entonces la siguiente definición provisoria y operacional de la sexualidad: una modalidad de relación con el propio cuerpo y con los otros que se acompaña de un rol socialmente establecido que condiciona nuestra percepción de los otros y de nosotros mismos.

La sexualidad así definida mantiene una relación dialéctica con la escritura. Sexualidad y escritura, en tanto opuestos de la relación, se constituyen al mismo tiempo en ella. En los pueblos en que la escritura no existe, los mitos son el discurso que configura la vivencia de la sexualidad en tanto experiencia humana histórica y social. En nuestra sociedad actual, el discurso de los medios audio-visuales tiende a monopolizar esta función.

La noción sociológica del rol sexual me parece fundamental en nuestro problema de la relación sexualidad/escritura. El rol sexual es la mediación clave por la cual la relación se concreta. Esta media-

---

[3] M. FOUCAULT, *Histoire de la sexualité*, Gallimard, 1976.
[4] R. JEAN, *Lectures du désir*, Seuil, 1977.

ción, generalmente desatendida, puede ser considerada como explicativa de toda diferencia que se sospeche originada en la sexualidad.

Este concepto de rol sexual también puede sernos útil para interrogarnos sobre la recepción de una obra por parte del lector según ésta provenga de un hombre o de una mujer. Los experimentos realizados prueban que este dato no es indiferente.

Para terminar, desearía agregar que la relación sexualidad/escritura puede también examinarse en el sentido inverso, ya que la Literatura, incluida la de origen latinoamericano, nos ofrece numerosas páginas de discurso *sobre* la sexualidad. La literatura se revela aquí como generadora de modelos. Los fantasmas pasan de ser simples proyecciones particulares para erigirse a menudo en modelos sociales. Es éste un aspecto más de la intrincada trama de relaciones en que consiste nuestra realidad humana. En ella, toda relación causal afirmada en un solo sentido suele ser insuficiente e inductora de error. Es duro renunciar a las realidades incondicionadas, divinas o naturales, que nos proporcionan un cómodo punto de apoyo para la reflexión. Sin embargo, debemos hacerlo y sostener nuestro pensamiento en esa tensión que garantiza el continuo pasaje de lo particular a lo universal, del elemento a la totalidad que lo incluye y configura. Bajo este enfoque, sexualidad y escritura conforman una temática que puede responder desde la crítica literaria a planteos que interesan al ámbito de la antropología.

DISCURSO EROTICO
Y ESCRITURA FEMENINA

Marta Morello-Frosch
(Universidad de California, Santa Cruz)

Una de las contradicciones más obvias de la constitución de la subjetividad femenina reside en el hecho de que se considera generalmente a la sexualidad como un concepto universal, y al impulso sexual como una actividad natural[1], vale decir, fuera de las construcciones culturales. Pero el sujeto femenino a pesar de haber sido designado agente de lo natural, ha sido constituido por discursos emitidos por el *otro*, el cultural, y ha permanecido generalmente alienado de los discursos que lo construyen, y que a menudo lo exceden. El resultado ha sido la más de las veces que la subjetividad femenina a fuerza de ser considerada natural, escapa a una auténtica e independiente estructuración simbólica en lo sexual[2]. Producto de innumerables censuras sociales, el sujeto femenino queda excluido o le es negada la capacidad

---

[1] Jeffrey Weeks, *Sex, Politics and Society* (London and New York: Longman, 1981). Ver en especial el capítulo "Sexuality and the historian", pp. 1-18.
[2] Jessica Benjamin: "A Desire of One's Own: Psychoanalytic Feminism and Intersubjetive Space", en *Feminist Studies/Critical Studies*, Teresa de Lauretis, ed. (Bloomington: Indiana University Press, 1986) pp. 78-101.

de representarse. El lugar de enunciación, vale decir, aquél desde el cual se puede ejercer el poder/saber, es negado a la mujer, que queda reducida a la categoría no de sujeto hablante sino hablado, condenada a repetir palabras, esquemas, significados ajenos.

Pero en algunos textos feministas recientes, se le da al sujeto femenino la posibilidad de estructurarse precisamente al organizar su cuerpo, al dar cuenta de su sexualidad, y analizarse en relaciones externas con el otro. Quisiera proponer como hipótesis de este trabajo, que incluso en estos textos la sexualidad femenina es un *locus* de ambivalencia, en el cual el sujeto femenino si bien asume su propio discurso, lo hace a menudo bajo las mismas condiciones de subordinación que el cuerpo social le ha impuesto. Pues si bien la subjetividad se reconstituye en palabras propias, si a menudo, como veremos, la sexualidad femenina es un componente decisivo en esta operación, casi siempre el sujeto femenino habita el mismo espacio psíquico y material, simbólicamente hablando, que ocupaba cuando era el objeto del discurso ajeno. Esto se debe a que el discurso genérico sexual, categoría fundamental para organizar la experiencia del sujeto, no puede aún reconocer territorios propios, y si bien puede desautorizar los discursos previos que usurpaban su poder, no puede fácilmente producir una nueva construcción cultural de la sexualidad que la defina auténticamente.

En parte, el problema reside en el hecho de que históricamente ha sido objeto de deseo, no deseante, ente pasivo que es constituido simbólicamente en los deseos que incita en el otro. Ella ha podido así erotizar el discurso ajeno, puede incluso ser erotizada —de nuevo funcionando como agente reactivo— por el otro que la designa así simbólicamente. Pero debemos reconocer que si bien las características biológicas del sujeto femenino, y su capacidad erotizante, son pre-textuales, éstas no tienen en sí facultades determinantes sino aquéllas que les otorgan los sistemas simbólicos de la cultura que las genera. Esto equivale a decir que uno deviene mujer socialmente, en la incidencia de prácticas culturales que incluyen lo discursivo, y, por lo tanto, lo simbólico. Importa entonces recordar la importancia de la ideología en el sentido que le da Althusser en estos procesos, en cuanto articulan relaciones imaginarias de los individuos con sus condiciones reales de existencia. Esto nos permite rechazar entonces la idea de que las prácticas sexuales son manifestaciones universales y naturales[3]. Y si el discurso sexual femenino da cuenta de estas relaciones, también incluye en su enunciación diferencias de clases y de cultura, de experiencia, a menudo denegadas en el afán por naturalizar lo sexual.

Si el sujeto femenino no es ni natural ni universalmente sexuado, su psiquis tampoco será, por otra parte, una categoría ahistórica y esencialista, como a menudo se ha sugerido incluso en ciertos textos feministas[4]. Partimos entonces de una subjetividad que incluso en lo sexual se constituye dentro de prácticas sociales dadas, y que en lo sexual todavía se construye hasta en su resistencia, por la conciencia de una presencia masculina, o el sentido de su falta, como en una especie de gineceo. Las escritoras, y me referiré a Luisa Valenzuela e Isabel Allende, asumen y usan los mismos códigos significativos que gobiernan todas las relaciones sociales, convirtiendo así prácticas sociales en instancias discursivas, desplazando esa praxis al nivel simbólico, y al así hacerlo, denotan una buena dosis de complicidad con el sistema que las oprime. Pero al mismo tiempo nos permiten acceso a estos mitos culturales que aún nos controlan, y sugieren la posibilidad de desmontarlos, de descifrarlos.

---

[3] JEFFREY WEEKS, *op. cit.*
[4] NANCY K. MILLER, "Changing the Subject: Authorship, Writing and the Reader", en *Feminist Studies/Critical Studies*, pp. 103-120.

En el cuento "Cambio de armas"[5], Luisa Valenzuela presenta en forma manifiesta una inversión de la situación sexual tradicional, en cuanto se trata de un sujeto femenino reconstituyéndose en su impulso erótico, en relación con un cuerpo masculino que *textualmente* es organizado como un hermoso fetiche pasivo del deseo:

> [ella] supo de sus líneas perfectas y de su piel. Esa piel, El, oscuro. De oscuro pasado y piel oscura. Ella apenas opaca. El, en comparación, oscuro y transparente. Ella, siempre dispuesta a ver a través, con él negándose a ir más allá de esa piel impecable y tersa, infinitamente acariciable (68)... Animal de la noche, él se estira a lo largo de su cuerpo y ella sabe que es lo más bello que ha tenido al alcance de la mano. Acaricia la tersura, la sedosa piel de boa constrictor en lo más lujurioso y profundo de la selva. Su selva... (69)

El sujeto enunciador, ella, constituye el objeto deseado de acuerdo a las más estrictas reglas del código conocido (masculino) construyendo al hombre con estrategias, con metáforas y hasta con palabras hurtadas al discurso erótico masculino. Si bien se insiste en la perfección corporal del amante en términos de piel tersa y continua, si bien están ausentes las dilaciones de la descripción erótica del cuerpo femenino en términos de disrupciones, de cortes, de orificios, de orografía del deseo, el cuerpo masculino es reconstituido en su encanto opuesto: continuidad y tersura, y la presencia disruptora del miembro viril como "flor enhiesta, viva" (73).

El proceso de inversión de recursos del discurso erótico apropia para el sujeto femenino territorio ajeno, y al hacerlo, indudablemente expande y territorializa espacios otrora vedados a su subjetividad, impensables como *locus* propios. Al mismo tiempo, llama la atención a la construcción discursiva como

---

5 LUISA VALENZUELA, *Cambio de armas* (Hanover: Ediciones del Norte, 1982). Todas las citas son de esta edición.

práctica genérica, anteriormente excluyendo y anterior al texto, que definía los parámetros en los cuales se podía discurrir sobre el deseo femenino. Valenzuela hace algo más radical, libera al sujeto femenino para apropiarse de las armas masculinas, hay aquí un verdadero cambio de armas, y al intercambiar los recursos, se apunta a la condición social, a la construcción de un arsenal de actitudes, de formas de contemplar el objeto de deseo como precisamente eso: una cosa hermosa para ser gozada, poseída, acariciada, usada, apropiada ahora no sólo en su materialidad, sino en su lenguaje mismo. Si bien esta estrategia desestabiliza nuestras espectativas, en cuanto las viejas armas están ahora en otras manos, y producen la extrañeza del reconocimiento de lo sabido —vale la paradoja— en un contexto sorpresivo, también sirven en parte para reiterar el discurso viejo, sugiriendo que el nuevo enunciante no tiene por el momento un discurso alternante que la reconstituya en su particular alteridad. Si bien liberada y ocupando territorio ajeno, se organiza con los recursos simbólicos del otro que ha hecho suyos, y cancela así cualquier posibilidad de individuación, de nueva propuesta.

Hay también en el relato otra manifestación importante: el hermoso animal, el bello ejemplar, declara su condición de ex-asesino. Ella conoce su pasado de drogas, de leyes violadas, de reformatorios, y quiere, en un gesto tradicionalmente femenino, devolverle la vida que ha perdido, esos años que la sociedad le hurtó. Pero al oír de su condición de asesino, se siente totalmente desestabilizada: el bello objeto no puede destruir vida, no puede obliterar lo que tan magníficamente representa. Y aquí aparece en el cuento un detalle importante que da otra dimensión al discurso sexual: no se trata solamente de aceptar un amante asesino, sino de organizar la experiencia de la violencia de otro en términos no sólo psíquicos, sino también de diferencias culturales y clasistas. Pues se produce aquí una inscripción textual doble de clase y sexo, en la que la subjetividad femenina está constituida con jerarquías sociales y diferenciaciones culturales que hacen que ella rechace la idea de un amante asesino en favor de un amante justiciero; pero que tenga al final que aceptar que hablan por él también las prostitutas coreanas que abusó, la experiencia de Vietnam que lo encalleció enseñándole torturas, y finalmente el submundo de violencia de los drogadictos. Mundos a los que ella sólo ha tenido acceso gracias a las letras, su profesión y mediación únicas, separada por cultura y clase de estos círculos de violencias en los que él ha residido habitualmente. Pues no es solamente la idea de que él sea capaz de matar la que la horroriza, sino de que su propio concepto del asesinato está asociado con casos límites y remotos como los de los niños somocistas, entrenados a matar por un sistema concebido para crear asesinos eficaces.

Atrapado en la prisión de su clase y su cultura, el sujeto femenino sólo puede reconstituirse a través de una tortura (psíquica) que es a la vez mortal y liberadora, como las ligaduras que a fuer de flojas, permiten el movimiento que estrangula, otra técnica que él ha aprendido en sus experiencias de guerra. Debatiéndose entre la posibilidad de la liberación y la asfixia, ella consigue exorcizar la palabra asesino en lo que puede ser "una acusación o un llamado pero se trata en realidad de un parto" (83). El final del relato revierte a la metáfora tradicional mujer/madre en un nacimiento cuya naturaleza y significado no se definen dentro del texto. El desfasaje de clase y cultura queda enunciado pero no resuelto, mientas el discurso erótico ha reconstituido la subjetividad femenina pero la mantiene en su condición social de escindida por otras categorías no salvadas. Tarea eficaz de salvamento la del relato, que permite una nueva posicionalidad enunciativa y, por ende, un nuevo modelo de reconstitución subjetiva a lo femenino, pero que deja sin resolver, como en los romances de la literatura popular, los conflictos sociales que se revelan en el discurso genérico, conflictos que Valenzuela, por su parte, hace explícitos en el texto aunque no los problematice más allá de la satisfacción del deseo.

En el mismo volumen, *Cambio de armas*, en el relato "Ceremonias de rechazo", el sujeto femenino recurre a estrategias similares en cuanto feminiza al otro distante, al amante ausente con frecuencia, física y psíquicamente, por ende, ajeno y extraño excepto en la situación erótica. Pero el sujeto femenino se ha quedado prisionero en ese otro, en la espera de sus llamados, en la marchita rosa roja que le dejara, en los recovecos de la memoria, y decide exorcizar este recuerdo, liberarse del mismo anti-ritos de desprendimiento: desenchufar el teléfono; darse un baño no purificador sino contaminante, transformador de humores de orín y sales de pino; en máscaras que no encubren, sino que revelan descaradamente la presencia de lo que se pretende ocultar; en disfraces blancos que no connotan pureza sino la asepsia del hospital al convertirse ella en enfermera de su propia salud. Vale decir, el sujeto femenino se reconstituye en estos actos efectivamente simbólicos porque revierten la tradición erótico-amorosa: en el arrojar, por ejemplo, la rosa a las aguas barrosas del río, en dasarraigar una planta, en bautizarse con una manguera, en tratarse a sí misma como un nuevo brote por crecer. Lo que desestabiliza esta terapia original, esta transformación del discurso erótico en un espacio psíquico recuperativo, es el hecho aparentemente nimio, de que las ausencias del amante, sus distanciamientos, son dictados por las exigencias de una actividad política clandestina, innominada y por sobre todas las cosas, inaccesible a ella, que no comparte ni sus secretos ni sus intereses, pues sólo se relaciona con él en el campo sexual. Reproducción ésta de relaciones socialmente tabicadas en las que la mujer si bien se libera de la pasiva espera y sujección al hombre, no comparte con él más que el diálogo sexual, subjetividad escindida también en la que se inscribe la ideología particular que deniega participación histórica aunque sí sexual a la mujer. Discurso parcialmente liberador el del relato en cuanto la metafísica de la espera y la añoranza queda reemplazada por un verdadero renacimiento —los ritos incluyen un baño en fluidos casi amnióticos— y una reaparición "en blanco" como página no inscripta, del nuevo sujeto femenino que se bautiza a sí misma en un acto de autodeterminación y creación.

Queremos anotar que si bien los ejemplos elegidos anotan una liberación a medias por parte del sujeto femenino que ha asumido ahora su propio discurso, hay otros relatos en el volumen en los que la voz narrativa se inscribe en un sistema de signos que a la vez que incluyen lo sexual, abarcan actividades y funciones que lo exceden y trascienden.

También *La casa de los espíritus*, de Isabel Allende, provee una re-versión del romance fundacional, de la historia de la casa y las mujeres que la habitan, tópico recurrente en la literatura latinoamericana, para dar cuenta de la relación subjetividad e historia dentro de los cambios socio-históricos acaecidos en Chile desde los años treinta hasta la dictadura de Pinochet. Lo que distingue esta versión moderna de un género clásico, es, aparte de la ambigüedad producida por el desplazamiento de la voz narrativa, la idea de que *la casa*, el locus de los procesos, no será "Las tres marías", la casa que Trueba reconstruye y mantiene como correlativo de su voluntad y su visión histórica, el fundo que acaba por no representar ni siquiera su principal fuente de ingresos, sino que será la casa de la ciudad, esa versión originalmente clásica y sucesivamente tabicada, llena de pasajes y expansiones laberínticas que la conviertenen en objeto casi gótico la que metaforiza las relaciones genéricas y sexuales de la familia. En esta casa la gente se refugia para no encontrarse, para separarse y a veces para esconderse. Pues se trata ahora de desenmascarar la ilusión de las armónicas relaciones familiares como paradigma de la historia nacional. Pero si bien Allende no deja lugar a dudas de que el mito de continuidad y armonía debe ser revelado como una impostura anacrónica y falaz, los sujetos femeninos parecen constituirse dentro de los espacios abandonados o ignorados por la presencia masculina: la resistencia está designada por una "natural" otredad: por el espíritu, o los espíritus, de Clara, frente a la voluntad explotadora de Trueba; por la sexualidad natural y casi edénica de Blanca y Pedro Tercero, por la tibia y enamorada participación política de Alba y sus consecuencias. En esta novela, por otra parte muy singular, clase y raza parecen desplazadas por lo sexual y sus metáforas, y no parte constituyente de una misma cadena significativa.

Si bien el texto reconstituye la subjetividad femenina casi exclusivamente en lo sexual, los otros términos que pueden indicar diferenciación genérica tales como la vida mental, el deseo y las fantasías, la misma fragmentación psíquica que se evidencia en los sujetos femeninos, es parte de la subordiación a que están sometidas las mujeres, no rasgos excéntricos o regresivamente anárquicos que tienden a la individuación. En suma, no se puede extrapolar la diferencia sexual del mundo social en el que está inscripta, y parte de la diferenciación genérica que subyace en la dialética del discurso sexual, está condicionada por componentes sociales tales como clase, educación, experiencias, etc.

Este breve análisis puede servir de base a la propuesta de que la sexualidad debe verse dentro de una subjetividad que no está unificada, y cuya presunta y posible unidad no puede darse en el discurso exclusivamente sexual, en cuanto éste no está aislado de los otros condicionamientos sociales. Una escritu-

ra y lectura feminista debe tener en cuenta no sólo
los impulsos rebeldes y autónomos del sujeto, sino
también sus deseos socialmente condicionados de
amor y dependencia, pues ambas tendencias contribuyen a la escisión de la subjetividad en términos
muy específicos de factores sociales. Si no observamos estas contradicciones, podemos caer en una lectura que refuerza, como el romance popularizado
por los medios masivos de comunicación, la ideología de dominación que queremos desvirtuar.

LA PROBLEMATICA DE LA SEXUALIDAD EN LA ESCRITURA DE MARGO GLANTZ

Magdalena García Pinto
(Universidad of Missouri-Columbia)

> *El placer del texto es el momento en que mi cuerpo comienza a seguir sus propias ideas —pues mi cuerpo no tiene las mismas ideas que yo.*
>
> ROLAND BARTHES

La escritura de Margo Glantz es atípica dentro de la producción femenina latinoamericana contemporánea en el sentido de que observamos en su escritura dos vertientes que se complementan intertextualmente. Una de ellas es la ficción, la otra es la ficción crítica, término que tomo de Rede Bensmaia en su trabajo *Barthes à l'essai: Introduction au texte reflechissant* (1986), para aludir de modo genérico a una escritura cuyo pretexto es una reflexión de los textos que la obsesionan, un ejercicio intertextual deliberado con los que son sus motivadores, además de precursores en el sentido borgiano del término, y los textos que esas reflexiones generan, del mismo modo que la "intertextualidad borgiana abre el camino a la lectura plural, a la reescritura de lo leído"[1].

Los textos de ficción trabajan elementos de la sexualidad en el texto como parte integrante de su material literario, los de ficción crítica auscultan tanto la representación de lo femenino como elemento que introduce la sexualidad y genera el discurso de la sexualidad, como sus implicaciones para una lectura alternativa de dichos textos.

Quisiera ubicar la producción de Margo Glantz dentro del espacio de la escritura feminista, y en ese espacio, considerarla como parte del discurso feminista que tiene como base de su proyecto realizar un trabajo de relectura y de análisis del discurso literario masculino para poner en evidencia las implicaciones para la lectora mujer, es decir, "un acto de re-visión, de mirar hacia atrás, de ver con ojos nuevos, de entrar en un texto anterior con una nueva perspectiva crítica", en palabras de Adrienne Rich, tomadas del libro de Judith Fetterly *The Resisting Reader*[2]. Margo Glantz pone en movimiento este procedimiento de auscultación desde parámetros que encubren la visión falocéntrica del mundo que permeabiliza e infiltra la cultura desde la cual ella misma se ha educado y desde la cual escribe.

Una de estas modalidades de la resistencia pareciera surgir de un gesto crítico que propone la recuperación de dominios mediante la deconstrucción de mitos y percepciones que crearon prisiones que la mujer trata ahora de deshacerse con propuestas de reescritura para escapar, pero escapar en el sentido de deslizarse por entre las resquebrajaduras del edificio literario masculino, deslizamiento mediatizado por el sujeto de la escritura femenina en pos de un vehículo expresivo diferente, otro, para fundar

---

[1] Margo Glantz, "Borges: Ficción e intertextualidad", en *Intervención y pretexto,* México: UNAM, 1980.

[2] Judith Fetterly, *The Resisting Reader*, Indiana University Press, 1978, pág. xxii.

un lugar, una escena de la escritura desde la cual hablar. Este sería el espacio inaugural de la diferencia. Desde allí sería posible realizar el trabajo doble de la recuperación de dominios y de deconstrucción de la ideología falocéntrica, tanto en la teoría como en la praxis literaria.

Luce Irigaray propone la fisiología de la mujer como fuente natural para la creación de un lenguaje liberador y su correspondiente simbólico:

> ...Se puede decir que la geografía de su placer es mucho más diversificada, más múltiple en sus diferencias, más compleja, más sutil, que lo que se imagina —en un imaginario centrado un poco demasiado sobre sí mismo.
>
> (*Ce sexe que n'en est pas un*)[3]

Es decir, que la diferencia se articularía en la marca de la letra con que la mujer con su cuerpo escribe el mundo. Notamos que es característica recurrente del discurso masculino el intento de dominar el mundo creado, prefigurado en el imaginario del escritor que busca construir una imagen del mundo que lo equipare con el creador —o sea, la gran conspiración: el hombre inventa la palabra de Dios, Dios crea el mundo por la magia del verbo divino y crea al hombre a su imagen y semejanza, transfondo esencial de este discurso. En el discurso femenino se propone otra relación, no de dominio, sino de coexistencia con los objetos del mundo dentro del espacio textual configurado por un entramado que integra el sujeto y los objetos que pueblan y son parte del mundo.

Este acercamiento reflejaría una manera de concebir el lenguaje como medio de descubrimiento del propio sujeto que escribe, también presente en el discurso masculino; pero en el discurso femenino, al ir dando forma al diseño de su exterioridad, ese sujeto convocado desde una consciencia femenina, va

---

[3] LUCI IRIGARAY, en *New French Feminisms,* editoras: ELAINE MARKS e ISABELLE DE COURTIVRON, New York: Schocken Book, 1981, pág. 103.

recobrando su consciencia, y su conocimiento del mundo que le permite verbalizar su experiencia a través de su cuerpo, de su placer y de su sangre, todo lo cual lleva a postular modalidades alternativas de representación que marcan este sujeto del discurso.

Desde este marco, la obra de Margo Glantz trabaja una modalidad expresiva original y, a mi juicio, nueva, dentro de la praxis literaria de América Latina. Margo Glantz se plantea a sí misma, como lectora y creadora de textos, la problemática de la relación entre escritura y sexualidad. Sus obras de ficción postulan varios niveles de lectura por los que pasa una ironía refinada que es el tono dominante de su escritura y que implica una posible resistencia en el sentido arriba indicado, basado en la cita de Adrienne Rich. Es decir, que en su ficción se teje una visión del mundo que subvierte y desbarata el orden de las relaciones entre escritura y sexualidad.

Margo Glantz comienza a publicar relativamente tarde, como es el caso de numerosas escritoras latinoamericanas. Su primer libro de ficción, *Las mil y una calorías, novela dietética*, se publica en 1978, seguido éste de otro texto de ficción; *Doscientas ballenas azules... y... cuatro caballos*, en 1979. Ese mismo año, publica un volumen de ensayos críticos sobre literatura mexicana, *Repeticiones*. Al año siguiente aparecen *No pronunciarás* y un segundo libro de ensayos críticos sobre Borges, Bioy Casares, Quiroga, Kafka y Artaud, *Intervención y pretexto*. En 1981 publica su libro más conocido, *Las genealogías*, cuya segunda edición acaba de salir. A partir de 1982 aparecen *El día de tu boda*, *La lengua en la mano* (1983), *Síndrome de naufragios* (1984), *Erosiones* (1984) y *De la amorosa inclinación a enredarse en cabellos* (1984).

En su obra se combinan la ficción y el ensayo creando un espacio verbal donde se tematiza la sexualidad de la escritura y la escritura de la sexualidad. Se redefinen además los límites de las dos modalidades del discurso que se confrontan, juntamente con la exploración de los efectos expresivos de un lenguaje metafórico, del desafío a los principios de coherencia que gobiernan el discurso de la ficción que acumula referentes diversos que insinúan la pregunta: ¿cuál es el verdadero orden de las cosas? Al crearse mundos ficticios en apariencia disparatados que responden a un deseo de aventura, encontramos que el uso particularizado de la ironía, a veces disfrazada en el humor, sirve como regulador del juego.

Textos de ficción

Pertenecen a esta modalidad narrativa *Las mil y una calorías, novela dietética, Doscientas ballenas azules... y... cuatro caballos, No pronunciarás* y *Síndrome de naufragios.*

Las mil y una calorías, novela dietética, ofrece la primera transgresión del concepto de género literario, utilizando la técnica del juego intelectual surrealista de corte magrittiano: este texto, en efecto, no es una novela, sino una serie de fragmentos poemáticos que trabajan algunos de los temas sobre los que vuelve en textos posteriores.

Casi todos los títulos de estos fragmentos se inician de la misma manera, "historia (de)...", como en el caso siguiente:

HISTORIA PERIFRASTICA[4]

casandra, virgen infausta, aulló
por los caminos, profetizando males,
y helena, la perrra del pefné, se
alzó sobre las patas para

---

[4] MARGO GLANTZ, *Las mil y una calorías, novela dietética,* México: Premiá Editoria, 1978.

propiciar la destrucción del orbé,
excavando la verdad desde su
vientre exhausto y pervertido.

Estas historias están estructuradas en base a la idea enunciada en el título: historia perifrástica es una repetición de una experiencia estructurada con el recurso de equivalencias que funciona de manera similar al recurso poético:

casandra, virgen infausta, aulló
helena, la perra de pefné, alzó

Este paralelismo sintáctico y semántico refuerza el carácter elíptico de las historias. Lo sexual aparece integrado en la breve "historia" entretejido en las imágenes surrealistas:

helena se alza sobre las patas
y en la entrega de su cuerpo propicia la destrucción
del mundo

o, en "Historia de escrituras y cerebros" se relaciona el sexo con una marca de la escritura:

HISTORIA DE ESCRITURAS Y CEREBROS[5]

tito monterroso dice: "hace más
de cuatro siglos que fray bartolomé
de las casas pudo convencer a
los europeos de que éramos humanos
y de que teníamos un alma porque
reíamos; ahora quieren convencerse
de lo mismo porque escribimos".
hoy corre otra versión que dice:
las mujeres han tratado de escribir
sin que se note su sexo, quizá por
eufemismo o quizá por obscenidad.

En este primer libro aparece ya buena parte del

_____

[5] MARGO GLANTZ, _Las mil y una calorías, novela dietética,_ México: Premiá Editoria, 1987, pág. 44.

material literario que forma parte del sistema expresivo de Glantz, como es el caso de los caracteres mitológicos y bíblicos que entran y salen por su ficción de manera fraccionada pero consistente con el principio estructurante que es la fragmentación del espacio textual, del lenguaje, de los temas y de los personajes que incorpora. Entre los más recurrentes, mencionamos a Jonás, Jasón, Ahab y Edipo, Casandra y Helena. Acude a la Historia para reescribir a Colón y el Padre de Las Casas, Ulises, Marco Polo y Lope de Aguirre, todos personajes históricos o literarios que están conectados con el tema del viaje. También aparecen integrados animales cuyo sistema de subsistencia es también el viaje: la ballena, viajera por excelencia, y la mariposa.

"Historia de ballenas", texto de *Las mil y una calorías*, en efecto, es el texto que luego abre el segundo libro, *Doscientas ballenas azules*:

> antiguamente las señoritas
> se achicaban la cintura
> poniéndoles ballenas a sus fajas;
> los balleneros
> recorrían los mares
> buscando la esperma del cetáceo;
> melville cantó con ahab
> sus terribles alabanzas
> y los perfumeros usaban
> el semen de ballena para fijar
> en las esencias el suave afrodisíaco.
> hoy sólo quedan
> doscientas ballenas azules en el mundo
> y cada año pasan
> por el golfo de cortés
> anunciando como jonás
> una inútil babel de surtidores blancos.[6]

Este libro también está formado de fragmentos, pero ya no dispuestos en forma de poema, sino en

_____
[6] MARGO GLANTZ, *ibidem* nota 5, pág. 82.

breves parágrafos o capítulos trabajados en un lenguaje sinestésico que le permite sobrecargar las sensaciones visuales, táctiles y olfativas en particular. En el centro de esta escritura están las ballenas que funcionan como símbolo de la sexualidad, del placer y del libre albedrío:

> Sólo quedan doscientas ballenas azules en el mundo dando la vuelta como navíos, con su piel suave, sedosa, sin desgarraduras, siempre tranquilas, tanto que ni su color puede dañarlas. Ahora regresan y pasan por el Golfo de Cortés, porque son valientes a pesar de su apellido. Allí anidan y se entregan deleitosas a la cópula y al suicidio.[7]

También las ballenas representan la "ilustre desembocadura donde se alojan los profetas". Esta desembocadura ya había sido parte del elemento sexual en los dibujos que ilustran *Las Mil y una calorías*, y en este texto vemos que la metáfora se extiende más aún. La desembocadura o útero es el lugar desde donde emergen, como en un gran parto, los héroes marinos de los cuales Jonás es el arquetipo: Jasón, Ulises, Ahab y Melville son los otros héroes que nacen de su acuosa sexualidad. Esta inversión de la ballena de monstruo a elemento procreador es un primer indicio de sub-versión y desbaratamiento de esta escritura. Por una parte, se trabaja el tema del viaje literario con Simbad, Marco Polo y Colón, y, por otra, los itinerarios de las ballenas, criaturas sensuales cuya libre sexualidad se refleja en la piel acuosa y reluciente de su cobertura. Asimismo se realza la ballena como elemento sexual de cuyos orificios, boca y útero, manan no sólo el perfume y la fluidez sexual sino también los héroes legendarios.

Del tema de las ballenas se desemboca en una exploración de la infinita posibilidad del viaje marino, de prestigiosa tradición literaria con "Le bateau

---

[7] Margo Glantz, *Doscientas ballenas azules... y... cuatro caballos*, México: UNAM, 1981.

ivre", "Le voyage", "Tentativa del hombre infinito" y otros poemas largos cuyo tema central es el viaje como búsqueda. En Margo Glantz, el viaje se combina con otro elemento poético, el tema del naufragio, que le permite trabajar su múltiple potencialidad polisémica. De esta idea surge *Síndrome de naufragios*. El lenguaje de estos textos también puede caracterizarse como poético con la integración de técnicas surrealistas a nivel de estructuración de las imágenes, entre ellos, por ejemplo, el elemento onírico. Otra técnica es la asociación de acontecimientos afines y dispares que dan forma a la idea central, el naufragio. Estos son el diluvio y su opuesto, el arca de Noé con Virginia Woolf, Dante y Luis de Baviera como pasajeros, junto a la zoología bíblica. Los naufragios de la escritura tienen su incepción en los sueños con cataclismos experimentados por Simbad, eco del sujeto del discurso, quien comienza un viaje en el interior de su viaje y su descubrimiento precipita un nuevo naufragio. Esta es otra técnica surrealista de encabalgar un elemento en otro sin transición.

> Simbad habla y su voz de almizcle, como la confitura de eneldo y eglantinas, recuerda su primer viaje y profiere la primera sentencia que surge de los pliegues verdosos de la seda con que envuelve su cabeza... Escamoso, su primer naufragio lo une a los peces; gigantescos cachalotes, cuyo lomo parece una isla, pueblan los mares: con sus aletas enormes semejan dragones.[8]

Las tormentas, el diluvio, las aguas que abaten o protegen a los personajes, son metáforas de una visión que relaciona lo apocalíptico de las acciones humanas con las fuerzas naturales, siendo menos destructoras éstas que las primeras; metáforas de la conmoción del mundo de igual proporción son el

---

[8] MARGO GLANTZ, *Síndrome de naufragios*, México: Editorial Joaquín Mortiz, 1984, pp. 13 y 14.

descubrimiento de América y el deseo o la ira de los hombres. Estos y otros viajes son siempre en última instancia el viaje sinuoso y cataclísmico por la escritura, en la cual el sujeto, fragmentado, dialoga, se identifica, o se desdobla en la multiplicidad de los personajes que sólo existen en la escritura, y cuyo sitial es desacralizado en la sub-versión de la re-escritura:

> El hacha de dos filos pende. Te vuelve un ser bifronte, irregular. No te conozco y me hundo en las palabras. La primera fue la palabra hermano: los árabes usan hermano y pelea como términos sinónimos y Caín y Abel reproducen en sus letras la rivalidad, enredada en quijadas y animales... Caín fue siempre mejor que su hermano pero las escrituras lo ofenden y lo tenemos que deletrear como traidor. Abel es limpio y sereno pero sólo en las letras de su nombre.[9]

Textos de ficción crítica

Entre este grupo incluyo *El día de tu boda, La lengua en la mano* y *De la amorosa inclinación de enredarse en cabellos*. En esta parte del trabajo me referiré al segundo título. En *La lengua en la mano* los textos tienen una preocupación fundamental que los unifica, y que se anuncia desde la primera página o "Advertencia". Me refiero a la conexión que Glantz entabla entre escritura y sexualidad, aquí tratada con más continuidad que en los textos de creación. Advierte que "antes de poder deglutir lo que lleva dentro de la boca, la lengua ha necesitado de la mano que ejecuta el viejo mecanismo de la conducción. Pero tal vez la lengua en la mano sea sobre todo la posibilidad de traducir a la página en blanco aquello que antes era intraducible". Es decir, movimiento doble de desarmar y armar, de ingerir y de-

---

[9] Margo Glantz, *ibidem* nota 8, pág. 92.

sechar para rearmar una nueva textura que incorpora una nueva modalidad de lectura, a la que me refería al comienzo del trabajo.

Los ensayos breves de este volumen proponen un género a caballo entre dos discursos, el reflexivo y el íntimo, personal, que se acerca más a la ficción. La intencionalidad de esta escritura se descubre en el proceso de deconstrucción del discurso central en tanto discurso de la sexualidad. *La lengua en la mano* postula una interpretación o desciframiento y producción y asentar o trazar la escritura para crear un enlace entre dos sistemas de significación que alimentan la textualidad representados desde América por Jerónimo de Aguilar, el "intérprete" de la nueva realidad americana junto a la diligente colaboración de Doña Marina/Malinche, ambos origen o fuente del discurso oral, que los escritores oficiales registran para dar testimonio de los acontecimientos. Se confrontan en este discurso la lengua que dice y la mano que escribe. Codificación y descodificación es la doble operación que Glantz soslaya en el último ensayo de este volumen: "proponer a los hombres [*sic*] signos plásticos que surgen de una relectura de los distintos cosmos que llevamos adheridos a la piel provoca una recopilación prolija y desengañada, a veces artesanal, siempre prodigiosa, de los sistemas que nos han tatuado".[10]

Esta cita es casi una poética de la lectura: los textos de la cultura forman capas o textos generados de la actividad de una "relectura de los distintos cosmos adheridos a la piel". Estos ensayos de reflexión sobre la escritura son, como dije al comienzo, un ejercicio intelectual que trabaja la intertextualidad. Y esa reflexión se centra en las estratagemas que propician la inserción de las partes del cuerpo femenino en la escritura, o mejor dicho, el diseño

---

10 Margo Glantz, *La lengua en la mano*, México: Premiá Editora, 1983, pág. 170.

de los personajes femeninos a través de la fragmentación de sus partes. Glantz escarba en la narrativa mexicana y francesa para levantar las capas de este encubrimiento. El texto está dividido en cuatro partes: "Esguince de cintura", "El cuerpo en el texto", "La segunda boca" y "La lengua en la mano". En cada una de estas secciones, la reflexión privilegia la función y el diseño de las partes del cuerpo femenino. Al revisar la narrativa mexicana, Glantz retoma el pie como centro de su auscultación para contraponer la función del pie masculino al de la mujer en cuanto símbolo polisémico antitético. El pie es un fetiche si es femenino, si está desnudo o apenas sugerido, o si va adornado y oculto detrás de la opulencia del diseño del calzado. Es divisor de clases, y está lejos o cerca del deseo, según su rango. Mientras en el siglo XVII el pudor oculta el pie de las españolas, "en el siglo XVIII el pie bien calzado se vuelve blanco de la mirada masculina (¿y envidia de la femenina?): "[Una señora] arrullaba toda la hermosa máquina de su cuerpo sobre dos chinelas de terciopelo azul que eran el ártico y el antártico en donde se revolcaban los ojos más tardos y se mecían los deseos más rebeldes", exclama perturbado Torres Villarroel".[11]

El calzado expresa también la moralidad imperante puesto que "el calzado no sólo es símbolo de lujo, sino erotismo embozado y pedestal de un sistema de la moda que mientras viste el pie encubre las apariencias y amenaza las estructuras establecidas".[12] Doble juego que marca la opresión y lo insidioso del sistema, puesto que ni el pie vestido ni el pie desnudo son aceptables a la moralidad vigente, código que está inserto y preside en esta narrativa. Del pie pasa Glantz a la mujer como objeto del deseo o sea de consumo de esta sociedad. Y la estratagema utilizada,

---

11 MARGO GLANTZ, *ibidem* nota 10, pág. 16.
12 MARGO GLANTZ, *ibidem* nota 10, pág. 19.

una de ellas, es la de crear una protagonista de la clase baja que tiene oportunidad de subir en la escala social al transformarse en objeto de consumo, que el escritor marca con el cambio de vestimenta y calzado de la protagonista; o bien, la mujer se aplebeya, como la Duquesa de Alba, imagen sobre la cual se plasma este personaje. El decorado de la moda es otro de los temas de inspección que convierten a la mujer en pieza central, y la va transformando en bello objeto de placer y de consumo para la mirada del otro.

Es decir, que cada parte de la "geografía" femenina ha sido integrada a la ficción como objeto del deseo de la contemplación erótica que la transforma en fetiche. En todo caso, si es ofensivo o puede provocar la pérdida del honor del hombre, debe ocultarse. Las partes más destacadas del cuerpo están relacionadas, otra vez, con el rango social: "La mayor parte de las mexicanas exhibe un cuerpo donde destacan dos protuberancias, la de los pies y la de los senos, y una delgadez, la de la cintura. Estas mujeres son de la clase baja; las mujeres de la aristocracia, las mujeres decentes, sólo tienen ojos, quizá hasta pelo".[13]

Al desarropar los encubrimientos de un discurso que viste para deleitarse en desvestir, el discurso sexual masculino incorpora un elemento ideológico que manipula a la mujer y la reduce a mercancía del deseo: "Transformada en maniquí y convertida en valor de cambio, la mujer se inserta en un sistema de transacciones que determinan su capacidad para desplazarse por los territorios que antes estaban religiosamente separados. La mujer digna de ese nombre debe ser modesta y humilde pero la mujer que simboliza el cambio es indigna de cualquier hombre".[14] Estos elementos de la representación en la ficción descubren la ideología: la mujer decente es asexual, y la carga subyacente de la moralidad está subrayada

---

[13] MARGO GLANTZ, *ibidem* nota 10, pág. 37.
[14] MARGO GLANTZ, *ibidem* nota 10, pág. 40.

por su ambigüedad. Por una parte, oculta las formas del cuerpo, pero por otra, desarropa: la clase alta contrapuesta a la clase baja, como se ve claramente en la cita que recoge Glantz de una novela decimonónica mexicana:

> Cecilia, como todas las mujeres, y a su edad, que ya no era una niña, sino mujer en pleno desarrollo de su robustez y de su belleza, sentía la necesidad de la compañía de un hombre. Las mujeres livianas lo toman donde lo encuentran y las honradas y castas por naturaleza buscan marido, y si tardan en encontrantarlo, se casan con el primero que se les presenta, sin ver pelo ni tamaño.[14]

Otro aspecto de la reflexión es la sangre que fluye y enrojece la piel con la pasión. La sangre literaria que acompaña a los personajes femeninos es la sangre que fluye en el cuello blanquísimo de las heroínas mordidas por los colmillos sedientos de los vampiros góticos, la antropofagia ligada al deseo es su manifestación más atractiva y, sin duda, mucho más distante de las sangres heroicas de los padres de la patria o de malhechores que trabajan a cuchillo o revólver para hacer correr la sangre del enemigo por la violencia física es parte del desencubrimiento que asoma en Margo Glantz. Quedan, sin embargo, por revelarse otras sangres femeninas que han aflorado intermitentemente a la superficie del texto, las sangres de la fertilidad y de la sexualidad.

Los textos de Bataille que son de particular interés en la escritura de Margo Glantz aparecen trabajados en la tercera sección, "La segunda boca". Estos textos crean una ambigüedad considerable desde el punto de vista de una lectora femenina puesto que ese tono que sostiene el discurso a través de una refinada ironía, tiende a desaparecer en este punto de la reflexión. Este escritor estrechamente vinculado a los surrealistas, en donde Glantz halla numerosas afinidades, es un buceador de la problemática del deseo que crea su propio objeto y sujeto, y que persigue traspasar los límites de todas las experiencias. Glantz se siente atraída, casi subyugada, por Bataille, por lo cual su aproximación tiene elementos de contradicción. Señala que para Bataille, "su amiga Laura es una especie de arquetipo dantesco que no acompaña al poeta al Paraíso sino al Infierno, es a la vez la existencia corpórea de lo obsceno, la apertura misma, la hendidura".[15] Luego, recoge un fragmento de una carta de Laura a Bataille en donde relata una excursión de la pareja al Etna: "asomarse al cráter es un acto sagrado y obsceno, idéntico al que lo inclina a mirar la hendidura del sexo de las adolescentes o de Madame Edwarda: hendija que rasga los entresijos, desnudez que abre sus partes deshonestas, sus vergüenzas, a la mirada obscena, vinculada con los aspectos más desérticos y más leprosos de un sueño, y en su irreligiosidad, con Dios".[16]

Esta reflexión provocada por la escritura erótica de Bataille enlaza el juego erótico de los personajes niños con la erótica del horror que define los caracteres de Poe. Poe y Sade coinciden en que crean un ámbito cerrado que propicia el espacio ritual del deseo, en tanto que Bataille busca un espacio abierto para el placer y la orgía de los personajes jóvenes. Debido a la insistencia en la transgresión de lo real, el discurso erótico tiene carácter bucólico en tanto que busca liberar el cuerpo y lo traslada a un espacio de salida de lo real, para destruir lo que los adultos y la sociedad burguesa construyen movidos por un afán de borrar la infancia y eliminar la vigencia de las leyes del juego. Glantz, sin embargo, no analiza y bucea la violencia del discurso y de la representación que son definidores de un falocentrismo exacerbado ya marcado en la crítica feminista.

---

[15] MARGO GLANTZ, tomado de *La historia del ojo,* traducido al español por MARGO GLANTZ con prólogo y notas de la misma.

[16] MARGO GLANTZ, *ibidem* nota 10, pág. 95.

El discurso erótico siempre censurado y perseguido, y "los términos pornografía y erotismo excluidos de la moral son patrimonio de la civilización occidental, mejor aún de la sociedad burguesa que fue cercando cada vez más el sexo obligándolo a callar su discurso".[17] Hace callar los órganos debajo del ombligo, dice Glantz. A esto se contrapone el discurso erótico de Bataille que hace hablar en detalle los placeres prohibidos de ese cuerpo censurado desde todos los discursos. Margo Glantz extiende esta función de la censura a una muestra de la manifestación de la ideología fascista que enfrenta a los "autores que atentan contra las buenas costumbres", en particular en aquellos países de regímenes dictatoriales en nuestro tiempo.

Sade, Poe y Bataille, son, pues, precursores de un discurso erótico que sin ellos no sería posible, y permiten el diálogo generador a su vez de textos como los que estamos revisando. Además, establece una diferencia principal entre este discurso erótico y aquéllos que banalizan el erotismo, como es el caso de los libros de alto consumo de literatura pornográfica: "La escritura reflexiona sobre la perversidad y la monstruosidad, no las actúa. Y las obras de Bataille cargan al mundo de deseo y gastan esa energía por el simple placer de gastarla en un acto lúdico y transgresor. La literatura de consumo desperdicia y degrada a los que consumen o a los que se inscriben en una actuación realista de una sexualidad maniquea que se exhibe como una liberación pero que reduce, por su ejecución, a la robotización y al exterminio".[18]

Y nos preguntamos, ¿dónde están las mujeres en este proceso de creación del discurso erótico? Hay textos que han aparecido recientemente que revelan una sensibilidad y conocimiento más íntimo, más

---

[17] Margo Glantz, *ibidem* nota 10, pág. 106.
[18] Margo Glantz, *ibidem* nota 10, pág. 113.

particularizado del cuerpo erótico de la mujer, y aunque a veces no sea aparente la autoría, se diferencian en el cuerpo textual por la marca de una mano y conciencia femeninas. En ambos casos, la literatura erótica postula el cuerpo de la mujer con el objeto principal del cuerpo textual. Cuando la mujer es la que escribe, el texto erótico es doble: "por un lado, el sexo expuesto en la textualidad y, por otro, el sexo de quien la escribe".[19]

En ambas vertientes de la escritura de esta autora mexicana se percibe la fascinación y la atracción de la sexualidad en el texto. Al desarrollar un sistema bastante complejo de interrelaciones entre los numerosos textos que maneja este discurso, Glantz provee un marco desde el cual puede darse una relectura y una revisión para deconstruir y rearmar con una nueva significación, no sólo aquellos textos que tienen como centro el cuerpo femenino, sino también los que en apariencia se presentan como narraciones "inocentes" de un momento del desarrollo histórico de nuestras sociedades americanas. Quedan importantes contradicciones en los textos de Margo Glantz que retomaremos en otra oportunidad para analizar más detenidamente el elemento de fascinación y de influencia del discurso erótico aludido.

[19] Margo Glantz, *ibidem* nota 10, pág. 117.

EROS Y PODER EN *INFORME BAJO LLAVE* DE MARTA LYNCH

Alessandra Riccio

Poco o nada sé de Marta Lynch, muerta suicida en Buenos Aires hace dos años más o menos, y, sin embargo, guardo de ella una correspondencia breve pero intensa, un texto publicado por primera vez en italiano y —por lo que sé— todavía inédito en la Argentina, y algunas inquietantes anécdotas.

En los primeros años ochenta llegaba muy escasa información desde el Río de la Plata; nos enterábamos de la producción del exilio, nos hacíamos amigos de tantos escritores, críticos, intelectuales y artistas arrastrados por la Historia a este lado del Atlántico, pero casi nada sabíamos de los que vivían y trabajaban del lado de allá.

Con la poca información que tenía y gracias a algunas amistades personales, escribí para un diario de mi país una breve reseña de algunas de las novelas publicadas en aquellos años en Buenos Aires: la agradable sorpresa del fino humor y del talento de Angélica Gorodischer, el mundo enloquecido de Héctor Maldonado, la escritura de Cecilia Absatz, la angustia erótica de Marta Lynch. Recién empezaba el año 1984 y el fenómeno Alfonsín con toda su carga de euforia estaba estrenándose todavía.

Aquella reseña superficial y sin importancia

—apenas un informe escrito a la carrera— despertó el interés de uno de estos seres arrancados de su vida y de su cotidianidad por los imperiosos disparates de la Historia y transplantado en una Roma inhóspita y distante. El librero y editor Falbo, cuya librería en la calle Florida 142 había sido otrora punto de referencia para un mundo intelectual quizá de segunda fila, pero sinceramente apasionado, quien sobrevivía en la capital italiana siempre en busca de un puesto de trabajo y desconocido por todos, quedó nostálgicamente conmovido por aquella breve nota publicada y se empeñó en mandar fotocopias a sus antiguas amistades argentinas, sobre todo mujeres escritoras.

A Falbo no llegué a conocerlo nunca a pesar de las muchas llamadas que intercambiamos entre Roma y Nápoles y de sus reiteradas promesas de viajar a mi ciudad. La muerte lo sorprendió de repente estando solo en casa dentro de una ciudad que lo ignoró siempre y su cadáver fue encontrado varios días después por uno de sus escasos amigos. Chiquita Constenla, que por entonces vivía en Italia, se hizo cargo de las pocas cosas de Falbo y de su escasa pero refinada biblioteca. A mí me tocaron algunos de sus libros que guardo con gran cariño. Su entusiasmo y su verdadera pasión por su país y su cultura hicieron que Marta Lynch se pusiera en contacto y mantuviera conmigo una extraña correspondencia durante todo el año de 1984.

Debo ser injusta al calificar de extraña una correspondencia que se caracterizaba por su sinceridad y por su afán de que, por mi medio, el nombre de Marta Lynch resonara en Italia, cosa que, según ella, era sumamente importante para un escritor porteño. Me había elegido como su Virgilio en tierras italianas y quería entrar a la península llevada por mi mano. Tanta confianza en mí y en mis escasas posibilidades me daba miedo, me obligaba a asumir *in toto* a una escritora de quien conocía sólo el inquietante *Infor-*

me bajo llave y de quien mis amigos, más o menos enterados, me contaban las anécdotas más curiosas sobre su vanidad, su vida privada, su obsesión en quitarse los años y finalmente sobre la sospecha —pero hubo quien tenía la certeza absoluta— de que había sido colaboracionista de los militares. Confieso que estos retazos de la vida de Marta Lynch no me gustaban: me sentía acosada por su empeño a entrar en el mundo literario italiano tomada de mi mano, cosa que yo no sólo no me sentía en condición de hacer, sino que tampoco sabía si lo quería hacer; no me gustaban algunas debilidades suyas que juzgaba indignas de una mujer culta y liberada y sobre todo me horrorizaba la idea de que Marta hubiera podido colaborar con la junta militar, cosa que de alguna manera acreditaba también la lectura de *Informe bajo llave*.

Durante las vacaciones de Navidad de 1984, Marta llegó a Italia y bajó hasta Nápoles "para ver a Alessandra", como repetía a sus acompañantes. Sin embargo, no apareció por mi casa, ni me llamó dejándome entre aliviada y sorprendida. Luego supe que no quiso verme porque, estando las peluquerías de Nápoles cerradas por las vacaciones, no quería mostrarse con el pelo —una de sus obsesiones eróticas— en desorden. Pocos meses después, Marta se pegaba un tiro matando de una vez el miedo a envejecer y quién sabe cuántos miedos más y dejándome la pesada herencia de volver a acercarme a ella a través de sus libros que, al fin y al cabo, constituyen la verdadera realidad de su paso por esta tierra o, como ella diría, por este valle de lágrimas.

Se me perdonará, pues, si en esta breve relación haré caso omiso de su biografía, callando ente otras muchas cosas su fecha de nacimiento, y sólo haré referencia al éxito que nuestra escritora tuvo en su tierra en años duros, éxito que se traduce en más de ocho títulos publicados en la Editorial Sudamericana, en las numerosas ediciones de sus novelas, publicadas también en España por Alfaguara, en la popularidad conseguida con la versión televisiva de *La señora Ordóñez*. La escritora Marta Lynch fue acaso rica y famosa, sin embargo ni una cosa ni la otra fueron suficientes para sacarla de la angustia con que vivía su destino de mujer y de argentina.

Esta escritora, de apariencia frívola, autora de novelas más bien "para señoras", obsesionada por la fatalidad de ser hija, esposa y madre, tuvo el valor de medir su pluma en el difícil desafío de la escritura erótica, se empeñó en la ardua tarea de buscar las palabras para decir el deseo, el gozo, la angustia de un eros femenino contra el cual conspiran familia, sociedad y tradición y supo ver claramente hasta qué punto el erotismo está condicionado por la historia y por el tiempo que a uno le es dado vivir.

En *Informe bajo llave*, publicado en 1983, un año clave en la historia reciente de la Argentina, la autora relata la angustiosa aventura de una joven y emancipada mujer de Buenos Aires, Adela, escritora y artista, separada de un marido comprensivo y civilizado y madre de un muchacho con quien no guarda especial relación: en suma, una mujer moderna, con una actividad creadora y apasionante, unos cuantos amigos y una consecuente libertad sexual, intelectual y afectiva. El poderoso Vargas, hombre de poder y de gobierno, quiere conocerla protestándose admirador de sus libros. Inicia así una relación neurótica llena de guardaespaldas y gorilas, de refugios clandestinos y encuentros desesperantes, de obsesiones y de frustraciones. Adela, quien había accedido al primer encuentro obligada por la arrogancia del poder, cae presa de la gestión de todo lo que Vargas representa: el símbolo de un poder sin-sentido, falto de cualquier motivación lógica y, sin embargo, todopoderoso e intrigante. Incapaz de liberarse de su obsesión, Adela queda atrapada en el juego de Vargas que, como símbolo del poder que encarna, la persigue, la busca, la cita, la acaricia, la desea, la excita pero no la posee —apenas tres veces en tres años—, convirtiendo su impotencia violenta en una implacable leva para encender el deseo de Adela desesperada e impúdicamente en busca de una satisfacción sexual que Vargas se niega a darle.

Esta, en pocas palabras, la historia. Pero Marta Lynch le añade algo: en una breve presentación dice haber conocido a Adela en Río de Janeiro en 1978 gracias al doctor Ackerman, psiquiatra de ambas, y que el mismo médico accedió a su importuna curiosidad y le permitió leer el largo informe que Adela le iba entregando sobre su aventura neurótica con Vargas. En una breve página final, la autora nos informa que Adela ha desaparecido en 1980 y que ni el marido ni los amigos ni el mismo doctor Ackerman que logró encontrar al propio Vargas lograron conocer su suerte. ¿Adela ha desaparecido después de años de insoportables torturas infligidas por Vargas —el poder sádico— como miles de otros jóvenes en la Argentina de los años setenta o se ha suicidado movida por el deseo de muerte que el eros frustrado suscitado por Vargas ha alimentado en su mente enferma?

Aunque no quiero establecer aquí una similitud que podría parecer impropia entre el destino de Adela y el de miles de militantes o de ciudadanos y jóvenes preocupados por el destino de su país, debo confesar la tentación de aceptar esta horrible metáfora de un poder irracional y todopoderoso que atormenta de una manera irracional y todopoderosa a sus inocentes víctimas como una de las posibles interpretaciones del drama argentino, particularmente sugerente e intensa precisamente porque se sirve de los insólitos instrumentos del erotismo.

Verdadera o falsa, autobiográfica o no, la historia de Adela escrita por ella misma para informar al psiquiatra, en la ficción literaria, permite a la autora liberar una escritura atrozmente sincera y confesional que tiene como referencia algunas autobiografías de monjas con quien comparte varias cosas: la obligación de escribir por orden (del confesor o del psiquiatra); la conciencia de que aquella escritura tendrá un lector único y terrible cuya cara, cuyo carácter, la que escribe conoce; la necesidad de traducir en palabras, despiadadamente, un mundo de emociones, de sensaciones indecibles sobre las cuales rige un interdicto de siglos y, finalmente, el terror por el inextinguible Tribunal que emitirá el veredicto que las puede llevar al rogo o a la desaparición. Es evidente que al decir esto no quiero confundir una obra autobiográfica con una autobiografía de ficción: en nuestro caso, Marta Lynch escribe lo que podríamos llamar una "psicobiografía".

Conseguirlo ha sido una de las apuestas de la escritora Marta Lynch, una apuesta ganada, a mi parecer, en cuanto la autora ha logrado recrear con la escritura las exasperantes volutas de un deseo que no encuentra satisfacción, el extenuante desafío exigido por la impotencia arrogante de Vargas y por el erotismo de Adela. A lo largo del informe, una escritura obsesiva y consciente al mismo tiempo va dibujando la pesadilla, la enfermedad, el terror y la angustia que ganan a la protagonista, su progresiva decadencia física, su creciente pérdida de control. Una tarea difícil, como grita, exasperada, la enferma a su psiquiatra:

> Doctor: esos apuntes no son fáciles. Nadie ha de decir que redactar un informe como éste sea tarea fácil para el desdichado amanuense, el oscuro calientasilllas, el mediocre escribiente sin otros horizontes que las paredes desnudas de su celda. No es una celda, me corrige usted en tanto babosea caramelos que reemplazan el tabaco. Ni usted vive en una celda ni nadie le ha pedido un esfuerzo mayor que el del trabajo diario. [...] Pero es precisamente ahora cuando llego, por así decirlo, al nudo decisivo: cuando proclamo con énfasis lo arduo, lo inútil, lo descabellado de mi tarea. Fuera de usted, ¿quién se hará cargo de este informe? ¿Quedará empolvándose, degradándose como mis intimidades, en tanto yo me pu-

dro como el resto de la especie? Aquí estoy, aquí me tiene usted, medio ciega [...], retorciéndome y girando alrededor de una historia en la que nada fuera de la más cerrada intimidad tiene cabida. Es el canto de una loca. El susurro de un suicida. De todas maneras, la consecuencia de un fracaso. Y de todo esto, ¿qué es lo que vale la pena escribir y conservar? (pp. 199-200)

Quizás podríamos contestar nosotros a la angustiosa pregunta de Adela: lo que vale la pena escribir y conservar es el lento e inagotable crecer del deseo, su trágica deformación en angustia, dolor y búsqueda de la muerte, la dolorosa desaparición de Eros matado por Thanatos, la escritura deseante y desesperada de Marta Lynch consiguiendo algo que le hubiera gustado a André Gide: probar que "la novela puede pintar algo que es distinto de la realidad: directamente la emoción y el pensamiento".[1]

La mitología griega, esta inmensa fuente de metáforas, confía en Eros, hijo de Afrodita y de Ares (la belleza y la guerra), la capacidad de poner orden en el Caos. Su madre, eterna celosa, lo envía adonde Psique (aliento, ánima), para que la enamore y la haga sufrir. Eros, que cada noche visita a Psique, termina amándola, pero con un tabú: al ánima le está prohibido mirar a Eros a la cara. Psique desobedece y su amado la abandona. Obviamente, a partir de allí el alma sigue en busca de Eros. Hasta aquí la fábula, la tradición. Cuando Platón en su *Simposium* pone a Pausania y a Sócrates a hablar del eros, las cosas se complican: el primero distingue entre el erotismo de quien ama los varones y el de quien ama los bellos cuerpos de niños y mujeres y por lo tanto la belleza y sienta así los fundamentos de la estética en su significado originario de perteneciente a los sentidos. Sócrates elabora una teoría más compleja y sofisticada: Eros es el hijo de Poros (estrata-

---

[1] *Diario de la Brévine,* cit. en J. LACAN, *La letra y el deseo,* Buenos Aires, 1978, p. 72.

gema, ingeniosidad) y de Penia (pobreza, falta de algo); por lo tanto, aspirando siempre a lo que le hace falta, es capaz de tejer engaños para tratar de conseguirlo. Tensión hacia la belleza, nostalgia de lo que nos hace falta, deseo que no se satisface, el Eros parece haber perdido su capacidad mítica de poner orden en el caos o, como pensaba Platón, de dejarse absorber por el Logos, la razón que subyuga el instinto. Marcuse, Lacan, Bataille, Kristeva, Foucault, Barthes y un largo etcétera han vuelto sobre el tema en nuestros días.

El eros que ocupa la novela de Marta Lynch es un eros angustioso y triste: lejos de traer gozo y satisfacción, lejos de producir felicidad, en *Informe bajo llave* es, sí, un impulso deseante, una ausencia que se persigue, pero de una forma neurótica y triste que lleva consigo un fuerte impulso hacia la muerte. Thanatos gana su batalla, vence al eros y destruye a su víctima porque el poder lo ha contaminado todo y todo lo ha traducido a violencia, a tabú, a muerte. Lo que fuera linda utopía en los míticos años sesenta, la civilización erótica hipotizada por Marcuse —*make love, not war*—, no tiene cabida en la Argentina de los años setenta. La cruda realidad de la muerte mortifica al eros (instinto de vida) imponiendo un tiempo finito que reprime el placer obligándolo a renunciar a su aspiración a la atemporalidad. Instalado en el tiempo, el eros, el eterno deseo, la seda insaciable, termina obedeciendo a las leyes de la historia, participando de las normas impuestas por la civilización imperante donde la falta de libertad se ha convertido en parte integrante del sistema psíquico del ser humano.

Adela no logra —¿imposibilidad histórica?— liberar su Eros expansivo para intensificar y ampliar la satisfacción de sus instintos porque el poder representado por Vargas comprime, controla y debilita la fuerza inagotable con que el eros busca su propio camino siempre definitivo y siempre nuevo. Castigando al eros, el poder castiga al mismo tiempo la fantasía que, según Freud, es un instrumento cognitivo, es la única actividad del pensamiento libre del dominio del principio de realidad, protegida contra alteraciones culturales e íntimamente atada al principio del placer.

El poder represivo puede aceptar la ciega satisfacción de una necesidad contenida en un mundo finito y reglamentado por las pautas del tiempo y por el principio de muerte, pero no puede tolerar el placer, el rechazo del instinto a agotarse en una satisfacción inmediata, por eso Vargas es un "violador furtivo", enemigo del principio del placer, apresurado en agotar sus violentas necesidades sexuales. En un principio, Adela vive frustraciones, arrestos, obstáculos y limitaciones impuestas por Vargas como dilaciones aceptadas y requeridas por el deseo, como un valor libídico en sí. En este desencuentro se juega el trágico destino de la mujer: lejos de encontrar el Vargas, obsesivo objeto de su deseo, la auspiciada satisfacción, Adela confiesa que

no había placer entre sus brazos, en aquellas exigencias de muchacho solitario, más atento a sus fantasmas interiores que a la mujer que se las procuraba. Vargas se satisfacía a solas, perdido en sus divagaciones, esclavo de imágenes que le ofrecían hermosos pecados, violaciones, ojos cerrados a la impotencia y aun a la latente homosexualidad de sus compañeros de grupo, a quienes de veras amaba y a los que tanto atraía en su delirio. (pp. 235-236)

Lo que Adela no llegó a entender con los instrumentos de la razón y de la lógica —la verdadera esencia de Vargas— lo consigue gracias a la funcion cognoscitiva de la sensualidad, del eros, pero demasiado tarde: ya "Vargas, sabiéndolo o sin saberlo, me enfermaba" (p. 237).

Durante los meses y los años de esta relación "Vargas parecía una mujer defendiendo su virginidad" y Adela "una vaca en celo persiguiendo al macho bien protegido en su potrero (p.124), sin embargo, la situación no es tan sencilla y cuando finalmente Vargas accede a la primera noche de amor, confiesa cínicamente: "Mi amor, estoy acostumbrado a violentar" (p. 214)

A partir de ahí está dictada la sentencia: negado el placer, negada la fantasía, negado, sobra decirlo, el amor y el afecto, a Adela, un ser erótico, deseante y vital no le queda más remedio que recorrer su desastroso camino, desesperada y sola, hasta la desaparición.

Se agarra todavía al extremo recurso de la palabra escrita: "Pero si escribo el informe me mantengo con vida. Si escribo es señal de que todavía existo" (p. 131); a la redacción, dolorosa, sufrida, del informe enloquecido, desgarrador y sincero que prepara por orden de su único lector, el doctor Ackerman que inútilmente la atiende y al cual Adela consigna la pesada carga de convertirse en testigo de una historia absurda: "Yo debo conseguir para usted el matiz de la impotencia" (p. 245).

Sobre Adela ha funcionado, en un principio, el deslumbrante encanto de un poder adornado con todos sus signos más atrayentes:

> El ámbito elegido por Vargas era un lugar de ricos, de príncipes, acorde con su novísima condición adquirida vaya a saber por qué niveles de la historia patria; por qué sutiles y hábiles manejos de un poder que todo lo otorga: el derecho de pernada, la mejor condición en el óptimo negocio, la autoridad del que decide según su deseo, su realísima buena o mala voluntad. (p. 94)

Fascinada por estos signos, Adela no necesita que este poder manifieste su fuerza; sobre ella actúa la forma del poder y lo hace con suficiente energía dado que esta mujer erótica comunica con un código peligrosamente parecido al de Vargas. Es por esto que Adela, engañada por la semejanza de códigos, por lo parecido de los lenguajes, utilizados por ella y por Vargas, termina aceptando su poder sin necesidad que ese poder se traduzca en fuerza ni la demuestre y, en nombre de esto, llega a renunciar a su venganza, la de delatar a sus opositores políticos el paradero de su amante:

No existían para Vargas ni la ternura ni las zonas grises: sólo ese lengüeteo obsceno como una forma de la posesión. Y, sin embargo, eso y la penetración miserable, aquel acto triste que siempre terminaba su voz calificando de divino lo que sólo era lamentable, todo eso que solamente yo sabía, sus llamadas a la madrugada trémulo de ardor o sus recortes de historietas adecuadas a mi pintoresca forma de quererlo, todo eso se sobreponía a Claudio, a MR15 y MR17 y los convertía en tres verdosos esperpentos, en tres absurdos personajes del drama en el cual Vargas y yo éramos los protagonistas. No le extrañe entonces, doctor, que abortara de una sola y buena vez todos los planes que los tres conjurados tramaron esa mañana ante la mesa del Cottage. (p. 276)

Sin necesidad de que el poder exhiba su fuerza, valiéndose sólo de los signos que le son propios, utilizando un código de extraordinaria presa sobre un ser erótico como Adela, el poder/Vargas lleva a su víctima a la traición, a la sumisión, a la destrucción.

La autoconstricción propia del eros, su tendencia a dilatar, a buscar la vía indirecta, a disfrutar las pausas en busca de un placer más intenso y expansivo, de inventarse barreras para cobrar más intensidad, utiliza un código de signos parecidos, pero de significado diferente, al que utiliza el poder sin fuerza, el poder impotente. La tragedia de Adela nace de aquí, de este error de traducción del signo, es por esto que Adela cae en la equivocación y se vuelve impotente, impotente a amar, a gozar, a disfrutar, a recuperar su propia vida de sana mujer liberada. El poder/Vargas destruye su instinto de vida, su eros, reservándole lo que, para el marqués de Sade, es el destino de la mujer: el de ser "como una perra, como una loba" a la merced de quienquiera que la desee.

Bibliografía

BOTTIROLI, GIOVANNI: *Voce "Eros"*, Enciclope Einaudi, vol. 5, Torino, 1978, pp. 657-681.

FREUD, SIGMUND: *Opere,* Torino, 1968.

GIL, JOSE: *Voce "Potere"*, Enciclopedia Einaudi, vol. 10, Torino, 1980, pp. 996-1040.

LACAN, JACQUES: *Ecrits,* París, 1966.

LYNCH, MARTA: *Informe bajo llave,* Editorial Sudamericana, Buenos Aires, 1983. De la misma autora y siempre por Editorial Sudamericana, han aparecido: *Cuentos de colores, La señora Ordóñez, El cruce del río, Un árbol lleno de manzanas, Los dedos de la mano, Los años de fuego* y *No te duermas, no me dejes.*

MARCUSE, HERBERT: *Eros and civilization. A philosophical inquiry into Freud,* Boston, 1955.

LA ESCRITURA FEMENINA
DE TERESA DE LA PARRA

Nissa Torrents

En Teresa de la Parra, ignorante de los discursos feministas de estas últimas dos décadas, se da un discurso claramente precursor de un feminismo extremo que rechaza al mundo y a la sociedad por ser productos de estructuras patriarcales. Para de la Parra, la realidad es masculina y la única opción para la mujer es negarla y refugiarse en un mundo íntimo, en una construcción que en su caso está hecha de palabras, que es su obra creativa.

Mujer patricia, sofisticada y culta aunque de una cultura que, voluntariamente, evitaba el rigor al identificarlo con lo masculino, Teresa de la Parra nació en París en 1889, en el seno de una familia de diplomáticos.

Su primera infancia, experiencia que impregnó toda su obra, dándole ese tono de acentuada nostalgia que la caracteriza, transcurrió en una hacienda de caña en el país familiar, hacienda e ingenio que recordaría en *Las Memorias de Mamá Blanca*. La muerte del padre puso fin a ese período idílico. La familia se trasladó a Valencia (España) y Teresa se educó en un austero colegio de monjas para niñas ricas, el Sagrado Corazón en Godella. Encuentro con un mundo convencional y represivo, que refuerza sus miedos de adolescente y la arranca de esa utopía armónica que para ella significó el ingenio familiar.

En 1909 regresó a Venezuela y en 1915 empezó a publicar cuentos de aire fantástico, quizá ya indicación de su rechazo de un realismo que no podía sino identificar con lo patriarcal. En 1923 se instaló en París y entró en contacto con su mundo cultural, con sus tertulias, a caballo entre la cultura y el juego de alta sociedad.

De su Venezuela nativa, violenta y dominada por la dictadura del general Juan Vicente Gómez que gustaba de presentarse como patriarca y archimacho y que murió apenas un años antes que la escritora, al París refinado de su clase y de su época, se abre un abismo que no admite puente. De la Parra retornaría a su país y a su continente pero sólo como conferenciante ocasional, destino de escritora latinoamericana que comparte con numerosos antepasados y descendientes.

Cosmopolitismo, empero, que no la impulsa a sobrevalorar la sofisticación europea y la centralidad de su cultura. *Ifigenia*, novela que sería muy premiada, apareció en París en 1924. En el prólogo a la edición de 1928, Francis de Miomandre señalaba ciertas influencias masculinas en su obra, muy acertadamente la de Gutiérrez Nájera, aunque añadía:

> ... esos tres nombres son hombres al cabo y por muy exquisitos que sean en su sensibilidad, les falta esa vibración suprema, esa indefinida fosforescencia que acaricia en la obra de Teresa de la Parra. *Ifigenia* es, pues, antes que nada y por sobre todas las cosas, un retrato de mujer. Sencilla y compleja, natural y enamorada de todo artificio, tierna, coqueta y llena de vida; eso es, sí, infinita y maravillosamente llena de vida: una mujer[1]

---

[1] Francis de Miomandre, prólogo a *Ifigenia* en *Obra* (Caracas, 1982), p. 5. (Toda referencia a la obra de Teresa de la Parra es a la edición *Obra* [Narrativa, ensayos, cartas], Biblioteca Ayacucho, Caracas, 1982.)

En 1929, en París, en la editorial Le Livre libre, de la Parra publica *Las Memorias de la Mamá Blanca*. Es el mismo año en que otro gran escritor venezolano, Rómulo Gallegos, publica en Madrid *Doña Bárbara*. Coincidencia de fechas, exilios editoriales y rechazos de la modernidad, aunque los puntos de partida difieran. Teresa de la Parra, consciente de que la vida es "desaliñada, graciosa y torcida", parece saber que toda escritura es una traición en cuanto es un orden inevitablemente destructor. El "esplendor hermético" de la modernidad le parece que no da sino al vacío, a la oscuridad y al silencio:

> La escuela de lo hermético, unida a la falta de tiempo, condición que gobierna todas las horas de nuestros días, ha logrado colocar los placeres del espíritu y las sonrisas de la idea al alcance de nadie. Creo que por medio de esta alianza, combinada con la multiplicación de las máquinas, se inicia la etapa final de nuestra Redención, que consiste, a mi entender, en matar el pensamiento con la fuerza hercúlea del pensamiento.[2]

Al año de la publicación de *Las Memorias de la Mamá Blanca*, Teresa de la Parra contrae una tuberculosis que intentará curar en balnearios y sanatorios, enfermedad literaria y de literatos, que acabará con su vida en Madrid, en 1936.

Amiga de Lydia Cabrera y Gabriela Mistral y poco afortunada en amores, de la Parra parece inclinarse más hacia la amistad que hacia la pasión, quizá por el amor parece implicar posesión y ella cree saber que:

> Cada vez que veo la desgracia me pregunto, ¿para qué emprender nada y sobre todo para qué poseer nada? Cuando gozamos con la posesión de algo, somos iguales a los niños cuando reciben un juguete: jugamos con "lo mío" creyéndonos inmortales. Todo es prestado, todo es juguete un rato.[3]

---

[2] *Ibid.* p. 322.
[3] *Ibid.* p. 462.

El título completo de su primera novela: *Ifigenia, Diario de una señorita que escribió porque se fastidiaba* (más poderoso que el inicial aburrirse), muestra su vena irónica, ironía que permeabiliza la novela entera y la caracterización de los personajes, pero que los críticos contemporáneos, unánimemente masculinos, no supieron ver, confudiéndola con torpezas de estilo, con incoherencias "típicamente" femeninas.

Los títulos excesivos de algunos capítulos de la novela son, a la vez, homenaje a la literatura de cordel y al melodrama, género femenino en cuanto a su producción y a su recepción. El lenguaje, deliberadamente anacrónico se adecúa a su rechazo de la modernidad y del mundo patriarcal. Incluso podría verse, como años después en el caso de Alejo Carpentier o García Márquez, como una propuesta de un lenguaje americano, libre de modas y dependencias.

El amor en *Ifigenia* es presentado como una forma de sumisión, un oscuro destino aceptado pero no escogido por la desposada. Camino hacia el silencio que sigue al matrimonio y a la inevitable maternidad, losa que sella su conversión en prototipo burgués de la mujer feliz, o sea, de la mujer sin historia ni anécdota, sin pasado (lo único asible y reproducible) ni voz, paradigma de la virtud y el bienestar.

La crítica masculina pedía coherencias que la autora esquivaba en el esbozo de su protagonista, María Eugenia, que de la Parra decía estar hecha de curvas y sinuosidades y no trazada en cartabón. Llena de fe en sí misma, María Eugenia acabará dándose cuenta de que la sociedad y sus valores son más poderosos que el deseo del individuo y que ese espejo que se le ofrece aunque no lo quiera le habla de "los terribles conflictos que surgen ante la sorpresa de lo que creíamos ser y lo que somos".[4]

---

[4] *Ibid.* p. 595.

De la Parra quiere darnos a entender que su protagonista no se conoce, que lo no escrito es tan importante como lo impreso, adelantándose así a formas de lectura y escritura:

> Lo único que considero bien escrito en *Ifigenia*, es lo que no está escrito, lo que tracé sin palabras, para que la benevolencia del lector fuese leyendo en voz baja y la benevolencia del crítico en voz alta. Usted no ha querido leer sino lo impreso, por eso necesita saber a todo trance la razón lógica y concreta de cada uno de los actos de mi heroína. Pero no llegará a saberlo nunca, porque ella es ilógica, y es ilógica porque, a pesar de esa mentalidad, ultramoderna, que la lleva a la exaltación revolucionaria, la manda y la mandarán siempre sus muertos.[5]

Muertos, pasado, nostalgia. María Eugenia acepta su destino de desposada como una muerte en vida, incapaz, por la fuerza de la tradición de comunicar su dolor, de oponerse a lo que ella llama "aquel próximo despotismo".

La mentira y el silencio serán su refugio ya que se siente incapaz de romper con la "seguridad" del matrimonio, trampa en la que colabora, falta de apoyo, colaboracionismo que la hace sentirse indigna y desear que su cuerpo desaparezca para ser sólo alma. La libertad de María Eugenia es un espejismo y acaba sometiéndose al hombre de su clase que la protegerá aun cuando ella lo desprecie y aun odie. Pero a pesar de que aún no era la hora de la liberación, el libro causó un gran escándalo porque en él se impugnaban conceptos y tradiciones que parecían "naturales".

Las curvas y sinuosidades del trazado de María Eugenia se encuentran en el polo opuesto de la visión de Gallegos que en *Doña Bárbara* identifica a lo curvo —el sexo de la protagonista— con la barbarie y la línea recta —el sexo de Santos Luzardo— con el progreso y la renovación.

---

[5] *Ibid*. p. 595-6.

Para Gallegos, que en 1920 y en su revista *Actualidades* había publicado el *Diario de una caraqueña por el Lejano Oriente*, una de las formas preferidas de Teresa de la Parra que la utilizó aun en su ficción, el progreso era deseable y el paternalismo ilustrado la vía hacia la democracia. Heredero de Sarmiento y de Alberdi, identificó a la barbarie nacional con la mujer independiente y trabajadora: Doña Bárbara, la cacique capaz de domar y ensillar, la empresaria cuyo odio por el hombre tiene un origen claro: la violación multitudinaria; Doña Bárbara, quizás inadvertidamente, símbolo de la violación continental. Marisela es la única mujer admisible. Sumisa, pronto olvida su salvajismo inicial y se deja modelar por el hombre que la peina y la limpia, la ordena y la controla, para que se adecúe al cambio y al progreso.

Pero para Teresa, el progreso, el cambio es un horror que pone todo cabeza abajo. La utopía es el único refugio, la melancolía y la nostalgia por el paraíso perdido, el alimento de la creación. No hay que cotejar la nostalgia con la realidad y de la Parra lo sabe bien, como sabe que el cambio es ley de vida. Quiere negar al mundo exterior, pero, como Borges y el tiempo, sabe que existe.

> ... debemos alojar los recuerdos en nosotros mismos sin volver nunca a posarlos imprudentes sobre las cosas y seres que van variando con el rodar de la vida. Los recuerdos no cambian y cambiar es ley de todo lo existente.[6]

La realidad, la inteligencia y la lógica son construcciones patriarcales, sinónimos de egoísmo y de represión, factores que conducen al respetado (socialmente) éxito y dinero que ella amaba despilfarrar.

La cultura no es sino el "conocimiento de las convenciones" y la verdadera sabiduría se da en "la

6 *Ibid*. p. 401.

conciencia de la inexperiencia". Como el ser humano tiene una capacidad infinita para el error, la vanidad y la soberbia, sean material o intelectuales, son vanas indulgencias, juegos.

Como Borges, prefiere lo ambiguo, las ficciones, a la confrontación con el mundo real, violento y patriarcal. Los pueblos —nos dice— adquieren la civilización guerreando y sufriendo. El conocimiento adquirido es emblema de una pérdida: espontaneidad, autenticidad, relación con lo natural que en el mundo de Teresa es el de las mujeres aunque admita al hombre si es campesino y analfabeto como Vicente Cochocho en *Memorias de Mamá Blanca*. Admisión problemática que da pie a cuestionamientos sobre el aristocratismo de de la Parra que no caben aquí.

Como Ricardo Güiraldes, su contemporáneo y colega con quien compartía ideales y orígenes de clase, Teresa muestra un espíritu anárquico que desafía a la sociedad pero no porque quiera cambiarla.

Todo cambio, según ellos, es una amenaza al precario equilibrio: ser humano-naturaleza que es su propuesta vital. Del mismo modo, toda superestructura es considerada como un peligro al que hay que enfrentarse. Curiosamente, estas dos criaturas de clase alta, nunca se paran a pensar las consecuencias de sus propuestas "rebeldes".

La narradora protagonista de *Memorias*, sigue la ley de su capricho y se opone a lo patriarcal que decretaba el peligro de las comidas callejeras:

> Pero no hay que respetar demasiado las leyes. Es sabiduría burlarlas con audacia ante los propios ojos de la autoridad, tan dispuesta siempre a aceptar cualquier colaboración o complicidad que la desprestigie.[7]

Ecos de tradicionales conceptos que afirmaban que las leyes se acataban pero no se cumplían... libertad irreal de quien cree poder cuestionar desde fuera, sin comprometerse.

---

[7] *Ibid*. p. 397.

Como Güiraldes, se aparta del código competitivo sin cuestionarlo. Su rechazo de las categorías dominantes le permite refugiarse en un mundo alternativo que es mucho más suyo que el existente. Mundo de temperamentos sensibles que ella identifica con la mujer y el artista y cuya mejor producción es la que precede al orden inevitable de la escritura, o sea, la que es puro deseo en el reino de lo imaginario.

Los destinado a la imprenta pierde su frescor, de ahí que Mamá Blanca no sea escritora sino memorialista, tarea íntima y un tanto vergonzante, tarea de mujer que se cuenta sin contarse, que pretende no querer interlocutor porque el diario es, en lo apariencial, un monólogo. Mamá Blanca no es escritora y ese no ser sublima rupturas. No hay contradicción entre obra y existencia. Ha escogido la torre de marfil femenina que rechaza la inteligencia y la instrucción como categorías masculinas y, por lo tanto, extrañas, y "se nutre en la naturaleza y en el saborear cotidiano de la vida". Mamá Blanca, se nos dice:

> ... poseía el don preciso de evocar narrando y tenía el alma desordenada y panteísta de los artistas sin profesión, su trato me conducía fácilmente por amenas peregrinaciones sentimentales. En una palabra, Mamá Blanca me divertía.[8]

Desorden y panteísmo que agradaría a los planteamientos feministas de Irigaray o Cisoux, aspectos lúdicos que se acercan y preveen a la posmodernidad.

Al imperio de la razón opone la conciencia positiva de la inexperiencia; al orden real, el utópico del corralón de vacas, hecho de amor maternal, reino de una relación que elimina al macho porque se concentra en la vaca y su becerro. En la ciudad de las vacas...

---

8 *Ibid*. p. 318.

El orden reinante era perfecto: era el orden de la ciudad ideal futura. A pleno aire, pelno cielo y pleno sol, cada vaca estaba contente y en su casa, es decir, atada a su árbol o atada a su estaca.[9]

Visión estática del mundo que comparte con Güiraldes aunque a la visión profundamente masculina del argentino, hecha de campos libres y hombres a caballo, oponga la intimidad protectora de un corralón lleno de vacas de leche y una casa desordenada habitada por una madre poeta, que vive en la luna y un padre que sólo entra en su conciencia para prohibir y reprimir.

En su apreciación del lector y en su desesperación ante la escritura misma, Teresa de la Parra y su memorialista, la Mamá Blanca, comparten con los escritores de la modernidad, y especialmente con Cortázar, el amor por la música y el deseo de desnudar a la obra de lirismos impostados.

La música, para su memoralista, es: "la corriente de comunión divina que une al compositor con el ejecutante, al igual que los santos en éxtasis, se alejaba de la Tierra y se transfiguraba. En tales momentos, la realidad, por apremiante que fuera, no existía", meta ideal que la autora y sus personajes desean lograr.

Consciente de la inferioridad de lo escrito frente a lo hablado, ecos, quizás, de una tradición cultural indígena más semiconsciente que explícita, Teresa piensa-cree que el lenguaje es una losa más que se añade a la de su condición de mujer.

La lengua escrita es un uniforme controlado y dictado por la cultura patriarcal, uniformidad que no es sólo control sino que implica una pérdida del medio expresivo, de reacciones directas a estímulos naturales:

---

[9] *Ibid*. p. 383.

La palabra escrita, lo repito, es un cadáver. ¿Por qué, en este siglo de los grandes inventos y de las magníficas innovaciones, los escritores no han hallado aún la manera de decir a ese cadáver: "levántate y anda"? Hoy todo es alegre bullicio en la república de las letras, hoy que el genio y la novedad van siempre andando juntos, tan contentos, ¿cómo que no han hallado el modo de despertar esa muerta? Si yo fuera novelista de talento (dos humildes suposiciones) impondría la siguiente innovación en la novela: antes de comenzar un diálogo cualquiera, tendrá siempre un pentagrama sobre mi página. A la izquierda como de costumbre: clave, tono y medida; luego los compases con notas y accidentes, y abajo el texto: lo mismo que para el canto. Con un poco de solfeo que supiera el lector no tendrá sino que tomar el libro en la mano izquierda, llevar el compás con la derecha canturreando y ¡listo! El personaje habría hablado de veras.

Acabo de darme cuenta de que estoy ideando una tontería. Perdónenmela. El escritor que tal hiciera, al pecar por exceso de verosimilitud o claridad, se vería cubierto de desprecio. La claridad que nos hace amables nos impide ser admirables. Lo incomprensible, al humillar violentamente los espíritus, arranca de las manos aplausos irritados y sinceros cuyo verdadero significado es éste: ¡¡Bravo, bravo bravísimo, que no hemos entendido ni una jota!! Una imaginación de amplio vuelo puede lanzarse a sus anchas dentro de la oscuridad que es infinita. Dios no sería adorable si fuera comprensible. La humilde claridad es limitada, franca y pobre. La claridad es despreciable y reposante como un par de pantuflas viejas. Yo no aspiro ni a la gloria, ni a los aplausos, ni al respeto de las multitudes; por lo tanto, puedo calzarme de tiempo en tiempo mi par de pantuflas reposantes.[10]

Nuevo rechazo de la modernidad pero no, como en Gallegos, por un continuismo del discurso de la generación española del 98 y de su confuso indagar en las causas del "desastre", sino por su identificación de la modernidad con el discurso masculino, con la retórica vestida de nuevo disfraz.

El lenguaje de la historia, de la política y la elocuencia, el lenguaje, en suma, es lengua de hom-

_____
[10] *Ibid*. p. 366.

bres que son incapaces de renovarlo. Al problema de nuestro siglo —la relación entre las palabras y el objeto, cualidad o acción que enuncian, de la Parra ofrece una multitud de enfoques que si bien no conforman una salida sí apuntan a posibilidades liberadoras. Por una parte, nos ofrece enriquecer al lenguaje del sentimiento, de la emoción; deslogicalizarlo, introducir en él la alegría anárquica del diccionario:

> ¿No han hojeado ustedes nunca, al azar, un diccionario...? No hay nada más grato y reposante para el espíritu. Las palabras, unidas codo con codo, parecen burlarse las unas de las otras... El diccionario es el único libro ameno y reposante, cuya amable incoherencia, tan parecida a la de nuestra madre la Naturaleza, nos hace descansar de la lógica, de las declamaciones y de la literatura.[11]

Incoherencias que apuntan a afinidades secretas y concordancias misteriosas, método no tan lejano al buscado por los surrealistas que ella despreciaba porque creía que su "desconstrucción" sólo era un truco cultural (como Carpentier y con las mismas confusiones y ambigüedades).

El diccionario, código lúdico, se relaciona con la voz de la mujer, encarnada en la Mamá Blanca que, como todas las mujeres, es quien enseña a hablar a sus hijos en un paraíso prelacaniano. Mujer regazo, mujer mito, la Mamá Blanca es el resultado del ensueño de una huérfana patricia entregada a los brazos austeros de unas monjas españolas de comienzos de siglo y ella encarna las cualidades deseadas por la patricia cultura de imaginación roussoniana. Su clase y su cultura le han fallado, la renovación estará en el pueblo y en la mujer:

> Como los niños y el pueblo, por su ignorancia o desdén de las abstracciones, poseen la ciencia de acordar las cosas con la vida, saben animar de sentido las palabras y son los únicos capaces de reformar el idioma...[12]

---

11 *Ibid*. p. 348.
12 *Ibid*. p. 317.

Su obra reivindica el mundo cotidiano y concreto de la mujer, su voluntad de dar y no de recibir, terreno masculino; su generosidad. Mamá Blanca es la creadora que se opone a la devoradora esfinge de Rómulo Gallegos.

Consciente de la importancia del silencio en la vida de la mujer, de la Parra utiliza con frecuencia la silepsis, buscando dejar entrever sin definir, deseando que las incoherencias enarboladas como posición pero no como dogma se opongan graciosamente al predominio de lo egocéntrico, enfocando a lo íntimo que es lo femenino, según la autora.

El lenguaje existente es un lenguaje muerto que enfatiza culpas y pecados pero la evidencia, para la narradora de *Memorias*, es que un exceso de guayabas no se paga con el infierno, contradicción que confirma el origen del lenguaje y de la represión.

La palabra separa a los sexos y por eso su escritura, que quiere sustituirla, se aparta de la realidad para dejar sobre la página "sus pintadas alas". Ecos del Modernismo hispanoamericano, modelados por voz de mujer.

La escritura de Teresa refleja su nostalgia, su memoria de una edad de oro en una casa-matriz de la que no quería salir, nuevo nacimiento que aumenta su extrañeza.

El deliberado anacronismo de su lengua literaria es un desafío a la modernidad de importación y una afirmación de criollidad. También un intento de parar lo imparable: al tiempo y a sus cambios, limitando su mundo, voluntariamente, al "retrato de su memoria", para el que necesitará la gracia que sustituye al énfasis, propio de la escritura masculina.

Por el personaje de Vicente Cochocho, expresa de la Parra la frustración del escritor con la lengua y, especialmente, la lengua escrita:

Difícilmente podré explicar a ustedes la suma de matices expresivos que encerraba el alma de Vicente, puesto que tales matices no estriban en los vocablos, estriban en el tono. ¿Qué es una frase sin tono ni ritmo? Una muerta, una momia. ¡Ah, hermosa voz humana, alma de las palabras, madre del idioma, qué rica, qué infinita eres![13]

Como tantas mujeres, la autora apócrifa de las *Memorias* escribe "clandestinamente" en sus "ratos perdidos", falta de esa habitación propia, de esa privacidad y ocio enfatizados por Virginia Woolf. A las mujeres, como a los niños, se les ve pero no se les oye: el padre habla fuerte, la madre se escurre y miente —la mentira es el refugio del inferior, su tabla de salvación, y la escritura es cosa de hombres. Como máximo se permite a la mujer la poesía no publicada o los diarios y memorias, género en el que incidió de la Parra varias veces, también si permanecían en el silencio. Es interesante notar que de la Parra utilizaba el lápiz para escribir lo que pudiera leerse como otro rechazo del mundo masculino que es el de la tecnología, la experiencia utilizable y el conocimiento.

En una carta admirable a Don Miguel de Unamuno, uno de los mejores lectores de literatura hispanoamericana hasta el momento, de la Parra comparte con el escritor español su visión de la resignación como divino desprecio al tirano, pero añade:

> "... un divino desprecio inactivo, que no pide venganza ni espera justicia y que duerme tranquilo en el dulce suelo de la serenidad". [14]

O sea, no una resignación mística, franciscana, sino la aceptación de que el mundo patriarcal es incapaz de justicia y, es más, un asumir de la inactividad como bandera, como categoría deseable que opone, implícitamente, a la competitividad activa de lo masculino.

---

13 *Ibid.* p. 365.
14 *Ibid.* p. 562.

La resignación no pide venganza porque es violencia, ni justicia porque no le pertenece. No es una concesión —la mujer resignada no tiene por qué ser el estereotipo de la madre sufrida o "la novia que espera"— sino una forma alternativa.

Más radicalmente, de la Parra escandaliza a Unamuno cuando afirma que la mentira es dulce hermana de la paz y la verdad de la guerra, excusa de guerreros y cruzados:

> Pero los que tenemos el espíritu orientado hacia la verdad, no tanto por virtud, como por un natural indolente... conocemos las amarguras de guerras encendidas, por verdades imprudentes que hubiéramos muy bien haber dejado dormir en la penumbra.
>
> ... la verdad... puede producir heridas tan dolorosas, crueles e inútiles como las que producen fusiles y cañones en tiempos de guerra. Creo, en suma, que si al conocimiento de la verdad debemos algunos instantes de exaltada satisfacción, es el de su perpetua ignorancia quien nos concede en cambio el feliz aprecio de nosotros mismos y la cordial consecuencia que de ello resulta: estar siempre de acuerdo con nuestra propia persona y con todas aquellas otras que acompañándonos en la vida nos la siembran de flores, porque también aprendieron a venerar.[15]

¡Curiosos y subversivos sinónimos! Paz=mentira =ignorancia, todo ello visto como deseable, como positivo y guerra=verdad=conocimiento, mundo de violencias y competitividades.

Para de la Parra, la verdad lleva al fanatismo, a la imposición voluntariosa de lo propio y ella no quiere convencer, sino transmitir emociones buscando un lenguaje que no salga de la Academia sino de la propia confusión, de la ambigüedad y la falta de lógica que buscan encontrar el ritmo de lo natural donde se encuentra la voz femenina.

La madre de la protagonista en *Memorias* encarna algunos de sus conceptos de la escritura que

---

15 *Ibid.* p. 562.

no se detienen en lo femenino porque, tímidamente, proponen una "nacionalización" de temas que podría llevar a una sublimación de los conceptos de "dependencia" cultural que tanto le preocupaban. La madre no busca la originalidad sino que utiliza tramas y personajes existentes "trasplantándolos". Así, la Virginia de Pablo en vez de ir a París, va a Caracas y se ahoga en una calesa, sincretismo narrativo que no es un efecto secundario o casual porque la creación de una literatura nacional con lenguaje nacional fue preocupación de la escritora y de la conferencista de éxito que fuera de la Parra; negación liberadora de las cadenas de la originalidad.

De la Parra escribe desde su soledad, o quisiera escribir desde ella, aunque sabe que la mujer no está nunca sola: los espejos y la moda la persiguen y no tiene la fuerza de romper con el peso de la "mística femenina".

> No, yo no hubiera inventado el espejo. Si como Narciso me ahogo todos los días en su insípida atracción, no es por convencimiento, créalo; es por arraigada tontería, por obstinado espíritu de asociación... es, en una palabra, por esa cómoda mentalidad de carnero que nos conduce por la vida a hombres y a mujeres, en plácidos y apretadísimos rebaños.[16]

Como en Borges, los espejos son aborrecibles pero además en ella son un símbolo de las cadenas socioculturales de su sexo:

> Creo que el espejo, no solamente nos vacía o nos desdobla como Vd. bien dice, sino que nos multiplica además hasta lo infinito en partículas tan insignificantes, que las vamos perdiendo como alfileres... sin que nos sea posible volver a encontrarlas nunca.[17]

La protagonista de *Memorias* sabe que la belleza es el valor más importante para una muchacha y que

---

16 *Ibid.* p. 564.
17 *Ibid.* p. 564.

todo le está supeditado. Un producto bien decorado tiene más posibilidades en el mercado del matrimonio y el rechazo o la incapacidad de acceso a "lo decorativo" en la mujer es un fallo imperdonable. Con ironía, de la Parra revela los valores que encierra la máscara de la moralidad pública:

> ...yo había acabado por edificar sobre las hebras de mi cabello, mi criterio moral, el cual, como el de toda mujer honesta o bien nacida, era sólido y estricto. Mi pelo, en su forma natural, o sea sin encrespar, resultaba a mis ojos una especie de desnudez, y si yo veneraba mis crespos era sólo por pudor, aun cuando ustedes no lo crean.
> Para mejor explicarme, diré que gracias a los principios que sin ella saberlo me había inculcado Mamá, a los cinco años, mi honor, contra lo establecido, no dependía de ningún otro lugar de mi persona, siendo que dependía de mi cabeza.[18]

Gentil ironía que revela el papel de la madre burguesa, transmisora de los valores sociales que continúan la opresión de su sexo, conductora de falsedades, inculcadora de códigos que se oponen a esa unión con lo natural soñada por la autora, madre-víctima que se escapa de su excentricidad femenina, en su alma poética, porque aunque "no lo sabe", su subconsciente acusa el impacto de su rol; dulce ironía que echa luz al verdadero valor social del pudor y la decencia, valores de clase ya que subraya que mujer bien nacida equivale a mujer honesta y que pudor y honor son valores que la sociedad patriarcal impone a la mujer, forzando a otras mujeres a que "colaboren" en la tarea.

Al contrario que Clorinda Matto de Turner que acepta las palabras de Teresa de Avila para aceptar un como *apartheid* ilustrado: la mujer en casa, poetizando el hogar, leyendo a autores nacionales y discutiendo temas con el marido aunque dejando que él lleve la pauta de lo que implica una aceptación del

---

[18] *Ibid.* p. 341.

status quo, Parra, descreída y cercana a la muerte, lee así a la gran Teresa:

> Quisiera como Santa Teresa tener a Dios de amante, desgraciadamente casi no creo en Dios y como creo tantísimo en la muerte, yo también "vivo sin vivir en mí", es decir, sin presente, muerta de tristeza por el pasado y muerta de miedo por el porvenir.[19]

Deseo de renunciar a la sexualidad para ampararse en el paraíso perdido de la infancia que es madre y hermanas, criadas y naturaleza, mundo de lo femenino, inasible y atemporal; miedo al futuro que es cambio, progreso y... muerte.

Sin presente, Teresa señala que el futuro, como la velocidad, es cosa de hombres y al hablar de un muchacho danés que la ha invitado a salir, de la Parra concluye:

> Es bastante bien, ¡pero si viera como me aburren él, el volante, el auto y todos los demás hombres, estos tangibles que se me acercan y me hablan![20]

Fatiga explícita del hombre real y del mundo que ellos construyen. A Teresa de la Parra, no le interesa la realidad. Quiere apearse y en la escritura encuentra su refugio. El mundo le es ajeno.

Escritura femenina, pensamiento femenino, temática femenina no son casualidad sino elección de una mujer que piensa que la coexistencia no es posible.

---

[19] *Ibid.* p. 622.
[20] *Ibid.* p. 622.

BAJO EL SIGNO DE CHALCHIHUITLICUE: SER MUJER Y POETA EN NICARAGUA

Claire Pailler
(Universidad de Toulousse II)

Una constatación repetida fue el punto de partida de este trabajo y nos indujo a indagar en el universo de las poetas de Nicaragua. Al colegir los títulos de gran parte de sus libros, se constata en efecto que, con común dilección, se refieren a las fuerzas naturales, a los cuatro elementos —sea en forma directa, sea, a veces, de modo más oblicuo, pero claramente alusivo. Así son: *Línea de fuego* y *Truenos y arco iris* (Gioconda Belli), *Así, cuando la lluvia* y *Cerámica Sol* (Yolanda Blanco), *El aire que me llama* y *Llama guardada* (Vidaluz Meneses), *Invierno y tierra* (Carlota Molieri), *El viento armado* (Michele Najlis), *De la piedra milenaria* (Carla Rodríguez), *La violenta espuma* (Daisy Zamora); a éstos cabe añadir: *Sobre la grama* (G. Belli), *Oasis* (María Teresa Sánchez)...[1]

La presencia "elemental" en los textos poéticos no es ningún rasgo privativo de la poesía femenina nicaragüense contemporánea, y las mismas poetas se

---

[1] En esta primera aproximación, sólo consideramos los títulos de los libros y, por lo tanto, silenciamos otras obras que no dejarán de aparecer posteriormente en el análisis de los poemas.

sitúan conscientemente dentro de esta tradición, antigua, y más general, a la que atacan: así, sacan a veces sus títulos —con explícito epígrafe— de textos anteriores, y sus citas están caracterizadas por una gran diversidad, en el tiempo y el espacio:

> Esta no es ella, es el viento
> es *el aire que la llama*;
> es su lugar, es su hueco
> vacío que la reclama. (Joaquín Pasos)

> ...Un trozo de *violenta espuma*... (Pablo Neruda)

> ... sobre *el viento armado*
> sombras suele vestir el bulto bello (Góngora)

Sin embargo, la frecuencia del recurso a lo elemental revela, a nuestro parecer, las tendencias de una imaginativa colectiva. Es sin duda lícito evocar la influencia nerudiana en el modo de "sacar los referentes de una realidad geográfica y una realidad histórica específicas"[2]; pero, de hecho, y más precisamente, la actual poesía femenina en Nicaragua, al desarrollarse en el contexto cultural nacional, se va fundando e insertando en la tradición, ya establecida y regulada por las anteriores generaciones (las de José Coronel Urtecho y de Ernesto Cardenal), de una *poesía material*, o sea contextual y "exteriorista". No volveremos sobre el fenómeno masivo de la producción poética en Nicaragua, fenómeno dentro del cual se inscribe la producción de numerosos poetas. Ahora bien, cabe advertir que, dentro de un comportamiento poético que podríamos llamar "nacional", las mujeres más espontáneamente se refieren a los elementos naturales. Esta especificidad, que aparece ya en el rápido examen de los títulos, se con-

---

[2] Así lo hace ALFRED MELON, "Sur la poésie amoureuse de Gioconda Belli", *Le Discours amoureux*, París, 1986: "Cette réécriture (...) puisse, à la manière nérudienne, ses référents dans une réalité géographique et une réalité historique spécifiques", p. 191.

firma por la comparación con las obras masculinas: sólo evocaremos por contraste las dos tendencias principales que ilustran respectivamente Pablo Antonio Cuadra y Ernesto Cardenal, histórico-narrativa y catalogadora la de éste, y la primera más bien de inspiración cósmica y mítica.

Nos interesa, pues, estudiar cómo viven y expresan las poetas de Nicaragua aquella su familiaridad con los elementos, familiaridad paradójica, antinómica de la evocación de lo infinito que surge de la metáfora elemental[3]. La sensibilidad de cada cual a las potencias primitivas y su manifestación en el vivir cotidiano, la elección —la predilección— entre los sistemas que remiten al fuego y al aire, elementos varoniles, al agua y a la tierra, elementos femeninos, van a ser piedra de toque para que intentemos caracterizar su producción poética. Recordaremos a Gaston Bachelard:

> Il nous semble bien qu'il y a quelque rapport entre la doctrine des quatre éléments physiques et la doctrine des quatre tempéraments. En tout cas, les âmes qui rêvent sous le signe du feu, sous le signe de l'eau, sous le signe de l'air, sous le signe de la terre, se révèlent comme bien différentes (...) En développant, dans toute sa généralité, cette Physique, ou cette Chimie de la rêverie, on arriverait facilement à une doctrine tétravalente des tempéraments poétiques."[4]

Dentro de esta perspectiva, y sin intentar un ilusorio psicoanálisis, quisiéramos presentar una visión de conjunto de algunos rasgos comunes y específicos de la poesía actual de las poetas de Nicaragua.

---

[3] Huelga recordar que lo infinito es, precisamente, lo esencialmente poético. Cf.: "Est prosaïque tout ce qui, dans les môts ou dans les choses, se donne avec sa propre limite, impliquant par là-même un au-delà où s'inscrit la négation. Est poétique il'illimité. Comme tel, il envahit l'espace et expulse toute négation hors du champ de son apparaître: la fôret, la mer, le ciel, le désert, toutes les choses qui échappent par âeur structure totalisante à (...) la prosaïté", JEAN COHEN, Le haut langage, Théorie de la poéticité, París, 1979, p. 264.

[4] GASTON BACHELARD, La psychanalyse du feu, París, 1965, pp. 147-8.

La familiaridad con el universo elemental se manifiesta en particular por el uso de metáforas donde se combinan varios —y hasta la totalidad— de los elementos. Pero si son más raros los ejemplos donde interviene un elemento aislado, no dejan de ser significativos.

En una tierra de volcanes, de modo sorprendente, el fuego aparece raras veces, pero reconocemos en él el aspecto ambiguo que G. Bachelard analizó. El fuego que trasluce en el sol de Yolanda Blanco es el principio vital, el dios creador tal como se presenta en las cosmogonías, y a tal aspecto Yolanda Blanco se refiere explícitamente:

> "De la intención del poemario diré que la sangre antigua me ha impulsado, y un ardiente afán de recobrar la palabra primigenia (...) cuando todas las cosas eran dioses y diosas"[5].

Al fuego solar se le ofrenda celebración, como fuente y centro, como señor de toda vida, tanto física como espiritual, en plena comunión con su creación entera:

Está naciendo mi rostro
se está pintando mi mano

Nazco con el sol
cuando tensa el arco del día
surgiendo de los labios del sol ("Naciendo")

* * *

Rubio sol que llegas
avasallante hasta mi cara
Reúno espacios de mi cuerpo entero
los ofrezco ante tu fuerza
apresurada.
      Venga el sol a envolverlo todo
      Venga el sol a robarme cantos. ("Venga el sol a robar los cantos")[6]

---

[5] "Cerámica Sol", *Cuadernos Unviersitarios*, UNAM, núm. 21, junio de 1977, p. 53.

[6] *Ibid.*, pp. 79 y 81.

El fuego arrobador, raptor, también conduce a la ceniza. Pero pertenece entonces a una mujer, también ella dadora de vida, pasar más allá del aspecto destructor y, por una radical inversión, fundándose en la autenticidad conferida por la consunción, encarar un porvenir nuevo —tal vez menos tempestuoso:

> ... Mujer capaz de abrasarte
> con el fuego más certero y perenne
>
> Si te dejaras alcanzar
> por la llama más frágil de mi mano
> incendiaríamos la noche!   (1980)
>   * * *
> ... Recogeré las cenizas, prueba palpable
> de la autenticidad de mi fuego:
> será abono, esperanza, espiga dorada
> en y para mejores campos.   ("A fin de cuentas")[7]

Las implicaciones profundas de esa elección del fuego manifiestan la riqueza subyacente en la ambigüedad del elemento que, según G. Bachelard, "est seule propre à rendre compte des hésitations passionnelles"[8].

Son pocas, igualmente, las referencias al aire, pero están muy marcadas por el contexto histórico, y sugestivas del tiempo presente nicaragüense; las imágenes dominantes, las que aparecen ya en el título de Michele Najlis: "El viento armado", son, en efecto, una metáfora de fuerza y violencia redoblada.

El viento de tormenta, símbolo de cólera pura, el viento huracanado, imagen de la voluntad y furia desatadas[9], se junta con la voz clamante, cargada con

---

[7] VIDALUZ MENESES, *El aire que me llama,* Managua, 1982, pp. 70-71.
[8] *Op. cit.,* p. 183.
[9] G. BACHELARD, *L'air et les songes,* París, 1987, p. 256: "On pourrait dire que le vent furieux est le symbole de la *colère pure*, de la colère sans objet, san prétexte", y, p. 257: "A vivre intimement les images de l'ouragan, on apprend ce qu'est la volonté furieuse et vaine".

el furor del combate, para despertar otras tormentas.
Así Gioconda Belli, al reconocer con significativa
frecuencia:

> mi palabra-ciclón   ("Como los malinches de mayo")
>
> ...donde (...)
> el ciclón que borre mis palabras malditas?   ("Soñando con la
> lámpara de Aladino")
>
> Estoy en medio del huracán   ("En el ojo del huracán")

evoca para terminar:

> y los relámpagos y ciclones que solté
> de la caja de Pandora...   ("Todo sea por el amor")[10]

Pero si la misma fuerza primitiva surge de la
voz de la tempestad, arrollando un mundo en la comunión del espanto, al tumulto de la ira sucede el
silencio de la bonanza. A la tormenta se contrapone
la calma vital de la respiración, el aire que es ya so-
plo de vida. Esta dialéctica de la violencia tensa y
del resposo activo que traduce la ambivalencia del
elemento aéreo, también aparece en la poesía de G.
Belli. El carácter cósmico de la respiración, de su
ritmo que pone al hombre en contacto y relación
con el universo, según lo expresan los *Upanishad*[11],
está sugerido por el poema "Necesitamos aire para
respirar". Se notará que el hombre no necesita sólo
aire para respirar sino que, al mismo tiempo, el aire

---

[10] G. BELLI, *Truenos y arco iris*, Managua, 1982, respectivamente,
pp. 13, 43, 45 y 79.

[11] Cf. G. Bachelard, *op. cit.*: "... cette physiologie aérienne si importante dans la pensée indienne. Les exercices respiratoires y prennent, comme on le sait, une valeur morale. Ils sont de véritables rites qui mettent en
relation l'homme et l'univers. Le vent, pour le monde, le souffle, pour
l'homme, manifestent 'l'expansion des choses infinies'. Ils emportent au
loin l'être intime et le font participer à toutes les forces de l'univers. Dans
a *Chandoya-Upanishad*, on lit: 'Ainsi le vent absorbe toutes choses...
Quand l'homme dort, sa voix s'en va dans le souffle, et ainsi font sa vue,
son ouïe, sa pensé. Ainsi le souffle absorbe tout'", p. 269.

es el elemento fundamental, indispensable, para proferir las palabras de comunión y de vida:

> Todos pedimos aire,
> aire para reír y suspirar,
> aire para que nuestras palabras
> no se estrellen en murallas
> construidas a punta de muerte
>
> Es por el aire por lo que cantamos,
> poetas, músicos, habladores (...)
>
> Es aire lo que se respira en el subsuelo
> allí donde se esconde el verbo nuevo.
> Es aire lo que se respira en las montañas,
> a pesar de los gritos,
> es aire lo que se respira... [12]

Las apariciones relativamente contadas de los dos elementos "masculinos" traducen una como reserva de las poetas, que rara vez se atreven a desarrollar las imágenes sugeridas. A pesar de su sensibilidad, aparecen cohibidas frente a las variadas implicaciones de eseuniverso elemental. Sus relaciones con los elementos "femeninos" de la tierra y el agua manifiestan en cambio mayor familiaridad, y un pleno aprovechamiento de las múltiples posibilidades y matices.

El suelo feraz de Nicaragua —el "paraíso terrenal" que ya asombraba a los conquistadores y a Bartolomé de las Casas— remite a una tierra generosa, generadora de flora y fauna. Labrada por el hombre, o espontánea, la tierra crea y cría una vegetación familiar, doméstica, que participa del vivir cotidiano[13]. En sus imágenes transparentan los muy antiguos

---

12 *Línea de fuego,* La Habana, 1978, p. 25.

13 "Ces images de la matière *terrestre*, elles s'offrent à nous en abondance dans un monde de métal et de pierre, de bois et de gommes; elles son stables et tranquiles; nous les avons sous les yeux; nous les sentons dans notre main, elles éveillent en nous des joies musculaires dès que nous prenons le goût de les travailler", G. BACHELARD, *La terre et les rêveries de la volonté,* París, 1986, p. 1.

cultos a la fecundidad que predominaban en las civilizaciones prehispánicas de la región. La tierra a la que se alude es, pues, esencialmente, aquélla que da su fruto: hombres y plantas son, igualmente, hijos de la tierra, y el árbol, o las flores, son metáfora de la vida humana. Así, para Daisy Zamora:

> Este canto procede de la tierra
> como la mota de algodón
> pequeña y simple.
> Como yo...   ("Génesis")[14]

o, para Michele Najlis:

> ... El fruto de tu vida esperando ser cortado
> seguirá creciendo, creciendo
> y las semillas de tus semillas
> se perpetuarán en el árbol
> junto a las semillas de las semillas de tus hermanos.[15]

La transmutación llega a ser total, hasta la asimilación implícita. Así, Daisy Zamora, en "Para mi abuelo Vicente, desde enero hasta su muerte":

> y a tu sombra, fresca como de sauce,
> me cobijé y crecí tranquila.
> Tus ramas se inclinaban flexibles como lirios
> y detenías las lluvias, los vientos y las fieras.
> Sólo la luz entraba filtrada entre tus hojas (...)
>
> Pero no te aflijas, que ya he visto retoños
> brotar entre tus ramas.
> Pasará la sequía y cuando Mayo llegue
> tus ramas estarán cubiertas de hojas tiernas.

Con el mismo caso en "Solicitud":

> He cubierto la tierra con un colchón
>   de hojas frescas
> para acostar tu cuerpo cansado y sudoroso

---

14 *La violenta espuma,* Managua, 1982, p. 49.
15 *El viento armado*, Managua, 1982, p. 63.

Tus pies están sangrantes del camino
y tus manos manchadas y callosas.

Pero yo te daré sombra con mi cuerpo
                a la hora del calor
y por la noche encenderé mi corazón
                para abrigarte.[16]

Este último poema se aclara, a nuestro parecer
si se lo coteja con una notable coincidencia en Michele Najlis:

Buscaron al hombre de corazón de árbol,
de canción de hojas (...)
y te encontraron
inmenso en tu dolor
con tu corteza de amargura...[17]

---

[16] *Op. cit.,* respectivamente pp. 11 y 45.
[17] *Op. cit.,* p. 61. Otro ejemplo larga y explícitamente desarrollado lo
encontramos en Yolanda Blanca:

Algo de mí reconozco
en esa florecita blanca
algo de mí se sacude ese pájaro
revoloteando
estoy
lo sospecho
en una piedrecita
de ese nido de oropéndolas
me levanto
y me convierto en árbol
me recuesto
y soy una yedra sostenida por un sauce
huelo a mí
en este palito
que destrozan mis dientes
voy en mechas de maizales
estoy amanecida como esa cañada
y soy una hoja seca
que soban los venados
algo muy mío
han transparecido esta tarde
las montañas.
"Poesía escogida de mujeres nicaragüenses", *Cuadernos Universatarios,*
núm. 15, diciembre de 1975, p. 112.

Más totalizadoras aún son las imágenes que integran la mujer al conjunto del proceso germinativo, al incesante paso por la muerte, condición necesaria para un nuevo nacer:

> Eres la tierra
> y el grano que muere por amor al fruto
>
> * * *
>
> ... y sabes dónde está la tumba del hermano,
> aquel hermano que no tuvo sepultura (...)
> porque tu corazón es tierra que lo cubre
> y nuestros días flores nuevas para florecer tu tumba.[18]

En la vegetación se proyectan pues las experiencias vitales, ella es metáfora de los sentimientos humanos, *carpe diem* en:

> Agobiado de flores está el jardín
> y el cuarto en que dormimos cada día recoge
> el rumor cadencioso y eterno del amor.
> No esperemos todavía el final del verano (...)
> ¿Hasta cuándo cantarán las acacias en el viento?
>
> ("A Dionisio en el verano")

Nostalgia y espera en "Carta a una hermana que vive en un país lejano":

> ... Los cocoteros ya están cosechando en el jardín
> y el verano tiene rojas las gencianas del cerco (...)
>
> Prolongado ha sido el tiempo y la distancia.
> Pero en uno de estos días luminosos
> (los rosales están repletos de capullos)
> O de aquéllos más lejanos del invierno
> (en todas las carreteras hay laureles florecidos,
> marañones y mangos y corteces amarillos)
> Con el último sol o en el primera aguaje
> recogeremos los frutos
> de la espera.[19]

---

[18] Michele Najlis, *op. cit.*, pp. 47 y 51.

[19] Daisy Zamora, *op. cit.*, pp. 61 y 81-83. Cf. también p. 93:
*Ya no puedo escribirte apacibles poemas
sombreados por las acacias
        y los sauces del patio
Ya no tengo ventana donde mirar al sol
        encendiendo gencianas.*

Llega a ser cifra y clave de una visión del mundo:

> Mi ventana es pequeña:
> en ella alcanza
> un poquito de grama, de sol
> y de gencianas   ("Ventana"),

su presencia traduce el lento transcurrir de los días humanos.

Así la prosa "La rutina" desemboca en la evocación: "El día va madurando suavecito en las hojas tranquilas de las acacias y los papiros, las begonias y los coludos pringaditos y frescos"[20]. Por un proceso de asimilación, arraigándose en él, la mujer se apodera del tiempo:

> Ahora poseo el tiempo
> y a lo largo de la tarde
> increíblemente mía (...)
> Como un árbol, descubro entonces,
> que mis raíces han proliferado
> y que mi tronco enhiesto ya nada lo abate.[21]

La tierra, sin embargo, para ser verdaderamente fecunda, necesita del esfuerzo humano. Poseer la tierra llega así a ser campo abierto para todas las potencialidades. Un texto, de tipo onírico, ilustra el aspecto más voluntarista de la imaginación poética fundada en el elemento terrestre:

> Algún día los campos estarán siempre verdes
> y la tierra será negra, dulce y húmeda.
> En ella crecerán altos nuestros hijos
> y los hijos de nuestros hijos...
>
> Y serán libres como los árboles del monte
> y las aves.

---

20 *Ibid.,* pp. 63 y 73.
21 VIDALUZ MENESES, *Llama guardada,* Managua, 1975, p. 87.

Cada mañana se despertarán felices de poseer la vida
y sabrán que la tierra fue reconquistada para ellos

Algún día...

Hoy aramos los campos resecos
Pero cada surco se moja con sangre   ("Canto de esperanza)[22]

El poder fecundante de la tierra se desarrolla plenamente por la conjunción con el otro elemento germinativo, el elemento también cotidiano y familiar: el agua. Muchas veces aparecen unidos, y sus bodas son tan evidentes y necesarias como las de la pareja humana, fuente de energía para propagar el ritmo de una nueva vida hasta las dimensiones de un territorio. Esta perspectiva se nota particularmente en Gioconda Belli:

> Rios me atraviesan,
> montañas horadan mi cuerpo
> y la geografía de este país
> va tomando forma en mí,
> haciéndome lagos, brechas y quebradas,
> tierra donde sembrar el amor
> que me está abriendo como un surco
> llenándome de ganas de vivir... ("Hasta que seamos libres")
>
> * * *
>
> Nos casaremos ahora que llueve a carcajadas.
> Voz y yo y la tierra celebraremos juntos
> el verdor de los cuerpos,
> el sexo de las flores,
> el polen de la risa (...)
> Uniremos las nubes...
> Uniremos la tierra con el agua.
> Nos casaremos con el cielo cerrado
>
> ("Nos casaremos en invierno")[23]

22 DAISY ZAMORA, op. cit., p. 117. Cpr: "Nous examinerons les images du travail, les rêveries de la volonté humaine, l'onirisme qui accompagne les tâches matérielles. Nous montrerons que le langage poétique quand il traduit les images matérielles est une véritable incantation d'énergie (...) Les objets de la terre nous rendent l'écho de notre promesse d'énergie", G. Bachelard, op. cit., p. 8-9.

23 Línea de fuego, ed. cit., pp. 11 y 87.

.En contrapunto a la exultación propia del temperamento de G. Belli, señalemos la misma nota, si bien en el tono menor de reserva y pudor que es el de Vidaluz Meneses, en "Mujer estéril":

> ... flor que no fijará raíces
> agua que no abrirá surco.[24]

Se constata aquí hasta qué punto esta relación privilegiada que las poetas nicaragüenses establecen entre el agua y la tierra concuerda con los análisis de G. Bachelard:

> L'eau imaginaire nous apparaîtra comme l'élément des transactions, comme le schème fondamental des mélanges. C'est pourquoi nous donnerons une grande attention à la combinaison de l'eau et de la terre (...) Nous devrons nous souvenir que le véritable type de la composition, c'est, pour l'imagination matérielle, la composition de l'eau et de la terre (...) Toute combinaison des éléments matériels est, pour l'inconscient, un mariage.[25]

En un país de lluvias tropicales, de ríos selváticos y de inmensos lagos —el *Mar Dulce* de los conquistadores—, la presencia del agua es una constante de la vida cotidiana. Capaz para los aspectos e imágenes más opuestos, el elemento acuático cambiante y múltiple es principio de vida, de muerte y de resurrección según los ritos indígenas. Y Chalchihuitlicue, la de la falda de jadeíta verde, diosa del agua, de los lagos y el mar, dominó antaño el último de los cuatro soles de la cosmogonía azteca, igualándose a Tezcatlipoca, Quetzalcóatl y Tlaloc.

---

[24] *Llama guardada, op. cit.,* p. 85.
[25] G. BACHELARD, *L'eau et les rêves,* París, 1987, pp. 18-20. Cf. también el poema de Yolanda Blanco, "Se describe al campisto":
De húmeda masa el hombre de la tierra (...)
De sólida masa
  de tierra
    es el hombre de la tierra.
("Cerámica Sol", *op. cit.,* p. 65.)

La multiplicidad y diversidad de las apariciones del agua consta igualmente en los poemas, traduciéndose en ellos algo de la complejidad irracional y vertiginosa de aquel elemento. Para Gioconda Belli, la fertilidad que produce el elemento desencadenado en lluvias torrenciales o un mar tormentoso apenas apaciguado evoca o, más aún, pasa a la fertilidad del cuerpo femenino:

> Se ha vuelto mi corazón espuma (...)
> Llevo el mar naciente cada día
> en el interior de mis entrañas (...)
> He reventado en olas contra la ausencia y el destierro (...)
> oyendo sonar mi vientre de agua después de la tormenta
> con este amor pleno de espuma,
> de electricidad
> y de potencia. ("Se ha vuelto mi corazón espuma")

* * *

> Como este aguacero, amor,
> me vuelvo un montón de agua entre tus brazos
> ando desbocada por tu cauce
> me hago arroyuelo en el pelo de tu pecho.
> Así como esta lluvia,
> me desbordo en palabras (...)
> Salto desde tus brazos,
> como la lluvia que se derrama de los techos,
> y me duele la carne de querer prolongarte
> de querer florecer la semilla en mi vientre
> y darte un hijo hermoso y vital... ("(Mi amor es así")[26]

Del mismo modo, y como resultado de una radical contradicción, fuerza y violencia, por contraste con sus acostumbrados efectos destructores, pueden aparecer como garantía de independencia y libertad:

> Fluyendo libre el río
> nunca equivoca el rumbo.[27]

---

[26] Respectivamente *Truenos y arco iris, op. cit.,* pp. 71-72, y *Línea de fuego, op. cit.,* p. 86.
[27] DAISY ZAMORA, *op. cit.,* p. 103

No desesperes
el agua romperá las piedras.[28]

Los poderes del agua se manifiestan, pues, como fuerzas antitéticas, y su ambigüedad esencial no se resuelve: vida y muerte, aridez y fecundidad son dos modalidades simultáneas:

No ahogaré este fermento que me recorre (...)
Vendrá la ola inmensa
portadora de vida o de muerte,
sobrevivirá de la sirena el canto.   ("Pleamar")

* * *

Cada vez más escasa, el agua,
como marea que se retira para siempre,
desnuda la aridez de arena y rocas.
Busco en la ligera brisa,
lluvia tímida de este mayo
un principio de vida
para esta madre que se nos muere...   ("Mayo Nicaragua")[29]

El ambiente de lluvia y niebla, el caer incesante del agua, determinan imágenes de fúnebres velos, de muerte imprecisa[30]. La desaparición en un horizonte lejano y la asociación con la infinitud —característica de lo que G. Bachelard calificó *Complejo de Ofelia*[31]— es lo que sugiere obsesivamente María Teresa Sánchez:

La lluvia, la interminable lluvia
caer lánguidamente.
... Me iré sin verte.
He de hacer mi mortaja de esta lluvia (...)
Si tu amor conociera mi amargura,
honda como la muerte.

28 MICHELE NAJLIS, *op. cit.,* p. 19.
29 VIDALUZ MENESES, *El aire que me llama, op. cit.,* pp. 17 y 18.
30 Cf. G. BACHELARD, *op. cit.,* p. 9: "La mort quotidienne n'est pas la mort exubérante du feu qui perce le ciel de ses flèches; la mort quotidienne est la mort de l'eau. L'eau coule toujours, l'eau tombe toujours, elle finit toujours en sa mort horizontale".
31 *Op. cit.,* p. 18 y cap. III, pp. 109-125.

> ... Me iré sin verte.
> Entre la lluvia tenue, entre la bruma,
> me iré sin verte.[32]

Muerte y vida son las caras indisociables del agua —Gaston Bachelard habla de la "triple syntaxe de la vie, de la mort et de l'eau". Las aguas primordiales de toda cosmogonía encierran el ritmo cíclico de la vida, marcando, asimismo, el ritmo temporal y la sucesión de los días:

> Hoy regresó la lluvia, la misma lluvia de antes.
> El zacate está verde y el camino lodoso (...)
>
> Porque es la antigua lluvia que vuelve
> como tú que te fuiste y estás aquí conmigo (...)
> Y has estado siempre y seguirás estando
> como la lluvia de hoy que es de ayer y mañana
> que ha sucedido siempre sin final ni principio
> y nadie sabe cuándo fue el primer aguacero.
>
> $\qquad$ ("Para mi abuelo Vicente...")[33]

Como en un ramillete, imágenes sueltas a lo largo de los poemas demuestran, por la frecuencia del recurso a lo elemental, la familiaridad —más: la intimidad, la consubstancialidad— de las poetas con las componentes del universo primitivo. A Vidaluz Meneses:

> Que al hombre, el sol que lleva dentro
> le baste $\qquad$ (*Llama Guardada*, p. 13)

responde Gioconda Belli, evocando ora:

> los soles que habitan en mi cuerpo $\qquad$ (*Línea de fuego,* p. 80)
> $\qquad$ * * *
> me prendo el sol en medio de los pechos
> $\qquad$ (*Truenos y Arco iris*, p. 42),

ora:

---

[32] "Poesía escogida de mujeres nicaragüenses", ed. cit., "Me iré sin verte", p. 25.

[33] D. ZAMORA, *op. cit.,* p. 17.

el ruido de la lluvia
hermanándose con mi húmedo vientre

> (*Truenos y Arco iris*, p. 35)

y

... las mujeres con sus faldas de maíz
—todos los ríos sueltos en sus brazos—   (*Ibid.*, p. 62),

mientras Carla Rodríguez va indagando

... esta búsqueda a partir de mis días
de mi origen de sol
de mi todo de lluvia...[34],

y Mariana Sansón:

Un pensamiento alimentado
de maíz, soy esa (...)
De un sol que arde
y del agua que hace temblar
la carne nueva.
De maíz, mi sentido.

O bien:

Me mezclan con el aire
y con el agua,
con mi propia conciencia.
En humana me fija.[35]

El ser poeta, el proferir, reúne y polariza los elementos; Vidaluz Meneses los acoge:

Llueve en la tarde
y en el alma, como en tierra lavada,
afloran a la superficie viejos cantos. (*Llama guardada*, p. 51),

---

[34] CARLA RODRIGUEZ, "Poesía escogida de mujeres nicaragüenses", ed. cit., p. 55.
[35] MARIANA SANSON, *Ibid.*, pp. 34 y 32.

95

mientras Michele Najlis los convoca:

> Y no quiero más palabra que la que nos llega honda y limpia,
> recia como el mar y el aire,
> clara como el sol y el pueblo.   (*Viento armado*, p. 13),

y Ana Ilce, como retorno a sus orígenes, remite sus palabras al silencio primero:

> Yo que soy una mujer tan tierna (...)
> no más tierna que una ramita (...)
> Yo que soy una mujer tan inconstante
> como el viento (...)
> Yo que soy una mujer tan vital,
> tan verdadera como el sol, como la lluvia (...)
> seré algún día, al final de tantas palabras,
> tan sólo brizna, aleteo, página blanca
> en la memoria de nadie.[36]

En este último ejemplo, ya constatamos cómo la conjunción de los cuatro elementos permite una amplificación de la imagen. De hecho, aunque alguno se presenta con mayor frecuencia en la imaginación de las poetas, y aunque ellas pueden focalizar relaciones privilegiadas con un elemento aislado, abundan los poemas en los que vienen combinados varios —incluso la totalidad— de los cuatro. El recurso simultáneo a los cuatro principios confiere entonces a la metáfora un pleno poder sugestivo, y traduce un paroxismo de vida, la participación de la creación de un mundo.

Así exulta Vidaluz Meneses entre "lluvia nocturna", "nueva hierba" y "raudo vuelo" para celebrar "la Tierra recobrada" por los insurrectos[37], así Yolanda Blanco reconstruye el mundo alrededor del "Sol del verano":

---

36 ANA ILCE, *Ibid*, p. 78.
37 *El aire que me llama*, ed. cit., p. 55.

... Mar que temprano lavó manos:
curvo sol cantando.

Gusano que pasa a paso tras el árbol:
plano sol andando.

Pleno sol pintando
de lado a lado el verano...[38]

Así Gioconda Belli abarca la totalidad de su patria
en algunos destellos elementales:

¿Que sos Nicaragua?

¿Qué sos
sino un triangulito de tierra
perdido en la mitad del mundo?

¿Qué sos
sino un vuelo de pájaros?

¿Qué sos
sino un ruido de ríos
llevándose las piedras pulidas y brillantes
dejando pisadas de agua por los montes...?[39]

Hasta puede darse entonces cierto frenesí nomi-
nador, que recuerda y procede sin duda de la enumeración exteriorista, pero que establece con intensidad un rito de evocación mágica: así Rosario Murillo convoca a la naturaleza nicaragüense para salu-
dar el recuerdo del combatiente caído:

Pienso en el guarumo y el guácimo
en el guayacán y el cedro
en el chilamate, el genízaro

---

[38] "Cerámica Sol", ed. cit., p. 60
[39] *Línea de fuego*, ed. cit., pp. 14-15. Del mismo modo, Ana Ilce suscita la estación de lluvias por el canto del pájaro, cuando "el verano es de
fuego/el verano es de piedra", *Las ceremonias del silencio,* Managua, 1975,
p. 29.

el malinche y el cuachipilín
en el orondo tiempo de los guanacastes (...)
Pienso en el albo resplandor de todas las floraciones
y tiemblo con la semilla en la tierra
y me agito en la lluvia
que enseñará nuevos árboles al viento...[40]

Así, de los elementos enfrentados surge el vórtice de la pasión:

Como la tormenta, amor, como la tormenta.
Como el rayo, quemante, como el rayo.
Como la lluvia, como los robles ante la lluvia.
Comos las flores, amor, como las flores.
Como el madero que retoña en los cercos. (...)

Como un cauce que se llena a la llegada del invierno.
Como una mujer ama a su hombre
así, amor, te he querido.

* * *

Llego a vos como una correntada
como un aguacero con su canción de batalla
como un trueno solitario en la noche (...)
como las olas casi reventando...
como el sol y la lluvia...
suave como un suspiro
fuerte como roca ancestral...[41]

---

[40] "Gajos para polinizar tu nombre" (A Santiago Baldovinos caído en combate), *Amar es combatir*, Managua, 1982, pp. 147-150. Citaremos también los cuartetos finales:

Corre una mariposa a cerrarte los ojos
corren las golondrinas, las guacirucas, los güises
corren chocoyos, pocoyos, pijulines
se estremce y chisporrotea un tizón
En el tronco de un sauce, a mediodía
sobre las oraciones
un revuelo de abejas sofocadas
desgranará con sortilegios tu nombre.

Cf. igualmente el poema p. 61.

[41] Respectivamente: MICHELE NAJLIS, *op. cit.*, p. 75, y ROSARIO MURILLO. *op. cit.*, "Ansina", p. 99. En este poemario, cf. también "Canción a mi amante-grito":

Mi amante cedro robusto e invisible
verde que truena en el viento

La unión de los principios contrarios aparece, pues, para transmitir una vivencia extremada, sólo ella es capaz de expresar la experiencia de lo absoluto, de lo infinito. Así evoca la plenitud del ser:

> Mi vida es la raya entre el horizonte y el viento. Entre el agua y el agua.
> Sobre el fuego y el fuego. En la tierra y más allá. Sobre la piel de Júpiter o las escamas nacaradas de Venus[42];

esta superabundancia de vida que desemboca en el nacer de un hijo:

> Estoy embarazada de sol. Preñada de una curiosa y dulce luminosidad (...) Mi preñez es de sol. Es ovillejo de viento y armaduras aladas (...) Soy la mujer del guerrero, la madre de la mañana, la membrana del agua donde se funde y fortifica la vida.[43]

O, más aún, traduce la explosiva energía que constituye un pueblo:

> ... con el barro de tu tierra
> y con el agua de tus ríos,
> con el aire, con el fuego,

---

hijo de sol marinero
y de la furia loca de huracanes y trópicos
mi amante besa mi cuerpo
con sabias y rápidas briznas
torre de piedra reblandecida de musgo (...)
vive bebiendo cantos, madrugadas y lluvias
se alimenta de estrellas y rebotes de brisa (...)
yo soy sólo su vasto territorio
la tierra lisa donde en carruajes de fuego
lento y seguro se lanza... (pp. 103-104)

[42] R. MURILLO, *op. cit.*, "Reguero de caminantes", p. 129.,

[43] *Ibid*, pp. 117-118, "Gravidez y silencio". Cf. también p. 101, la evocación del "Muchacho madero":

Muchacho de nieve y fuego
de agua, tierra y de sangre
muchacho de levadura
árbol de pan y guitarras
fuente de cantos y tormentas.

con los hijos de la sangre (...)
con todo eso, haremos nuestro mundo[44],

—abriéndose paso a veces por la oscura letanía del dolor:

Nosotros, los hijos del sol (...)
los que surgimos en la luz de la mañana,
los descalzos en el seno de la tierra,
los que conocemos el lenguaje del viento (...)
los que tenemos la sangre poblada de lagunas
y el cuerpo cubierto de volcanes,
los que vimos caer la lluvia sobre la tierra seca (...)
nosotros rompimos las cadenas y emprendimos el camino[45]

pero más bien en la dinámica de una creación nueva:

He sido más fecunda que la tierra
más vegetal que el repollo
más inmensa que el mar y por supuesto más fuerte
he concebido y habido todo el mundo (...)
mi vientre ha sido árbol, manantial y volcán...[46]

Por la relación que establece con el ciclo vital, el recurso elemental introduce en el poema una nueva dimensión: la de la duración, hasta dar con el otro infinito: la eternidad. La experiencia del tiempo —pasado de la memoria, proyección en el futuro— puede darse en un enfrentamiento animado con el presente de los elementos:

... tu recuerdo me mece como al maíz el viento
y te traigo en el tiempo (...)

---

[44] M. Najlis, *op. cit.*, "A los mártires de Bocay", p. 35. Cf. también p. 39:

y su sangre regó toda la tierra (...)
volvieron a crecer los ríos con el agua que acumula cada vida,
el aire llegó hecho canción de amor (...)
las esposas salieron frente al alba para ver nacer al pueblo,
los niños amasaron con fuego sus cuerpos de barro...

[45] *Ibid.*, p. 41.
[46] R. Murillo, *ibid.*, "Yo miro hondo en mí y siento el universo", pp. 67-68.

100

junto al agua.
Y somos los dos juntos
otra vez,
bajo el cielo estrellado
en el monte (...)
Me he soltado en tormenta
y trueno y lloro rabia por no tenerte cerca,
en viento me he cambiado,
en brisa, en agua fresca (...)
buscándote en el tiempo
de un futuro que tiene
la fuerza de tu fuerza.   ("Te busco en la fuerza del futuro")[47]

Puede pasar por la inexorable inmovilidad de lo ina-
nimado —y la ausencia de los elementos constituye
también una condición de la vida:

El tiempo que transcurre.
El alma que se pone del color de la tierra (...)
La lluvia que no cae.
Sólo la cal del aire que blanquea las sienes.
Sólo el fuego que penetra en la sangre (...)
Y el sol secando al aire las médulas cárdenas del tiempo.
Y el viento lúgubre, estepario (...)
Y los niños ya viejos regresando bajo el arco de la tarde.
Y las piedras[48].

Más profundamente, los principios elementales, por
su naturaleza, relacionan el poema con los orígenes
de los seres y de las cosas, con los comienzos del
tiempo y la raíz del canto; así se explicita en la meditación sobre la "Tortuga":

... Allá de vez en cuando levanta la cabeza de granito mien-

---

[47] G. BELLI, *Línea de fuego,* ed. cit., pp. 53-54. Cf. también *Truenos y arco iris, op. cit.,* pp. 29-30, "Conjuros de la memoria":
No sé si un sol desmedido y burlón
me atravesará de punta a punta (...)
me dice verde con ojos de monte (...)
y me hace nadar en el aire, retozar en los arroyos
romper los relojes del tiempo...
[48] Ana Ilce, *Ceremonias del silencio,* ed. cit., pp. 87-88.

tras el oleaje del tiempo retrocede y avanza, avanza y se desploma contra el cuerpo hecho de tierra antigua, de caverna, de voces primitivas que se encienden en el fondo de la tarde. Tortuga primigenia, yo me pregunto qué historia de roca, qué edad de pedernal puso en tu concha ese verde de agua muerta. Yo te adivino arrastrando solemne, siglos ocultos de paciencia, devorando filamentos de tiempo con aridez de lago seco, terca en tu fortaleza, señora de tus muros donde ni rayo de sol ni brizna de agua inmutan la ternura terrestre, el recóndito calor que llevas dentro. Tortuga, *tortuca*, mascareña, galápago, fluvial, marina, de qué profundidad de océano, de qué espejo de río, de qué espesura de tierra vienes emergiendo hasta mí, hasta mis ojos, hasta todos los ojos de la tierra que han de cerrarse antes de que tú avances y nos digas, y nos des, y nos dejes el oscuro secreto que Dios te dio del tiempo.[49]

Por el mismo movimiento, el principio de toda cosa remite al principio absoluto, alfa y omega, al Dios Hacedor, en la noche que precede la creación:

"Nocturno"

Silencio de los astros en la noche,
angustia del mar, dormida sobre la arena,
reposo del tiempo sumergido en el sueño,
ruido detenido en el oído.
Dios, desde su Eternidad, vigila;
despierta las aguas, revienta las semillas,
prepara para el hombre la fatiga.[50]

La relación de la mujer con los elementos termina cuando, por un movimiento inverso al que la transformaba en potencia elemental, los elementos se encarnan en sus días humanos. El agua se hace lágrima, el fuego se reduce a la estrecha medida cotidiana, marcando al tiempo y al espacio con la huella

---

[49] *Ibid.*, pp. 111-112. Cf. el poema inmediatamente anterior, "Tintachina", p. 109.

[50] MARIA TERESA SANCHEZ, "Poesía escogida de mujeres nicaragüenses", *loc. cit.*, p. 28.

de su paso, antes de la disolución final en el elemento incorpóreo, el aire en movimiento:

> Nada sobrevivirá a nuestras vidas,
> sino el pequeño fuego que prendimos.
> Nada marcará el lugar en que caímos,
> sino la lágrima sola del amado.
> Nada destruirá el inmenso mundo
> que construimos,
> sino el soplo del viento.[51]

Con ejemplos múltiples tomados de varias generaciones y varios horizontes[52], ejemplos cuya abundancia nos parece significativa en un *corpus* relativamente reducido, hemos intentado presentar una visión de conjunto, la cual justifica y solicita esta apreciación general: las poetas nicaragüenses, en su experiencia de un contexto nacional —climático, geográfico, histórico—, al recoger y desarrollar las implicaciones diversas de sus vivencias, han escogido vías similares. Para expresar su pequeño país tropical, con sensibilidad grave y exultante a la vez, habitando los elementos, y amoldándose a ellos, crean un mundo de imágenes y de sueños.

Para concluir, dejaremos que se manifieste el himno elemental de una mujer de Nicaragua, hija de Chalchihuitlicue, hija de la lluvia:

> Lluvia
> en el deletreo de tu nombre
> caes y lavas uniendo
> tanto ruego del cielo
> tanta esperanza en la tierra
>
> Cómo amo esta lluvia
> cambiante en cada gota

---

51 Ana Ilce, *op. cit.,* "El blanco siglo", p. 75.

52 Maria Teresa Sanchez (1918) y Mariana Sansón (1918) preceden en poesía a sus compañeras, que todas son de los años 40, o hasta de los del 50 (Rosario Murillo: 1951; Yolanda Blanco: 1954).

mis oídos rebasan de ti
                lluvia diosa en mi piel
                trópico de lluvia en el ecuador de mi cuerpo
lluvias que parecen ríos acrecentados en temporales de
                                      [octubre

        (como la pasión de los enamorados,
        la de los recién casados)
lluvia que habla de la "abundancia del corazón"
a los que se aman
de la gota de lluvia con el agua del río
un poco de mi sangre que es de tierra se me escurre
                inconsciente en tu caída[53].

---
[53] CARLA RODRIGUEZ, "Poesía escogida de mujeres nicaragüenses". cd. cit., p. 57.

LA RETORICA DEL DISCURSO AMOROSO EN LA POESIA DE ZOE VALDES

Adriana Castillo de Berchenko
(Universidad de Perpignan)

"Yo escribo, yo me escribo... zona de enfrenta- miento entre lo real y lo imaginario, mi escritura se convierte en una opción ineludible", afirma Helena Araujo cuando analiza las complejidades del proceso creador que la habita[1]. Estas mismas palabras pueden aplicarse a la relación que vive la cubana Zoé Val- dés con la poesía[2]. Ambas mujeres, la narradora y la poetisa, viven íntimamente el proceso creador como un "yo me escribo", es decir, soy mi propio tema. Y aquí "tema" no quiere decir necesariamente anécdota o fragmento autobiográfico, sino más bien, vivencia, sensación, emoción o reflexión personales y, por lo mismo, únicas. "Yo me escribo", "yo soy mi tema" equivale, entonces, a volcarse en la página blanca

---

[1] HELENA ARAUJO, "Yo escribo, yo me escribo", en *Revista Ibero- americana,*, núm. 132-133, julio-diciembre 1985, Pittsburgh, Pennsylvania, pp. 457-460.

[2] Dos poemarios publicados y premiados tiene Zoé Valdés (La Ha- bana, 1959). El primero *Respuestas para vivir*, publicado en México y gana- dor del premio "Roque Dalton", 1982. El segundo, *Todo para una Sombra,* accésit de poesía "Carlos Ortiz" de Madrid, en 1985. Pertenece a la genera- ción de poetisas cubanas integrada por Marilyn Bobes (1955), Reina María Rodríguez (1952), Cira Andrés (1954), Soleida Ríos (1950), María Elena Cruz Varela, Mariela (1953) y Chely Lima (1956).

con todo lo que se es, con "lo real y lo imaginario", con experiencias, sensaciones y ensueño. Bagaje individual, desde luego, y que por la palabra, gracias a ella y a su valor mimético, deviene creación. "El que quiera escribir que escriba", dice, sencilla, Zoé Valdés y agrega: "vamos a ver qué palabras utiliza"[3]. Y, en efecto, si el deseo de escritura puede ser impulso de muchos, sólo algunos podrán acceder a su secreto. Porque, en esa "opción ineludible" de la que habla Helena Araujo, todo depende de las palabras que se utilizan, como declara Zoé Valdés. Son ellas —palabras, signos, vocablos— las que revelan al creador. A través de ella se reafirma libremente una identidad, y se reconoce una esencia que es propia. Escribirse es, de este modo, expresarse, darse a conocer tanto a sí mismo, como a los demás.

Cierra los ojos y lee este poema
no los abras adivínalo[4]

¿Por qué escribe Zoé Valdés? ¿Qué la impulsa a la expresión poética? Responder a estas preguntas significa ciertamente ingresar en su palabra. Hay que adentrarse en este decir la poesía para intentar dilucidar el secreto que oculta. Para ello es necesario, sin embargo, desviarse de los rumbos tradicionales y entregarse al deseo que la misma creadora expresa con paradójica simplicidad: "cierra los ojos y lee este poema". Ocultándose tras su propio duende creador, Zoé entreabre una de las puertas de su mundo lírico. Para comprenderlo, basta con subvertir sensorialmente el orden paradigmático de la lectura. Sólo así, leyendo con el alma, negando la omnipre-

---

[3] Zoe Valdes. Estos versos forman parte del poema "Rumor en el ojo", en *Todo poara una Sombra*, Edición Taifa, Poesía, Barcelona, 1986, p. 25. Todas las citas seguirán esta edición.

[4] Zoe Valdes, "Poema extrañamente escolar", en *Todo para una Sombra*, p. 22.

sencia de lo real, puede penetrarse la escritura. Esta —"mi misterio"[5]— exige, sin embargo, una entrega sensible del lector quien, aboliendo voluntariamente la barrera de lo visual, consigue ingresar en el reino imaginado que le ha sido sugerido. El discurso lírico se resuelve, entonces, en una escritura concebida como acto vital desmitificador en el que sensación, sentimiento y placer se combinan. Hay en este proponer la poesía, en su génesis, el amor intenso del juego. "Lee este poema" —"mi poema"— propone Zoé, incitando a participar. Pero para leerlo —agrega— "cierra los ojos". Sólo así, a ojos cerrados —"no los abras"— podrás adivinarlo. Porque el poema es misterio que se intuye y se descubre. Se siente y no se analiza. Es la fantasía, la capacidad de ensueño individual la que condiciona la intelección poética. Y en ella, el placer lúdico está presente junto a un placer intelectual. Todo ello en sentido amplio y en un primer nivel. Pero más que nada —y esto es inmensamente palpable en los textos de Zoé— hay aquí un placer puro —gozo, diversión y humor— en el hacer del signo poético, del discurso en sí, la clave más secreta del juego.

El secreto es no tratar de que te quedes[6]

Dirigiéndose continuamente a un interlocutor poético, el verso de Zoé Valdés se configura y avanza como una expresión en la que el apóstrofe lírico, la apelación al Otro, son reveladores de un deseo intenso de comunicación. Los dos poemarios que integran *Todo para una Sombra* —"Piel Escondida" y "Esquinas de otro mundo"[7]— son, en verdad, una

---

5 ZOE VALDES, "El poeta no sabe que lo buscan", en *Todo para una Sombra*, p. 23.

6 ZOE VALDES, "Explicaciones", en *Todo para una Sombra*, p. 26.

7 "Piel Escondida" está compuesto por 34 poemas cuya temática general comprende el amor, la escritura, el erotismo, la literatura, la materni-

constante búsqueda del Otro. Un [Tú] multifacético que es indistintamente hombre o poema, palabra o amante, hijo o poeta. El título del volumen —*Todo para una Sombra*— alude de partida al Otro, y el adverbio totalizador que encabeza el sintagma es elocuente en la significación de la entrega absoluta a él. Otro que es, en este caso, una Sombra, es decir —y tal como la creadora lo comprende—, un fantasma benéfico que protege su poesía. Así aparecen, por ejemplo, las alusiones a José Lezama Lima, Fernando Pessoa o Marguerite Yourcenar[8]. Pero la Sombra es también algo más. Ella es, sobre todo, figura ideal, reflejo soñado de alguien que nace de la palabra y a quien todo el volumen está dedicado. Porque si la Sombra que recrea el verso de Zoé Valdés es la de "un hombre imaginario" —tal y como la dedicatoria lo enuncia— este ser, substancia y carne del discurso, se erige también como el centro del secreto cantado por la creadora. El es el fantasma anhelado que se busca incansablemente. Figura ideal. Nunca hombre material, aunque por momentos lo parezca. Es el ser soñado y perseguido y por ello mismo su silueta escamotea la palabra: "Fijamente no estás / pero te distingo"[9]. "Crece la luz / tú eres su reflejo / sobre mi vestido"[10]. "Déjame marcarte en la costumbre / y goteando entregarme a tu fantasma"[11]. El es, por último —y de ello el Yo poético está plenamente consciente—, la clave de la creación, un juego expre-

---

dad. "Esquinas de otro Mundo" contiene 30 poemas. La temática personalísima de "Piel Escondida" da paso ahora al mundo exterior, la alusión a la vida en Europa, París. Y luego se impone la mujer como temática: escritoras como Karen Blixen o Marguerite Yourcenar, la madre, la hija posible, y por último, las mujeres en general.

[8] Estos tres escritores son presencias que cobijan *Todo para una Sombra*. Lezama Lima y Pessoa son citados en epígrafes del primer poemario; Marguerite Yourcenar es epígrafe del segundo.

[9] ZOE VALDES, "Fijación", en *Todo para una Sombra*, p. 16.

[10] ZOE VALDES, "Crece", en *Todo para una Sombra*, p. 21.

[11] ZOE VALDES, "Poema para cuando no estés", en *Todo para una Sombra*, p. 38.

sivo sólo hecho de lenguaje; construcción amorosa que es único y precioso producto del discurso: "El amor es sacudirme el rostro / escribir horas noches enteras / tú como no hay ninguno en los planetas / hombre imaginario destinado lentamente / cuando llegues estaré vieja y aburrida?"[12]. Y es que este "hombre imaginario" de Zoé Valdés se gesta y vive exclusivamente en su verso. Está en su poesía. Es su obra. Como ella misma triunfante lo afirma: "A este hombre lo guardaré dentro de un libro"[13].

Tu mano que se queda en el aire
buscando la palabra[14]

Si el Otro buscado en la poesía de Zoé Valdés es de preferencia un ente masculino que se encarna en una estructura discursiva, hay que precisar también que él no es sino la síntesis concentrada de la relación afectiva, sensible, física incluso de la propia poetisa con su materia creadora. Impulsada por su voluntad de afirmación y comunicación, Zoé Valdés busca, crea, fabrica su sombra ideal. Para obtenerla utiliza el lenguaje. Substancia maleable, pero huidiza y caprichosa, ésta no se deja dominar con facilidad. El lenguaje, entidad masculina en esencia, a menudo resiste. Si escribir es para Zoé realizarse en tanto individuo, reivindicarse en tanto mujer, el hacerlo usando el lenguaje como materia prima, le significa vincularse con un cuerpo que antes de rendirse, lucha y agrede. El encuentro entre ambos no es, en consecuencia, simple ni indiferente. Al contrario. A la manera de un juego, con anhelo y paciencia, la

---

12 Zoé Valdés, "Poema de la mujer que no sabe qué hacer con su vida", en *Todo para una Sombra*, pp. 29-30.

13 Zoe Valdes, "Invención de la tiniebla", en *Todo para una Sombra*, p. 19.

14 Zoe Valdes, "Ahí como un remanso", en *Todo para una Sombra*, p. 15.

escritora lo asedia y cuando el contacto se produce, la creación se revela un acto único, profundamente gratificante y que merece ser vivido plenamente.

Hay un texto en particular dentro del conjunto de *Todo para una Sombra* que revela las claves secretas de esta situación. En "Explicaciones"[15], Zoé Valdés "se escribe", es decir, expresa con libre espontaneidad la naturaleza privilegiada, única, de su relación con el objeto de la creación. Diecisiete versos que se reparten en seis frases afirmativas en las que domina un sereno tono de certeza, sirven para cantar con persuasiva ternura el juego de tensiones y distensiones que operan en el momento de cristalización del acto creador.

Pero cristalizar la pulsión creadora, hacerla realidad no es fácil. Dirigiéndose a un [Tú], interlocutor no identificado —pero que pronto se configura como ente masculino— el hablante reivindica su voluntad de comunicación asumiendo la forma colectiva de la primera persona [Nosotros], o desdoblándose en su equivalente individual [Yo]. Así, entre las oscilaciones de una enunciación grandemente personalizada, en singular y en plural, el hablante propone la situación lírica en una primera frase que abarca cinco versos: "Estamos equivocados, / tú y yo no nos parecemos, / yo elijo el erotismo, / tú la personificación escrita, / el regodeo del sensualismo". Si de partida la erotización del discurso se impone, hay que decir que ello se produce como irradiación de la voluntad de vínculo. Pero éste es vínculo singular que se alimenta y refuerza en la diferencia: "no nos parecemos". Se es diferente y ello acaba de ser constatado por el hablante con un "estamos equivocados" que suena rotundo y definitivo. Y que la semejanza no existe lo prueba también la disociación inmediata del [Nosotros], quien, asumiendo la diferencia, se desdo-

---

15 ZOE VALDES, "Explicaciones", en *Todo para una Sombra*, p. 26. Este poema es el décimo segundo del texto del poemario "Piel Escondida".

bla en un [Tú] y un [Yo]. Entes aparte pero profunda, visceralmente unidos. Vinculados, en efecto, por la corriente de placer que emana de dos actitudes vitales —el erotismo y el sensualismo—, claves existenciales del enfrentamiento del mundo, forma de realización que distinguen al [Yo] del [Tú].

Que "erotismo" y "sensualismo" no denotan actitudes sinónimas en el asumirse frente al mundo queda claro. "Yo elijo el erotismo" expresa el hablante —y hay que decir "el hablante" porque en ningún momento del texto ni pronombres, ni sustantivos, ni adjetivos lo denotan como femenino—, y que el "erotismo" es postura diferente al "sensualismo" se explicita en la manera cómo este último aparece en relación al [Tú]. Tú, dice el hablante, eliges "la personificación escrita, / el regodeo del sensualismo". Si al elegir el "erotismo" el [Yo] se descubre íntegro en su libre preferencia —que resuena total y espontánea—, "el regodeo del sensualismo", "la personificación escrita" del [Tú] parecen extrañamente rebuscados, frívolamente caprichosos. Esta última impresión surge del hecho que sorprende la paradoja implícita entre uno y otro sintagma. Si la complacencia sensual es claramente connotada por la insistencia voluptuosa significada por el sustantivo "regodeo", la constancia de esta actitud aparece, sin embargo, frenada en su impulso vital por el sintagma que le antecede y que —quiérase o no— lo determina. El Otro que es ese [Tú] no ha elegido el "sensualismo" como realización de vida total, sino como instrumento para alcanzar la "personificación escrita". La aspiración intelectual, por lo tanto, domina en él y su dominio reduce la posibilidad de expresión espontánea del impulso vital. Este no es sino juego, diversión, complacencia. Medio, en otras palabras, para llegar a ser lo que realmente importa: realidad fijada en la escritura.

La tipificación del [Yo] y del [Tú] queda así establecida en estos primeros cinco versos. Ambos entes se asumen diferentemente frente al mundo. Para el [Yo] lo sensual y lo sensorial son símbolos de vida; en ellos se reconoce. En ello consiste su "erotismo" particular, en preferir el reino de la sensibilidad. Para el [Tú], por el contrario, lo sensual y sensorial son sólo componentes, placenteros, pero secundarios, medios para una realizacion vital diferente, dominada por la certeza individual del lenguaje escrito.

Las dos frases siguientes —versos 6 a 10— ahondan en las condiciones de esa diferencia: "Tú acaricias y escapas, / yo me quedo y beso. / Estamos equivocados, / nunca fuimos iguales, / tú eres terco y yo dócil". Cuatro verbos, dos adjetivos, apuntan ahora a la esencia de ambos entes. Surge el por qué de la desemejanza. Ambos se aproximan al Otro distintamente. Si en uno domina la perseverancia amorosa: "Yo me quedo y beso"; en el otro es más fuerte la inconstancia afectiva: "Tú acaricias y escapas".

Hay en esta manera de enunciar un tono de suave reproche en el que se envuelve la crítica amorosa. Porque no cabe duda de que el hablante que aquí se expresa, lo hace desde su particular punto de vista: el del amor sensual. De hecho, el orden paradigmático del paralelismo comparativo que se ha constituido en estos diez versos, ha sido intervenido para ir, además, reduciéndose progresivamente. Si en la primera frase él se expandía con amplitud a partir de la constatación de base —"Estamos equivocados, / tú y yo no nos parecemos"[16]—, ahora en las frases dos y tres ese paralelismo se precisa en dos series verbales que entrecruzadas en una especie de quiasmo de significados, denotan las acciones afectivo-existenciales de ambos entes: "Tú acaricias y escapas, / yo me

_____

[16] De hecho, el paralelismo comparativo se mantiene en una línea de ambigüedad en la que se juega con niveles y variantes diversos. Adoptando a veces la apariencia del quiasmo, otras el juego de la comparación simple, este paralelismo se desarrolla a través de los primeros diez versos, luego desaparece, para reaparecer en el último verso.

quedo y beso". Poco a poco, los rasgos de la diferencia se precisan, al acariciar fugaz y que rechaza todo compromiso del [Tú] se opone la demostración tangible y permanente del besar del [Yo]. Cada cual vive la experiencia amorosa según un ritual que se ciñe a ceremoniales de acciones y afectividad distintos. Fidelidad y constancia de la pasión por un lado; fogosidad fugaz de esa misma pasión por el otro. Es porque el vínculo se vive diferentemente como escapatoria y permanencia que los versos ocho y nueve afirman repitiendo ahora rotundos: "Estamos equivocados, / nunca fuimos iguales". Versos éstos que preparan la declaración lúcida con la que culmina el paralelismo. "Tú eres terco y yo dócil" expresa el hablante en el décimo verso que cierra la serie de la confrontación entre ambos entes. Y con ello él denota, ahora en una síntesis concentrada, el fondo del carácter diferencial que liga y cimenta la naturaleza de la relación.

He aquí entonces cómo un sensualismo esquivo y un sumiso erotismo se han unido para vivir en conjunto la experiencia del placer. Terquedad y docilidad no son, sin embargo, sino componentes contrarios, antagónicos incluso, de una misma pasión. Componente, no obstante, que se suman y complementan, enriqueciendo e intensificando la vivencia del placer. Y esto el [Yo] lo sabe perfectamente. Por ello su conocimiento, su personal sabiduría sobre la naturaleza del vínculo, quedan al descubierto en el grupo de versos siguientes —versos 11 al 15— en los que una estrategia amorosa, dulce y sutilmente persuasiva, se dibuja.

Una ruptura formal que se acompaña de un cambio de tono más una evolución de la enunciación significan la irrupción de la estrategia del placer. La primera, versos 11-14, con una enunciación que reivindica la personalización, el distanciamiento total, revela —no sin cierta cansada dulzura— el conocimiento profundo del Otro: "Hay que penetrar, / hay que adentrarse demasiado / en lo que insinúas, / pero ésta es una manera de perderte". La fórmula del presentativo, "hay que", más infinitivo, "penetrar", "adentrarse", determina una especie de convicción profunda aprendida gracias a una larga y atenta práctica. Sin embargo, tras la despersonalización y el alejamiento del [Yo] surge un discurso fuertemente erotizado tanto a nivel fónico —recurrencias de asonancias y aliteraciones— como lexical —uso de vocablos con connotativos fuertemente sexualizados[17]. Los valores denotativos y connotativos de estos versos juegan tanto en un nivel referencial literal, como en un nivel figurado alusivo. Y tal y como ellos aparecen aquí dispuestos, el vínculo de placer entre ambos entes comienza a diseñarse como una relación de dominio entre el [Yo] y el [Tú]. En efecto, si "penetrar" y "adentrarse" aparecen bajo su forma esencial —infinitivo genérico con valor total— el hecho de que estén supeditados a la forma del presentativo de obligatoriedad —"hay que"— hace de ellos acciones comprendidas como necesariamente realizables por alguien oculto tras el impersonal "haber". Y este alguien no es otro que el [Yo]. Idea ésta que se refuerza con el pronombre "se" que se adhiere a "adentrarse". La despersonalización, el distanciamiento no son, entonces, sino un mecanismo de desdoblamiento tras el cual el hablante enmascara su saber amante, profundo, íntimo del [Tú]. Y que esto es así queda probado por la segunda persona de ese "insinúas" que revela al Otro. Un [Tú] que aparece transparente además en el "perderte" del verso catorce. Infinitivo verbal personalizado este último que denuncia bien el vínculo mutuo que une a la pareja.

Poco a poco los enclaves de la estrategia amoro-

_____

17 Los fonemas consonánticos [t], [s], [d], [r] se suceden en estos versos: "penetran", "adentrarse", "perderte", "demasiado". Los fonemas vocálicos más frecuentes son [e], [i], [a]: "hay", "demasiado", "penetrar", "perderte". Los verbos "penetrar", "adentrarse", "insinuar" poseen connotaciones que pueden sugerir sin ambages lo erótico y sexual.

sa se muestran y un procedimiento de aproximación al Otro se sugiere. Un cómo hacer que, decidido, se impone en el verso quince: "El secreto es no tratar de que te quedes". El vínculo del placer se apoya, entonces, en una suerte de juego de espejos. Apariencias y realidades que se entrelazan y en las que uno —el [Yo]— juega verdadero jugando falso. Es así como en el "no-te-retengo-reteniéndote" que se instaura quien domina es el [Yo]. Un [Yo] que ama y porque lo hace libera. El [Tú], por su parte, sin saberse descubierto, imbuido de su tozudo y caprichoso sensualismo, cree dominar. Poseer al Otro es así otorgar generosamente, dejar creer, no luchar por imponerse, no retener, no contrariar. Y que éste es "el secreto" que define el vínculo de la pasión que une al "dócil" y al "terco" queda manifiesto en los dos últimos versos que concluyen "Explicaciones".

Reunidos en una sola frase, los versos dieciséis y diecisiete retoman la enunciación, forma y tono iniciales. Proponiendo de nuevo el tema recurrente de la diferencia, el verso dieciséis contiene, sin embargo, una sorpresa que, de golpe, significa un vuelco en el texto. "No somos iguales" repite el hablante, y agrega: "no somos iguales, poema". Y por primera vez, la identidad del [Tú] salta a la vista. El interlocutor, el Otro, no es sino la propia creación, un poema, realidad textual escrita y masculina. De golpe, la naturaleza del [Yo] salta también evidente. El no puedo ser sino la creadora. Se abre, se comprende, se enriquece así al mismo tiempo la intelección de todo el texto. Estas "Explicaciones" de Zoé Valdés no son sino aquéllas —preciosas— de su propio proceso creador. Proceso vívido como una lucha, un encuentro intenso de sentimientos y sensaciones. Encuentro del que necesariamente se genera placer y satisfacción. Por eso, cuando el último verso sintetiza, recuperando el paralelismo comparativo inicial: "Tú abandonas, yo ardo", se impone claramente también que el vínculo pasional entre el hablante y el poema está dominado por el juego de la creación. Ardor y abandono no pueden ser sino las circusntancias condicionantes de la escritura.

"El amor es sacudirme el rostro/escribir horas noches enteras" dice Zoé Valdés en uno de sus poemas[18] y que amor y escritura son en su poesía valores que se complementan queda claro a través de sus propias "Explicaciones". Con un discurso meándrico, sinuoso, que juega constantemente con el espejo del equívoco, pero utilizando al mismo tiempo un léxico transparente, a veces incluso con un dejo candoroso, la poetisa "se escribe" mostrándose en su condición de creadora. Escribir poesía es para esta mujer decirse, contarse, mostrarse tanto en su condición de creadora como en su esencia femenina individual. Pero si ser centro de la propia creación es importante para ella, eso no significa olvidar al Otro. Al contrario, la propia identidad creadora y femenina no se reafirma sino en la complementaridad con ese Tú, amigo, amante o poema. El Otro importa, él es el "pretexto", pretexto de la creación. La realación amorosa, pasional, "erótica" con él condiciona necesariamente el discurso, lo gesta y lo provoca. Sin embargo, quien lleva a cabo el acto de la escritura en sí es la creadora. Por ello, finalmente, su acción —como un placer solitario— es autogratificante, completa y vivida con intensidad. Como la propia Zoé Valdés lo afirma: "La salvación es la poesía y unas alas de papel"[19].

18 ZOE VALDES, "Poema de la mujer que...".
19 ZOE VALDES, "Un paseo", en *Todo para una Sombra*, p. 18.

LA ESCRITURA DE EROS
EN SABATO Y BIOY
(UN DIALOGO ENTRE TEXTOS)

Trinidad Barrera
(Universidad de Sevilla)

En 1948 se publica la primera novela de Ernesto Sábato, bautizo glorioso del pasado científico del escritor, que obtuvo un rápido y resonante éxito de crítica. Largo y tendido se ha escrito sobre esta "nouvelle" que aún hoy no ha perdido su "tirón afectivo" pese a todos los acontecimientos literarios que se han sucedido en decadas recientes y que han venido a conmocionar los pilares de las estructuras narrativas. Quizás la razón de la intemporalidad de esta obra estribe en ser de la estirpe de aquéllas que saben marcar hitos. Castel es todo un símbolo del desdoblamiento dolorido y neurótico del hombre. Pero no nos trae aquí hablar de la personalidad de sus guionistas ni aún indagar en el tema de la soledad e incomunicación del pintor, aspectos, por lo demás, perfectamente fijados por la crítica[1], sino poner en relación *El túnel* con otra novela argentina publicada

---

[1] La bibliografía sobre el tema es larga. Pueden consultarse entre otros: HELMY GIACOMAN, *Los personajes de Sábato,* Buenos Aires, Emecé, 1972, o ANGELA DELLEPUIANE, *Sábato, un análisis de su narrativa,* Buenos Aires, Nova, 1970, dos clásicos en el estudio de la narrativa de Sábato.

ocho años antes, *La invención de Morel* de Adolfo Bioy Casares, con la cual muestra una gran similitud de paralelismos que, a nuestro entender, han sido obviados por la crítica[2].

De entrada, ambas novelas son escritas en primera persona por un narrador equisciente. En el caso de Castel escribe la historia que le llevó al crimen, la muerte de su amada, y busca un editor que la publique: "(no sé si ya dije que voy a relatar mi crimen) y, sobre todo, a buscar un editor" (p. 62). Su escritura tiene una finalidad catártica, lógicamente, pero redunda al unísono en el mismo propósito de su desesperada búsqueda de María, "me anima la débil esperanza de que alguna persona llegue a entenderme. Anque sea una sola persona" (p. 64).

Dentro de esta historia está contenida, como en una caja china, la historia de Castel como pintor que buscó, a través de la pintura, (cuyo papel es similar y paralelo a la escritura de su historia) y concretamente con su cuadro "Maternidad", la comunicación con un alma gemela. Ambos procesos están contenidos en último término en el juego Sábato-escritor que redacta su novela movido por el mismo deseo de comunicación a través del arte, ya sea escritura o pintura.

El proceso creador de *La invención* es similar. Tenemos varias instancias narrativas que son absorbidas sucesivamente. El punto de partida será el diario de los experimentos de Morel que, con su "invención", intentó fijar a los seres queridos para la eternidad, gracias a una máquina diabólica que, paradójicamente, los iba a matar físicamente.

Resulta curioso que a la pregunta hecha por Sábato: "¿Qué significado le da usted al crimen final?", responda: "Podría ser que al matar a su amante, Castel realiza un último intento de fijarla para la eter-

---

[2] Cfr. mi estudio a *La invención de Morel. El gran Serafín*, Madrid, Cátedra, 1984, 2ª edic. Citaremos por esta edición.

nidad"[3], palabras que suscriben de entrada el propósito moreliano.

El diario de Morel está contenido en el proceso de escritura del diario del isleño, así dice: "agregará a continuación (de los papeles amarillos) que Morel no leyó" (p. 161). Nuestro protagonista comparte con Morel el deseo del amor de Faustine y resuelve el problema de la misma forma: el isleño se grabará para permanecer eternamente al lado de su amada. Grabarse es sinónimo de morir y la única manera de poseer a Faustine de forma absoluta, así como el asesinato de María por Castell es también "un último y catastrófico intento de poseerla en forma absoluta"[4].

El isleño se confiesa escritor, escribe su diario con el fin de que alguien lo comprenda y le pueda hacer entrar en la conciencia de Faustine:

---

[3] E. SABATO, *El escritor y sus fantasmas*, Buenos Aires, Aguilar, 1971, 4ª edic., p. 15.
[4] *Ibidem*, pp. 15-16. Las citas de *El túnel* están tomadas de la edición de Madrid, Cátedra, 1976.

Al hombre que, basándose en este informe, invente una máquina capaz de reunir las presencias disgregadas, haré una súplica: Búsquenos a Faustine y a mí, hágame entrar en el cielo de la conciencia de Faustine. Será un acto piadoso (p. 186).

El protagonista de la novela de Bioy viene a ser un desdoblamiento actancial de la figura de Morel, ya que completa en parte el experimento moreliano y lo abre, como Morel, a posibles modificaciones futuras.

A diferencia de Castel, autor en busca de editor, nuestro isleño ha tenido mejor suerte ya que, a pie de página, se nos descubre un editor anónimo de su diario que contradice, ratifica o aclara algunas de las informaciones accidentales del autor del diario y que, presumiblemente, es el autor de la publicación. Técnica literaria sobradamente conocida que encubre, en definitiva, al autor Bioy.

La comunicación, el amor, la imposibilidad de poseer al ser amado actúan en ambas novelas como andamiaje estructural. Si la crítica ha hablado de *La invención* como novela donde "la escritura es una cárcel", no menos cierto es que en *El túnel*, Castel escribe desde la cárcel, metáfora del túnel oscuro y solitario de su vida, y que nuestro enamorado de Faustine reposa en la "cárcel" de la maquinaria. Ambos han sido "encarcelados" por amor, el uno por matar a María; el otro, por su "homicidio" voluntario. El resultado es similar y la escritura de sus vidas vienen a ser el último testimonio de sus desesperados amores.

El suspense actúa en ambos relatos de forma algo diferente. En *El túnel*, se crea gracias a los motivos que dan lugar al crímen —como en *Crónica de una muerte anunciada* de García Márquez. Castel, al ir narrando su historia, adelanta conclusiones sin llegar a desvelar el misterioso proceso hasta más adelante. En *La invención* se mantiene el misterio de la isla desde el principio hasta la mitad de la historia aproximadamente, aunque el conocimiento de la máquina moreliana abra un nuevo proceso de intriga para el lector que se pregunta cuál será la decisión del isleño, lo que no se sabrá hasta el final. La novela de Bioy, fiel a la técnica de lo fantástico, establece una dialéctica atmósfera-sorpresa a lo largo de sus páginas, pero como apunta Manguel "en Bioy es el amor la clave de la mayor parte de su obra. Lo fantástico sitúa a los personajes de éste frente a interrogantes que sirven para demostrar sus personalidades. Las situaciones extrañas son más que testimonio de lo oculto, pruebas de entereza"[5].

En cuanto al espacio en que se desenvuelven ambos protagonistas, el paralelismo es más que evidente, el uno escribe en una isla, tópico del aislamiento; mientras que Castel escribe su relato desde la cárcel o manicomio (se habla de "encierro"). Pero independientemente del medio, ambos son dos seres solitarios, en el sentido no sólo físico sino psíquico, cuya ansia de comunicación se revela desde las primeras páginas a nivel de la escritura y a nivel del contacto personal, de la salida de la soledad. Ello explicará el enamoramiento, el amor-pasión, el "amor fou" en uno y otro: Faustine y María ejercen la misma funcionalidad actancial, son los "objetos" amorosos del isleño y Castel respectivametne. Las relaciones vienen marcadas por el deseo y la comunicación y ambas serán imposibles por motivos distintos.

El proceso amoroso que ambos protagonistas sufren resulta muy parecido y aún la forma de conocerlas. Castel presenta un cuadro, en el Salón de Primavera de 1946, "Maternidad", que acoge un motivo de honda significación:

> ... arriba, a la izquierda, a través de una ventanita, se veía una escena pequeña y remota: una playa solitaria y una mujer que miraba el mar. Era una mujer que miraba como esperando algo, quizá algún llamado apagado y distante. La escena sugería, en mi opinión, una soledad ansiosa y absoluta (p. 65)

---

[5] *Antología de la literatura fantástica argentina. Narradores del siglo XX*, Buenos Aires, Kapelusz, 1973, p. 12.

Sólo María es capaz de reparar en la escena y así salta "la chispa amorosa". El isleño de *La invención* en sus recorridos por la playa solitaria divisa una mujer sentada en las rocas mirando las puestas de sol. A partir de entonces, su deseo de encontrarla y hablar con ella se hace apremiante, lo mismo que le pasa a Castel. Para romper el cerco de sus respectivos aislamientos, deben acercarse a là mujer entrevista como salvación, pero dicha decisión está, en uno y otro caso, teñida de miedo y angustia: "vacilaba —dice Castel— entre un miedo invencible y un angustioso deseo de llamarla" (p. 16). En el isleño: "Yo, escondido, estoy mirándola. Ayer, hoy de nuevo, descubrí que mis noches y días esperan esa hora" (p. 105)... "La mujer del pañuelo me resulta imprescindible" (p. 111). Cuando por fin deciden acercarse, las reacciones son muy parecidas:

> Señorita, quiero que me diga —dije con la esperanza de que no accediera a mi ruego, porque estaba tan emocionado que había olvidado lo que tenía que decirle... Insistí, imploré, de un modo repulsivo. Al final estuve excepcionalmente ridículo: trémulo, casi a gritos, le pedí que me insultara... (p. 114)

Intempestivos, impulsivos, a ambos les atenaza la sensación de ridículo "era el colmo de la desproporción y del ridículo" se dice Castel. Como seres solitarios, neuróticos, enquistados en su soledad, sus mecanismos razonadores para acercarse a esos seres amados son bastante semejantes, barajan diversas posibilidades de conversación, repiensan los hipotéticos momentos, se interrogan a sí mismos, criban el resto de la realidad a través de sus únicas visiones, matizan subjetivamente hechos, sentimientos y reacciones de otros personajes, en definitiva, son víctimas del juego dialéctico pasión vs. razón. Si la relación Castel-María empieza a deteriorarse por los celos de aquél, no menos cierto es que el demonio de los celos atormenta igualmente al protagonista de Bioy que ve, en todos los personajes que rodean a

Faustine y muy especialmente a Morel, como posibles rivales de su amor. María y Faustine se muestran esquivas, Castel someterá a su amada a una serie de "pruebas" que le confirmen el amor absoluto que él pide; el isleño intentará vanamente mediante pequeños homenajes (el famoso "jardincito") que aquélla repare en su persona. Faustine se descubre finalmente como un "fantasma", un ser literalmente alejado del tiempo del isleño; María es metafóricamente un ser fantasmal cuyo ser profundo jamás podrá ser alcanzado por Castel.

El amor que ambos sienten se acerca a la concepción del amor surrealista. Para los discípulos de Breton, el amor es el cristal que comunica con el Absoluto, es el punto en que convergen lo real y lo maravilloso. Esencia y existencia del ser humano que se fusionan. Mediante el amor, el hombre se reconcilia con la vida, ya que el amor revela lo maravilloso dentro de la realidad concreta (*Najda, l'amour fou*). Uno y otro encuentran en las mujeres amadas la posible salvación para su soledad, su incomunicación; en ambos casos se verá que la comunicación perfecta es imposible. Sólo la muerte puede preservarlos como desesperados intentos de entrar en la conciencia de sus amadas.

Nuestros protagonistas masculinos parten de una condición semejante, el exilio, simbólico en Castel, por su machacona autocomplacencia en su apartamiento, en su odio a los grupos, por el convencimiento de que su existir propio es la única realidad; fuera de sí se descubre un mundo que califica de cruel e injusto y "lleno de fealdad y miseria" (p. 99). Su egotismo le impide una actitud constructiva, fruto de una mente enferma, sus ideales rayan en lo utópico, es contradictorio y paradójico, conciencia escindida entre el bien y el mal, se aísla voluntariamente de los demás, se siente superior y diferente aunque a veces se autodenigre, y piensa que la verdad racional es la esencia de la vida aunque curiosamente él se hunda aún más gracias a la pasión. En el callejón sin salida de su existir parecería una vía adecuada al suicidio:

> El suicidio seduce por su facilidad de aniquilación: en un segundo, todo este absurdo universo se derrumba como un gigantesco simulacro (p. 119).

Sin embargo, el miedo a lo desconocido, a la nada más absoluta, le detiene. "A pesar de todo el hombre tiene tanto apego a lo que existe, qe prefiere finalmente soportar su imperfección y el dolor... (p. 120). El propio Sábato reconoce que el hombre de hoy es de situaciones extremas, "ha llegado o está frente a los últimos límites de la existencia"[6]. "Su laberinto intelectual —la locura— parece ser el resultado y el reflejo del laberinto que en sí representa la estructura de la sociedad en que vive como prisionero"[7].

El punto de partida de *La invención* puede resultar, de entrada, distinto. Su protagonista se encuentra en un estado especial, es un perseguido de la justicia, ha abandonado la sociedad y su laberinto intelectual es resultado de su soledad en la isla, metáfora clara de aislamiento. Ahora bien, su comportamiento es casi idéntico y su decisión final más valiente, no le importa el suicidio por amor. El exilio de Castel es, como dijimos, voluntario; el personaje de Bioy involuntario, la isla desierta se lo impone, pero ambos están exiliados de su sociedad y ven en unas mujeres concretas la posibilidad de comunicación plena y un medio de salir de la tortuosa soledad que los sueños, en los dos casos, no hacen sino prolongar. En sus respectivas pesadillas se alude a la imposibilidad del hombre para alcanzar lo perseguido, símbolo del absoluto jamás logrado, así como a sus

---

[6] *El escritor, op. cit.*, p. 127.

[7] MARIANA PETREA, E.S.: *La nada y la metafísica de la esperanza,* Madrid, Porrúa Turanzas, 1986, p. 108.

incapacidades de comunicación con el ser amado. Pero lo más interesante es el mensaje último: el encuentro entre Castel y María sólo se ha podido realizar gracias a la pintura; el del isleño y Faustine gracias a la filmación. En uno y otro caso, se pone de relieve la salvación por el arte. La creación artística, ya sea la máquina diabólica o la escritura, se convierten en actos de amor. Morel pretendía la felicidad de sus amigos al idear y poner en marcha su experimento; el isleño, su propia felicidad al entrar en el juego moreliano...

Ambas novelas están narradas en forma de diario íntimo cuya presentación interna obedece a la visión de un narrador-protagonista, como necesario modo de ajustarse a la intimidad de un sujeto solipsista que dramáticamente irá descubriendo su infinito deseo de comunicación. El tiempo cronológico deja, prácticamente, de ser importante frente al tiempo existencial o subjetivo. En *La invención* hay un intento de descronologizar el relato, donde las alusiones al ayer y al hoy se entrecruzan continuamente. Posiblemente pueda ponerse en conexión con el concepto del tiempo para Bioy: la anulación del fluir temporal mediante la repetición *ad infinitum*, hasta lograr que la unicidad de cada momento se convierta en eternidad.

Apunta García Gómez[8] que la unidad de la vida de Castel viene determinada por la incesante imbricación de las tres temporalidades, en la incesante trama de recuperaciones e interpretaciones de hechos pasados, presentes y futuros. Dicha afirmación podría hacerse extensiva también a la novela de Bioy. El tiempo del discurso no es, en ninguna de las dos, estrictamente lineal. En el caso de *El túnel*, puesto que se trata de una narración retrospectiva, se hace evidente el recurso de la anticipación o prolepsis y se

_____

8 "La estructura imaginativa de Juan Pablo Castel", en *Los personajes de Sábato, op. cit.*, pp. 17-38.

narra en forma de espiral. En *La invención*, el protagonista, en su intento de hacer explicabale la aparición y desaparición de personas en la isla, vuelve continuamente sobre lo narrado. El soliloquio es el modo de narración preferente.

Pese a que *El túnel* ha sido calificada de literatura psicológica y *La invención* de literatura fantástica, creo que puede verse cómo coberturas externas que encubren a veces preocupaciones vitales muy parecidas y estos dos argentinos, pertenecientes a la misma generación literaria, entonan la voz al unísono para proclamar que la literatura puede ser, como quiere Sábato, "una forma de examinar la condición humana", aunque se empleen microscopios distintos. No en balde, en *Uno y el universo*, decía Sábato de la novela de Bioy: "Pero si los fantasmas no tienen la menor reminiscencia de sus ciclos anteriores y si ignoran la existencia de un mundo exterior al de ellos, ¿tiene algún sentido decir que son seres fantasmales? Viven, comen, se enamoran, juegan al tenis, mueren; ¿no es una vida como cualquier otra? Nosotros, que vemos el espectáculo, afirmamos que es un mundo fantasmal, un eternorretornograma y creemos que el nuestro es el verdadero. Por el contrario, la verificación de un espectáculo de esa naturaleza creo que debería hacernos dudar de la realidad de nuestro propio universo. Si Morel ha encontrado el procedimiento para crear un mundo que se repite sin cesar, ¿no es posible que el propio Morel, sus fantasmas, el evadido, Bioy Casares y todos nosotros estemos repitiendo algún Eternorretornograma de algún gran Morel?"[9]

Ambos libros muestran el vivo deseo de ver el yo y el tú como entidades complementarias, ambos emplean la escritura del informe-diario como último testimonio de su amor desgarrador. Castel para que

9 E. SABATO, *Uno y el universo*, Buenos Aires, Sudamericana, 1973, 4ª edic., p. 48.

alguien pueda *entenderle*, que es algo así como entender su pasión amorosa abocada al crimen; el evadido, para que un lector futuro de su diario sepa de su dramática situación amorosa y pueda quizás solucionarla. La escritura queda signada como el don supremo de salvación de los vastos territorios de la realidad.

ESPEJO, DOBLE, HOMOLOGO Y HOMOSEXUALIDAD EN *OPPIANO LICARIO* DE JOSE LEZAMA LIMA

Benito Pelegrín

INTRODUCCION: PARTE Y DOBLE.
PARTES DOBLES

Paradiso es la novela de incompletud del ser que busca su vital complemento en su contrario. En efecto, José Cemí, que también parece sonar a "semi", "mitad", hallará finalmente el *Oppiano Licario* la parte que le faltaba, su "complementario" (O.L., VII), en su unión con Ynaca Eco, hermana de Licario, quien queda preñada de una "futuridad" total. Esta, como lo indica su nombre de *Eco*, es también fragmento incompleto de Licario, lo que subraya ella misma al glosar otro nombre suyo, *Io*, "Yo" escindido ("Moi clivé"): "Io que es en mí el Eco de Licario (...) mi yo es un doble" (O.L., VIII).

Mitad y complemento, unión de los contrarios, son tema y meta de la novela que van unidos al del doble: así que la primera parte de la novela, *Paradiso,* tiene su complemento, su doble o reverso, en la segunda, *Inferno* (según la intención primera que me confesó Lezama), llamada hoy *Oppiano Licario*, parte póstuma y trunca como se sabe.

Dejando aparte parte y parto, fusión heterosexual de complementos contrarios, trataré de enfocar las partes dobles (y nobles según la tradición) de la confusión homosexual que estructuran fondo y forma exterior de la novela de Lezama.

El amor homosexual difiere del heterosexual por su NARCISIMO esencial, ya que el objeto es amado porque es *análogo* a lo que es el sujeto, a lo que ha sido o espera ser[1]. Manifiesta, latente, inhibida o sublimada, la homosexualidad, por su índole narcisistas, tiene que ver con la MIRADA: viene, pues, vinculada a la noción de ESPEJO, de DOBLE especular, de IMAGEN, análoga u homóloga, duplicación del mismo o escisión del mismo en su anverso y reverso, positivo y negativo de un mismo clisé, en luz y sombra. Notemos también que esa estructura narcisista, que implica la lámina del espejo, la superficie de la aguas que reflejan la imagen, supone cercanía y lejanía, un obstáculo entre el sujeto que se mira e identifica con el objeto deseado o desechado, el doble.

Aun así, dejando de lado la insistencia manifiesta del tema homosexual en la obra de Lezama, estas pocas pautas tal vez nos permitan dar constancia de la estructura menos visible de la novela, especular, es decir, estribada en simetrías desituaciones, en imágenes literal y literariamente *invertidas,* en duplicación de personajes homólogos, esencialmente masculinos, que muchas veces son parejas de opuestos como cara y cruz de una misma falsa moneda. Vayan unos pocos ejemplos: el diabólico y guitarrero tío Alberto, que resiste, sin embargo, a la tentación homosexual, se opone a su angélico hermano violinista, Andresito, muriendo ambos en sendos accidentes; el puro Fronesis es el antitético del impuro Foción. Factor de confusión de esa obra confusa, las parejas de padres e hijos con idéntico nombre: José

---

[1] CHARLES RYCROFT, *Dictionnaire de Psychanalyse*, París, Hachette, 1972.

Cemí padre e hijo[2], Ricardo Fronesis padre e hijo, José Ramiro padre e hijo.

Menos confusión entre Foción y Focioncillo, padre e hijo en su viaje por Europa, pero riesgo de extravío cuando en un mismo episodio el "padre" o el "doctor" pueden ser el padre de Fronesis o de Foción, doctor en derecho el uno y doctor médico el otro. Y añádase de paso al juego de duplicación, la simetría inversa de situaciones: Ricardo Fronesis padre, que en su juventud había sido perseguido en Francia por el amor homosexual del famoso coreógrafo Diaghilev, manda a su hijo Ricardo Fronesis a Francia para protegerlo de la pasión homosexual de Foción hijo. En cambio, Foción padre es quien, por intercesión de su hijo enamorado de Froneses, le da dinero a Lucía, amante preñada de Fronesis para que la joven vaya a juntarse con él a Francia, protegiéndolo de la tentación homosexual; mientras que al final, Fronesis padre, que puso obstáculo entre su hijo y Foción, será quien ofrece a éste el dinero del pasaje para Francia para que vaya a juntarse con su hijo tras una "mezcla" de sangre entre él y el enamorado de su hijo que es como una simbólica unión homosexual (O.L., IX). Vemos, pues, que, si los hijos son claros espejos de los padre, el tema del doble viene íntimamente unido al de la homosexualidad.

Mirada, espejo, imagen y doble en *Oppiano Licario*

Objeto de todas las miradas y deseos: el joven y bello Fronesis. Lezama no se cansa de recalcar enamoradamente su belleza moral igual a su hermosura física de "animal fino", a su gracia criolla, a su in-

---

[2] *Paradiso* empieza por él, luego pasa a su padre con mismo nombre, que, afortundamente, es también llamado José Eugenio Cemí.

consciente sensualidad[3]. Su imantación erótica sobre los demás es tan grande como su indiferencia hacia los efectos que causa: bello indiferente que niega sus miradas a sus admiradores que ni siquiera ve.

A pocas páginas del principio de la novela, ya tenemos, sobre el mozo, una mirada ansiosa, deseosa, la de la joven Delfina que, desde la casa vecina, de la ventana de su habitación, acecha cada noche al gallardo muchacho que se desnuda antes de acostarse:

> Delfina disimulaba su insistencia en la ventana donde su vigilancia nocturna se hacía muy tenaz. Seguía desde su aposento la llegada de Ricardo Fronesis a su cuarto.

Notemos, de paso, en la simetría de ventana a ventana, que ni por pienso se le ocurre al chico (o a Lezama) espiar a la moza cuando se desnuda ésta: de manera significativa, el cuerpo de la mujer resulta denegado, denigrado o degradado[4], con leve excep-

---

[3] Incluso cuando anda, "traía Fronesis en su marcha la sensación distendida de una cópula reciente".

[4] Si se exceptúa la "piel quinceabrileña" de Delfina, las demás mujeres salen muy mal paradas de la novela. La pintora Margaret es borracha y vulgar, cuando duerme, "su rigidez parecía la de un participante en una cópula con un monstruo".

Compárese la masturbación, finalmente poética de Fronesis, con la de Margaret en el cap. VIII: "Margaret aparecía en la pantalla masturbándose con verdadero frenesí. Al mismo tiempo que su imagen se proyectaba, la realidad se paralelizaba. Y Margaret, arrodillada en el suelo del corredor, se masturbaba con igual frenesí del que aparecía en la pantalla". Nótese también el efecto de "doble" de la escena.

En el cap. IX, véase el número de circo grotesco de madre e hija: "se levantó las faldas y empezó a orinar. Sus orines se verticalizaban como un surtidor. En el extremo colocó una flechita y en su extremo una avellana (...) la avellana caía en la vulva, la que apretada se rompía". Se trata de la niña, pero que conste que la madre hace lo mismo con una lanza y un coco. A pesar de que se trate aquí de una burla, no se puede decir que sea noble concepto del cuerpo de la mujer. Véase igualmente la bacanal onírica del cap. VIII con esas "matronas, pletóricas y madurotas [que] mostraban unas tetas repletas, saltantes, en cuyos pezones podían colgarse campanas y pisapapeles con el ingenuo afán de impedir unos brincos abisales. Se abrazaban, con regalada impudicia, con unas muchachitas de senos esbozados".

ción del de Delfina, que resulta como dignificada por su deseo del esplendoroso cuerpo varonil de Fronesis. Escena nocturna de *voyeurisme*, en que se deben destacar, el cuadro de la ventana del joven, iluminada como una pantalla de cine, el cristal de la ventana oscura en que Delfina pega su frente, tenue frontera que permite la visión al mismo tiempo que separa del objeto próximo y distante del deseo, ese Ricardo protegido detrás de su incitador escaparate de vidrio o "urna de cristal" como el músico Juan Longo de *Paradiso* (cap. XII), o mejor preservado de las miradas ajenas por su ciega indiferencia.

También se debe subrayar, como un telón que cae, corta y censura, "la cortina intraspasable que descendía con rapidez", la luz que se apaga con frustración del sujeto mirón[5]. Dígase que la ventana tiene también algo de acuario ya que Delfina verá, inevitable tema narcísico del agua, "peces de luz" en otra casa simétrica, en que una pandilla viene a asesinar al joven José Ramiro, hijo del rebelde dependiente y amigo de Fronesis padre, siendo la niña testigo involuntario de la muerte de ese mozo y de la huida paralela de su hermano, Palmiro, que se va a enamorar de ella.

Mirada e identificación al objeto

La insólita mirada heterosexual de Delfina sobre Fronesis pronto recupera un cauce homosexual más normal dentro de la lógica profunda lezamiana. En efecto, durante el velorio fúnebre del adolescente mártir José Ramiro, su hermano Palmiro, bien nombrado, ya que escapó de la matanza escondiéndose dentro del hueco matricio de una palma embadurna-

---

[5] "Ella no lograba disimular la importancia total que había tenido para ella durante las horas nocturnas (...) Delfina seguía en la contemplación del cuadrado donde se había bajado la cortina". "Estaba ahora muy pegada la frente en el cristal de la ventana".

do de pegajosos panales de miel, va a ser contagiado
por la mirada de Delfina hacia Ricardo Fronesis, sufriendo así un doble proceso de identificación, siempre de raigambre homosexual. Al imaginar que la
chica no pudo presenciar la muerte de su hermano
sólo porque lo espiaba de noche por la ventana, Palmiro llega primero a identificarse, o anhela la identificación, con su hermano muerto, sintiendo no haber sido él la meta de las miradas de la moza:

> Palmiro sentía la necesidad de que su cuerpo *hubiera re-
> emplazado el de su hermano en la contemplación nocturna.* (De
> aquí en adelante, cursivas mías. N. del A.)

Se enamora de ella imaginándola enamorada de
su hermano. Pero durante el mismo velorio, apretan-
do la mano de Delfina, capta las miradas de ésta hacia Fronesis y es captado a su vez por esa mirada y
su objeto, con doble deseo inconsciente de posesión
de la moza y del mozo:

> Palmiro sintió cómo la noche (...) los apretaba a los tres, co-
> mo si pudieran *ir penetrando por sus ojos* hasta llegar al fondo
> de la laguna. Sintió que caminaba por dentro de Delfina y de
> Ricardo Fronesis. Tal vez era *el reverso de la ausencia de su
> hermano (...)*

Desdoblamiento sexual del YO: femenino y masculino

A partir de ahí, en la convergencia de sus miradas conjuntas sobre Fronesis, Delfina y Palmiro,
apretados de mano, padecen un doble proceso paralelo de escisión de su Yo, un quiasmo sexual: la
hembra se masculiniza y el macho se feminiza frente
al mismo objeto del deseo. De tanto mirar a Fronesis
(que no la mira) como por reflexión, por reflejo especular de su mirada excesiva, por esa ilusión o espejismo de su propio deseo, Delfina termina por
sentir sobre sí esa mirada que la penetra y logra

... borrar los impedimentos de su cuerpo para ofrecerle *otro cuerpo* (...) Sentía la presión de la mano de Palmiro, pero sentía aún más la *transparencia* que le comunicaba Fronesis al borrar *la escisión de su yo* y lo estelar, al inundarla de una claridad que Delfina sentía como si Fronesis *la mirase* desde infinitos puntos lejanos.

La parte femenina pasiva de Delfina se imagina objeto de la mirada mientras es su parte masculina la que es sujeto mirón. Ese efecto narcísico se traduce también por la escisión del objeto, desdoblado en sus reflejos visual y sonoro, sabiendo que Eco y Narciso, sonido e imagen, son parte de un mismo mito: "Sus ojos buscaban un sonido". Y advirtamos el extraño efecto de esa seudomirada sobre ella: "su piel se humedecía, *sus ojos se agrandaban*. Le parecía que *una voz baritonal* crecía dentro de ella". La voz grave de barítono es en Lezama la de la virilidad, y tanto que los homosexuales la remedan[6].

Palmiro sufre el contagio de esa mirada y toda la escena se satura del paradigma de la visión[7]. Del mismo que el de Delfina, el Yo de Palmiro se escinde en la parte masculina que se resiste y en la femenina que sucumbe a la atracción visual de Fronesis. En vez de experimentar celos manifiestos por las miradas de niña sobre el joven, se identifica totalmente con la mirada y el deseo de la chica: creyéndola enamorada de su hermano, hace de ella su novia; al descubrirla enamorada de Fronesis, se casa con ella a pesar de ello —o por eso.

---

[6] La atención por la voz es rasgo constante en Lezama. En cuanto a los homosexuales: "como muchos homosexuales que no ofrecen caracteres feminoides ni melifluas traiciones de la voz" (cap. III). "Era una voz baritonal de homosexual" (cap. II); "fingida voz baritonal de los homosexuales" (cap. VII).

[7] Paradigma de la mirada, a más de lo citado: "fuga de la mirada de Delfina"; "Palmiro pudo ver"; "pudo ver"; "ver el ardimiento"; "onda ... visual"; "veía"; "vio también"; "Pudo Palmiro ver también"; "viendo las casas"; "tapándose los ojos"; etc.

El proceso de identificación con su mujer se hace otra vez por la mirada, al descubrir en el cuarto ahora matrimonial de Delfina el ritual de la ceremonia "voyeurista": la simetría de las dos ventanas como espejos enfrentados, el movimiento mecedor, estremecedor, erótico del balancín en que se sienta desnudo para contemplar más a gusto el espectáculo nocturno del macho que se acuesta. Al ver lugar y puesto de la mujer, termina haciendo lugar y puesto de ella, asumiendo su postura y deseo, incluso su frustración al apagarse la luz que le hurta la visión:

> Ocupaba el mismo sillón donde Delfina espiaba a Fronesis (...) Palmiro desnudo en el cuarto donde ella dormía todas las noches, sentado en un balancín viejo (...) veía el sillón frente a la ventana de Ricardo, y la cortina que tironeada con brusquedad avanzaba sus pliegues, después descendía *como si pusiera un sello sobre la ventana*.

Conforme se ahínca en esa delectable visión, su pasión juvenil por el cuerpo de Delfina se va apagando hasta extinguirse totalmente[8].

La ventana de Fronesis se vuelve ambivalente espejo para el joven matrimonio, paradisíaco para él, infernal para ella: "reflejo de un espejo que penetrase en su éxtasis" para el marido, "fuente del olvido en el infierno" para la esposa, "la ventana era para ella un espejo maldito. La esquivaba, su gusto hubiera sido poner allí un paño opaco, fuente del olvido en el infierno".

Entonces, ver y no ver, luz y oscuridad, entender y no entender son parejas de opuestos que lidian en la opuesta pareja. Objeto que se ofrece y niega en luz y sombra, Fronesis no es más que "sombra del cuerpo oculto detrás de la cortina", "cuerpo siluetea-

---

8 "A medida que los días pasaban, Palmiro sentado en aquel sillón frente a la ventana, se fue sintiendo alejado de Delfina. El recuerdo de lo que ella espiaba, cuando lo encontró a él, se había ido obturando en su sensibilidad para aquel cuerpo que lo acompañaba todas las noches".

do", "cuerpo", "como el reflejo de un espejo"[9], imagen narcísica, con anverso y reverso de un deseo oscuro y de una censura clara. Es finalmente un claroscuro ambiguo detrás del cristal de la ventana, que permite y separa, y de la cortina descendida que oculta y revela:

> Era como un grabado que lo erotizaba, más opaca la zona ceñida por la camiseta y el calzoncillo, aclarándose las manos y las piernas.

Pero una noche, el deseo homosexual aun confuso de Palmiro es más fuerte que la represión erótica: con el mismo afán con que el homosexual Foción se echará al mar para abolir la distancia que lo separa del cuerpo anhelado de Fronesis, Palmiro "hundió la cara en los cristales" (como si fueran agua), como si su deseo rompiera su dique interior que lo mantenía en la zona inconsciente que lo protegía contra sí mismo, infringiendo el límite que lo separaba del objeto codiciado:

> ...la lámina tenue que lo separaba del otro cuerpo detrás de la otra ventana, parecía esta vez que *lo unía al cuerpo trocado en imagen. Palmiro tuvo la sensación de que respiraba al lado de aquel cuerpo.*

De la mirada negada al odio: romper el espejo

Mas la proximidad de su aliento que empaña el cristal y la imagen es como el símbolo de la imposibilidad de mantener ese amor en una pureza ideal fuera de la distancia contemplativa[10]. El objeto, contemplado con la inocencia del deseo inconsciente, al

---

9 "Detrás de la cortina descendida, se esbozaba el cuerpo siluetado de Fronesis"; "sobra del cuerpo oculto detrás de la cortina"; "el cuerpo silueteado de Fronesis".

10 "Cuando se recuperó, no pudo escindir la imagen de aquel cuerpo de su aliento que había manchado los cristales de la ventana".

ensuciarse por la materialidad física de sólo el aliento, se escinde inmediatamente en dos, en su cara clara y en su faz oscura, lo infernal del tabú moral que viene a contrastar conflictivamente la paradisíaca visión, con la revelación íntima e inaguantable de que el deseo por el varón excluye al de la mujer:

> El erotismo que desde hacía semanas no sentía al tacto de la pulpa corporal de Delfina, lo despertó la sombra del cuerpo de Fronesis que se movía detrás de la ventana.

La imagen, o más bien la sombra narcísica del doble, es más potente que la carnalidad real y próxima del cuerpo otro de la mujer.

Así que el momento en que Palmiro experimenta con lucidez la realidad homosexual de su deseo es también la clarividencia de la no reciprocidad de las miradas de Fronesis. Es decir, que Ricardo es un espejo en sentido único que el tributo que le rinden ni siquiera lo paga devolviendo esos "alimentos narcísicos" necesarios para el equilibrio aceptable de tal tipo de relación. A Palmiro se le ocurre entonces que "no lo miraba", "nunca lo miraba", "no recordaba la mirada de Fronesis cayendo sobre su cuerpo".

De modo que esa concupiscible imagen del otro homólogo que incita, invita y evita tras el velo protector de su cristal, imagen clara ahora del deseo descubierto y oscura de la frustrante censura de la cortina, resulta espejo cegador y negador que no devuelve y garantiza mi imagen propia, mi ser. Así que esa doble censura, negarse a la mirada del sujeto y negarle la recíproca mirada, es ambivalente juego de luz y sombra que arrastra el antitético paralelo de amor y odio: "Cuando la luz desapareció el odio ocupaba el sitio de la imagen desaparecida".

Contra el espejo que traiciona nuestros deseos, sólo una venganza, rajarlo, romperlo para negar la imagen que nos niega:

> Al pasar del erotismo al odio, interpretaba la indiferen-

cia de Fronesis como desdén. Un desdén que hizo levantarse a Palmiro y ocultándose de Delfina, fue a la cocina a buscar un cuchillo.

Al pasar al otro lado del espejo, de la ventana, el cuerpo próximo del deseo se oculta otra vez, bajo la sábana[11]. El cuchillo sombrío, de hoja luminosa, otro espejo en sí, es también espejo de la ambivalencia del deseo, imagen fálica de penetración amorosa del cuerpo odiado y adorado por el cuerpo amante:

> El cuchillo se agrandó tanto como el cuerpo de Palmiro, *era la sombra de su cuerpo que se hundía y retrocedía en el cuerpo de Fronesis*. El cuchillo le parecía en sus manos como *un fanal*, con el que *podía penetrar y reconocer* al cuerpo enemigo.

El caso es que, creyendo matar a Ricardo, Palmiro no hace más que acuchillar el simulacro de su cuerpo, un doble juguetón ya que, aquella noche, el mozo "había puesto las almohadas en forma que remedaban un cuerpo"[12].

Los paradigmas vinculados al tema narcísico del doble, cristal, espejo, agua, cuchillo, visión, deseo de no ver y luz, se pueden rastrear en todo el episodio: la miel del hueco de palma en que se refugia otra vez Palmiro es "como un *cristal* que se estira en la transparencia cristalina de la mañana"[13]; la luz que lo despierta tiene el brillo tajante del cuchillo de la lucidez: "la extensión de la luz *penetró por sus ojos* con un frenesí de cuchillo que penetra. La luz *escarbó en sus ojos*". Y hasta un grano de maíz brilla como un espejo[14].

La última imagen que de Fronesis tiene Palmiro

---

11 "Pudo ver todo el cuerpo de Fronesis cubierto por la sábana", rara exorción para decir... que no ve el cuerpo.

12 "Las almohadas sustituyendo al cuerpo".

13 Se fue despertando por la ocupación de la luz. La trasparencia del amanecer cristalizaba casi el tronco de la palma".

14 "Un grano de maíz como si fuera un espejo".

que se lo encuentra por la mañana creyendo ver un fantasma es de una luminosidad irreal:

> Con su pantalón de dril y su camisa de hilo *blanco* (...) Sacó su pañuelo y el movimiento que describió con él, desde el bolsillo posterior del pantalón a la cara llenó la brisa de *escarchado de luz,* logrando ocultarlo.[15]

Palmiro no puede más que taparse los ojos como para borrar esa imagen: "Dentro de su escondite, *se tapaba los ojos para ahuyentar la visión*"[16]. Como una imagen ahora cegadora de un deseo que no pudo matar o extinguir en su luz encandilante, Fronesis, "Al día siguiente se marchaba para París" y Palmiro se queda otra vez con los ojos tapados frente a esa realidad inaguantable de su deseo homosexual, pobre Narciso llorando, sentado cerca de un desagüe que parece el agua del espejo narcísico roto, que se lleva la huidiza imagen del deseo que va a cruzar el mar y al que no volverá a ver[17].

Cuchillo y rabo: doble y redoble de demonios

En el capítulo segundo, a pocas páginas del principio, en La Habana, José Cemí tiene un sueño que es a la vez recuerdo del suceso del cuchillo de Palmiro y premonición de la herida y posible muerte de Fronesis en Francia a manos del homosexual Galeb, lo que no se sabe por quedar sin terminar la novela. La escena onírica funciona como un espejo deformante de la escena real del cuchillo. Sueña que, en una calle de El Cairo, en Egipto, Fronesis es perseguido y precedido por dos demonios. Me parece

---

[15] "La impulsión de la luz le daba un aspecto de corredor de relevo".

[16] "Lo que vio lo hizo caer hasta la fundamentación de la palma", es decir, en la oscuridad. "Dentro de su escondite se tapaba los ojos para ahuyentar la visión".

[17] "Con la cara tapada con las dos manos, comenzó a llorar con tal exceso de amargura que el llanto se le filtraba por los dedos".

que se puede pensar que el demonio anterior representa al pasado Palmiro mientras que el posterior anuncia al futuro Cidi Galeb. Si consideramos que el cuchillo se ha erotizado homosexualmente en la escena criminal y sensual de Palmiro, asumiendo valor de falo, aun sin insistir en el doble sentido sexual de "rabo" ni en los movimientos de vaivén, este sueño se me antoja que es una alegoría sodómica. En efecto, también armado, el primer demonio va "pasándose *el cuchillo del rabo a las manos*", mientras que el segundo "entraba y salía el cuchillo del cuerpo de Fronesis (...) Hablaban después los dos diablejos y se veían entrelazando los rabos".

Dígase por más símbolos sexuales, que Fronesis está introduciendo una llave en el agujero de una cerradura y que el demonio le pega en la llave con una joya que representa un escarabajo que se convierte y retuerce "como un kris malayo", "escarabajo cuchillo ondulado" que, cabeza contra cabeza, "Después hundió (...) en el cuello de Fronesis. La risueña cabeza del cuchillo ondulado se veía en su vaivén sobre la herida". El muchacho con su llave arrancada por el cuchillo del demonio aparece como desposeído de la rectitud o erección viril y va agachándose conforme asciende el escarabajo cuchillo del demonio que termina cabalgando su llave: "Fronesis *recostado en la pared, iba descendiendo* (...) Al final, el escarabajo *montaba sobre la llave* como si fuera *un palo de escoba*".

Así concluye el sueño de Cemí en el momento en que, con el dinero prestado por Foción, el enamorado de Fronesis, manda a Lucía preñada para que se junte con él, protegiéndole la muchacha de la tentación homosexual. Los dos amigos habaneros, Cemí y Foción, son pues los dobles de los diablos, inversos y positivos, son los ángeles custodios de Fronesis que lo protegen a través de la distancia. Y aquí tenemos un lance inesperado ya que, en *Paradiso*, era Foción la fuerza maligna que asediaba de sus deseos impuros al cándido Fronesis, motivando su amor homosexual la decisión del padre de Ricardo de preservar a su hijo mandándolo a Francia: el luciferino ángel de tinieblas de *Paradiso* ha vuelto a ser el ángel de luz de este *Inferno*.

HOMOLOGO NEGADO, HOMOSEXUALIDAD RECHAZADA Y ACEPTADA

Conocido en París, Cidi Galeb el moro malo y homosexual tiene por doble antitético al idealista y rebelde Mahomed: si el bueno tiene padres idílicos muertos, el malo que no puede menos que venir marcado de una tacha original, es un bastardo y su padre es un tiránico sultán del imaginario país de Tupek. Del mismo modo, el homosexual Foción tiene por padre al médico loco y brujo.

Lezama insiste pesadamente: Cidi Galeb es tan avieso como Fronesis es puro[18]. Otra vez, la claridad de Fronesis actúa sobre el moro como aliciente erótico: "Sentía miedo al acercarse a Fronesis, sin poder ocultar sus impurezas, sentía que *esa claridad aumentaba sus deseos*".

Con una pareja de pintores cínicos y decadentes, lo invita sin embargo a su país, allende la mar, en el capítulo tercero, en una estación balnearia en que los juegos playeros son propicios reveladores de los cuerpos y de los deseos. Ocurre un incidente con

---

[18] Poca ternura manifiesta Lezama por el pobre Galeb, ridículo a más de malo, con "zonas viciosas de su carácter", tenía una "velada socarronería sensual que expresaba inevitablemente sus apetitos clandestinos" (cap. II). En un delirio de celos suelta lo siguiente contra Fronesis y Mahomed a quienes acusa de alejarlo "para después acostarse juntos": "Yo ya conozco esa treta de esos que dicen que no son homosexuales y se pasan la vida en la piscina juntos, secándose después el cuello con gran indiferencia. Cada uno habrá encontrado muy interesante lo que el otro dijo, pujando hasta desbravarse las ternillas. Dos coprolitos, mierda endurecida del terciario, que se huelen uno a otro para calentarse las almorranas".

Margaret, que entiende las malas intenciones sexuales del moro respecto a Fronesis que sabe también como anticipo de la herida de Fronesis: "Galeb en broma cogió un cuchillo de la mesa y lo levantó". Pero Margaret, borracha, le escupe vino, manchándolo como si fuera sangre: "Se tiñó el cuchillo y la manga de la camisa de Galeb del vino mezclado con la saliva". Si tenemos en cuenta la mención de unos "cojines" sobre el que estarán acostados, nos remite a la escena de Palmiro acribillando con su cuchillo las almohadas que creía cuerpo de Fronesis. El país oriental en que están, con menciones de El Cairo (relato de Mahomed) nos evoca el sueño de los demonios de Cemí y nos alerta sobre el peligro corrido por Fronesis. En efecto, se lo advierte: "Cuidado con el cuchillo de Galeb." Pero el peligro más inmediato que amenaza al bello cubano no es el cuchillo real de Galeb, sino el metafórico del sexo.

Tentativa y tentación homosexual

Tras el incidente del cuchillo, todos se van a acostar, descubriendo Fronesis, sin más sorpresa que si Champollion y Margaret comparten la misma cama como amantes, otra cama única es paralelamente reservada para Galeb y él. Otra vez, tenemos la escena detallada del modo inocente, de un erotismo inconsciente, con que se desnuda y se acuesta Fronesis con su "delectación *espejeante*", bajo la mirada disimulada ya no de Delfina ni de Palmiro, sino de Galeb. Es el doble glosado de las primeras escenas nocturnas, con la luz encendida y el mismo ritual del joven que se quita calzoncillos, camiseta, su cuerpo abandonado y desnudo enmarcado en la como pantalla de la cama.

El mirón, esta vez, no está en la ventana sino al lado, rozando y luego tocando, "el esplendor" de ese cuerpo deseable sobre el cual Lezama parece posar una mirada insistentísima y complacida. Son cuatro páginas con más de cincuenta menciones de la palabra "cuerpo" dedicadas a esa belleza sensual y al deseo de Galeb. Fronesis parece protegido no por el cristal anterior sino por su misma indiferencia e inocencia paradisíaca de hombre de antes de la caída, mientras el moro Galeb se desviste en la oscuridad con la vergüenza y consciencia de su desnudez del hombre tras el pecado original[19]. Fronesis, ni se mira, ni mira: es sólo espejo de la impureza ajena. En cambio, Galeb entra de lleno en el juego especular del narcisimo y todos los temas ya subrayados, reflejo, mirada, imagen cercana y lejana, luz y sombra, agua, vuelven a aparecer aquí:

> Galeb *espiaba* a Fronesis y *se observaba a sí mismo* (...) miraba, disimulaba que miraba, volvía a mirar, cobraba más seguridad al sentir que no se le observaba, y por último observaba *sin ser mirado*. Pero al final, cuando contempló en todo su esplendor el cuerpo de Fronesis (...) sintió como una oscuridad en los ojos. Allí estaba el cuerpo que *se le negaba,* ascendiendo purificado (...) ya en la forma que *la oscuridad* - natural y la *luz* artificial llegaban a su cuerpo (...) como si surgiese de *las aguas y de las sombras.* Al verlo en una *cercanía lejana,* aquel cuerpo tomaba para Galeb el absorto de una aparición.

La ingenuidad de Fronesis, por mucho que diga Lezama, puede pasar por el colmo de la perversidad frente a su amigo homosexual. En efecto, tras desnudarse con las lámparas encendidas ("encendió la lámpara de la mesa de noche"), encandila a Galeb al dejar sólo una media luz cuando se echa:

---

19 "Sus ojos se prendían al otro cuerpo pero no lograba que su cuerpo [llegara] al otro cuerpo. Así, no podía poseer ni ser poseído, eran sus ojos como la luciérnaga despedida por un coyote (...) luz inoportuna (...) luciérnaga serpentina que rechaza, el cuerpo de Fronesis se le hacía intangible, estaba allí pero como estaban las nubes detrás de las persianas".

Caminó hacia la cama, y en ella se extendió gozoso, pasando la mano lentamente por la longura fálica (...) Apagó la luz de la lámpara de la mesa. Galeb aprovechó esa oscuridad para acostarse.

No es de extrañar que esa postura equívoca equivoque al pobre de Galeb que, desnudo contra él, le pone la cabeza sobre el pecho, devolviéndole además Fronesis ese abandono por una palmadita amistosa en la mejillas, que el moro despistado y desviado toma como aceptación del juego homosexual: "Su mano se posó en la bolsa testicular de Fronesis y ascendió por la longura fálica, iba ya a descender..."

El sueño de Fronesis: Foción aceptado

Al rechazar la mano de Galeb, Fronesis experimenta un cambio: el que nunca veía a los demás cobra ahora consciencia clara de su amigo cubano homosexual, Foción: "Se le aclaró entonces su relación con Foción", "Todo servía para despertar otra visión, otra imagen, ocupada totalmente por Foción"[20]. De modo que Galeb rechazado en su próxima carnalidad viene a ser suplido por su doble lejano e inofensivo ahora, Foción. Entonces, "volvió su sueño para apoderarse de la realidad que había vivido momentos antes, pero ahora la infinitud del sueño reemplazaba a Galeb por Foción", "ya sin la finitud del cuerpo, ya con la infinitud de la imagen". Y se duplica la escena de la mano anterior, con la diferencia de ser la de Foción y la aceptación onírica por Fronesis del mano a mano homosexual:

Cuando la mano de Foción, en la superficie del sueño, lue-

---

[20] "Se iban a levantar para Fronesis las más opuestas claridades. Le pareció entonces que veía por primera vez a Foción. Lo vio a una nueva claridad, despedía una luz que iba surgiendo de los profundos".

go de ascender con la energía de Fronesis, comenzó su abandono en el descenso..., su cuerpo en el sueño comenzó a incorporar los ascensos y descensos de la mano de Foción...

No se trata sólo de una aceptación pasiva de una caricia homosexual ajena: por fin, hay simetría de mirada a mirada con ese doble, de sonrisa a sonrisa[21], de complicidad, de, mano a mano ya que ahora, "dentro de aquella oscuridad, la mano de Foción se tornaba más clara y resplandeciente" mientras que la de Fronesis, devolviéndole la caricia, "empuñaba" "la lejana energía".

Pero despierta Fronesis de su sueño erótico y de las dobles manos ajenas, una rechazada en realidad, otra aceptada en sueño, pasa a la única mano presente, la suya, la de la masturbación.

¿Qué hacer entre una realidad, la mano rechazada, y lo inexistente, la mano aceptada en el sueño? (...) Se sentó en el suelo (...) pero su energía comenzó a dilatarse hasta alcanzar su plenitud, pero era ahora su propia mano la que empuñaba su realidad y su sueño; ya no había que rechazar ni que aceptar. Era, por el contrario, una aceptación cósmica. Retardaba la experesión de su energía, se burlaba, avanzaba hasta el éxtasis, pero allí retrocedía, hasta que se logró el salto final de su energía en la momentánea claridad del éxtasis.

Como por milagro, en el capítulo octavo que reanuda con el tercero del lance homosexual con Galeb, aparece en esa playa africana la Lucía mandada gracias al dinero de Foción, que viene a ser para Fronesis como el resguardo contra la tentación del homólogo: "El cuerpo de Lucía fue como un conjuro. Aviso y rechazo, aviso de una iluminación, rechazo de los malos espíritus."

No por eso manifiesta mucho interés el joven

---

21 "Ahora podía ver, sin verlo, que la sonrisa de Foción, al acercarse, le iba despertando, le hacía nacer a él una nueva sonrisa".

por esa amante que viene a buscarlo de tan lejos[22]. A ésta, rectificando las malévolas insinuaciones de Galeb, le explicará el suceso, haciendo un lúcido balance entre Galeb y Foción, que son ahora dos dobles antitéticos a pesar de una misma homosexualidad y de un mismo deseo por él: Galeb "actúa siempre como un enemigo que se aprovecha ruinmente de la sorpresa, como un enemigo que pone una trampa, pues, dice, Fronesis, "nunca causa la impresión de un amigo erotizado por otro amigo, *es la antítesis de Foción*".

De modo que ya no tenemos aquí la contradicción de un Palmiro desgarrado entre un deseo homosexual y su censura, ya no tenemos al heterosexual bueno opuesto al homosexual vicioso, un *Paradiso* opuesto a un *Inferno*, sino que el objeto homosexual se escinde en dos parejas de opuestos entre el amigo y el enemigo, el bueno y el malo, el que se puede aceptar y el que se debe rechazar.

Lucía parece intuir algo de esa aceptación de la imagen homosexual de sí en la del amigo ya que, al oír esas palabras de su Fronesis, lo ve como un doble de Foción, fusionando así los dos amigos reconciliados en una misma imagen especular: "En ese espejo le pareció a Delfina que contemplaba ahora a Foción."

El amor de Foción

En el capítulo IX, como si se sintiera aceptado de lejos por Fronesis, el enamorado Foción se arroja al mar, menos como tentativa de suicidio que como

---

22 "Fronesis no necesitaba de Lucía, el excepcional día de su encuentro íntimo no había dejado en él la menor huella". Recuérdese también en *Paradiso* la extraña estratagema usada por Fronesis para llegar a consumar el acto sexual con la muchacha: como un conjuro, tapar su sexo con un recorte de tejido.

esperanza loca de rajar el espejo cual Palmiro hundiendo la frente en el cristal de la ventana, de romper "la retorta de cristal", "el tabique líquido", la distancia, y pasar al otro lado, a la otra orilla en que le espera Fronesis. "La bahía le servía de espejo", reflejando sólo la obsesionante imagen del deseado Fronesis:

> La ausencia se le había hecho ambivalente de la presencia. *Rodeado de espejos*, se abrazaba y lloraba sobre el hombre del ausente presente. El agua de la bahía *le servía de espejo* al alcance de la mano.

Y resulta de su zambullido en la imagen de Fronesis como otra unión homosexual: "Descendió en el remolino con toda la imagen de Fronesis clavada en el cuerpo (...) Al descender con el cuerpo untado por la imagen, tuvo *la sensación de la cópula*. Sintió el calambre de la eyaculación"[23].

En el espejo narcísico de ese mar en que abraza voluptuosamente la imagen de Fronesis, hasta los peces "estaban llenos de reminiscencias eróticas" masculinas, unos con "un piquito que remedaba una decisión fálica", otros "con su colita, leve pellizco erótico". Incluso los dientes del diabólico tiburón que lo ataca, tienen algo de agresión sexual: "Sus dientes dieron la primera dentellada en el brazo de Foción", lo que recuerda la sensación de Palmiro que connota el mar al gozar de Delfina:

> A pesar de la suavidad del total rendimiento del cuerpo de Delfina, le parecía a Palmiro que *la penetraba con los dientes*. Como cuando *la sal marina* empieza a quemar la piel.

Los dientes, lo que desgarra las carnes, nos evocan también los cuchillos sexualizados que agreden a

---

23 "descendía, descendía y se apretaba con su única imagen. Jamás se había sentido tan cerca de Fronesis"; "las aguas se lentificaban", seguramente porque se "hacían lentas", "se calmaban", formando "lentes", "cristales", "espejos".

Fronesis: para más simetría entre los dobles, pues, Foción sufre en su cuerpo el mordisco del diablo submarino, lo mismo que Fronesis padecía en sueños el del cuchillo-escarabajo de los demonios, antes de ser herido realmente el mismo día, y tal vez momento en que su amigo, en La Habana, es atacado por el monstruo surgido del infierno tenebroso del mar.

Unión simbólica entre Foción y Fronesis padre

Será ahora el padre de Fronesis quien lleve paradójicamente a cabo la unión con el joven homosexual del cual quiso apartar a su hijo al mandarlo a París.

Pero, marcado tal vez por su juventud perseguida por Diaghilev, siempre teme el padre las posibles trampas homosexuales contra su distante Ricardo:

> ... los equívocos y las imploraciones al *Maligno* pesaban peculiarmente sobre los castillos más dotados de la resistencia. Y ese riesgo de su hijo, él lo soñaba, lo perseguía como ya había obsesionado la amistad de Fronesis y de Foción.

Comprobamos de paso, en la preocupación de Fronesis padre, que la homosexualidad es efectivamente metaforizada por el "Maligno", lo que confirma nuestra interpretación del sueño de los demonios y de la agresión erótica de un tiburón claramente presentado como el diablo de este *Inferno* que es la novela.

Una frase extraída da una luz ambigua a su decisión de alejar a su hijo de Foción:

> ... se culpaba de grosero y tenía que excusarse a sí mismo cada vez que recordaba la motivación por la que su hijo se ausentaba (...) La moral tergiversada, *la envidia, los celos,* la remoción de su fondo oscuro de donde habían ascendido las más podridas sardinas.

¿Debemos entender que el padre actuó por "envidia" o "celos" de su hijo, como posible rival frente a Foción o como imagen inaguantable de su pasado con Diaghilev? El caso es que, atormentado por el remordimiento, frente al inevitable espejo de la verdad, buscando su doble, llega a identificarse con Foción y con su propio hijo:

> Cuando se creía acorralado por aquella melancolía, se creía poseso de la *metamorfosis suya en Foción* (...) Hasta que su imagen *doblada ante el espejo* le ofrecía a su hijo *narcisista surgiendo de las ondas.*

El padre asume así, en sí mismo, en la imagen, la unión de Foción con su hijo o la suya con los dos.

Pero llega a más: al recibir noticia de que Fronesis ha sido herido, sufre un colapso y, en el camino del médico, se encuentra con Foción sangrando, herido por el tiburón. A él también se le aclaran muchas cosas respecto a Foción:

> ... le hizo ver por primera vez al amigo de su hijo con ojos nuevos, con una visión que borraba todo lo anterior. Le pareció una aparición.

Y será en casa del padre médico de Foción esa simbólica mezcla de la sangre, con visión de la aguja en las carnes que recuerda el cuchillo metafórico del sexo: "la aguja entraba y salía enrojecida". La sangre derramada por el voraz tiburón sexual es compensada por la sangre generosamente vertida por este ángel providencial: el doctor Foción padre "le dijo al doctor Fronesis que iba a mezclar las sangres y ése asintió con misteriosa alegría". Sabemos que los rituales masculinos de mezcla de sangre, el hermanamiento entre amigos guerreros, eran de índole homosexual. En obra tan cargada de temática al respecto, es inevitable imaginar que asistimos aquí a una celebración homosexual simbólica entre Fronesis padre y el amigo de su hijo. En este caso, ese brazo que "le pendía un poco inerte" puede ser metáfora de un falo, pues recobra su rigidez al recibir la espermática sangre que lo vuelve a vivificar.

Concluye Fronesis padre: "Gracias doctor por haber mezclado las dos sangres. Fue la mejor solución y el mejor futuro". Y decide ofrecer dinero para que Foción, a su vez, vaya a Europa para salvar a su hijo herido con su sola visión: "Yo creo que si mi hijo lo ve, sanaría de inmediato".

CONCLUSION: ESPEJO, IMAGEN, ESCISION DEL YO Y DEL OBJETO

En esa novela doble, *Paradiso* se halla bajo el signo de las mujeres, madres o figuras protectoras de madre. En cambio, en *Oppiano Licario,* el "Infierno" del primer título, los hijos aparecen sumisos al poder del padre: si Licario representa abiertamente a Icaro, no olvidemos que también él dependía de su padre, Dédalo, fracasando en su tentativa de arrancarse del intrincado laberinto paterno. Los laberintos también son psicológicos y sentimentales: los enigmas son laberintos mentales y tenemos que constatar que, no sólo por quedar inconclusa, la segunda parte de la novela de Lezama no da la solución prometida a los enigmas de *Paradiso.* Los hijos, a pesar de sus adelantos, fracasan en romper los enrevesados nudos del sentido y de los sentidos, del alma y del cuerpo: no se libertan de la ley paterna en realidad.

Aquí, esa ley patriarcal es representada por ese modo de Comendador fantasmal, Oppiano Licario, figura marcada por alusiones a la homosexualidad, en particular en el episodio con el ladronzuelo, o por

151

una sexualidad avasalladora[24]. Figura, pues, de Padre obsesionante, relacionado con las demás figuras paternas, el padre y tío de Cemí, muerto a su vez, vuelve para regir la vida de los hijos, pesando sobre ellos, dejándoles, además, el peso abrumador de su Verbo, su Ley, sus Tablas de la ley, su famosa *Súmula nunca infusa* que, al desaparecer casi completamente en un ciclón, cobra una dimensión sacra y metafísica

Las figuras juveniles de hijos al no emanciparse de la Ley del Padre, al no conseguir su muerte edipiana, no logran desviar su mirada de su devastadora imagen para poderla posar sobre el objeto otro, la mujer: ahí está el "Infierno". La unión de Cemí y de Fronesis con Ynaca, "la otra mitad de la esfera", "incesante complementario", si bien se logra al nivel manifiesto de la novela, resulta, sin embargo, tan abstracta, tan descorporalizada, incluso ridícula para mí, que podemos decir que, de manera latente, comprueba el fracaso carnal con la mujer. En cambio, las evocaciones homosexuales, tal vez llena de la nostalgia de lo incumplido, a pesar de la condena moral manifiesta, tienen un calor profundo y una sensualidad reveladoras. Evidentemente, ahí está el núcleo emocional de esa novela tan descarnadamente alegórica.

En eso desempeña su papel el tema recurrente del espejo, siempre unido a lo sexual, masculino en particular:

---

[24] Mírese el cap. IV, en un trapecio: "El cuerpo de Licario mostraba el secreto de sus proporciones" (...) "Sus pantalones se humedecían (...) como si en el aire el hombre se abandonase a la función natural de hacerse agua en los pantalones. Así (...) se protegían sus infructuosidades testiculares, pues cuando el hombre vuela, sus pelotas son de oro". En el mismo capítulo, complacencia marcada por la "presuntuosa vitalidad del ladronzuelo", "el encandelamiento fálico del adolescente", "el pantalón roto, donde parecían cloquear los acomodados testículos", etc., y su masturbación contemplada por Licario: "Licario continuando en su indiferencia parecía mirar con un ojo la fruta cuyo color detonaba en el menguante lunar". Nótese que "A Licario la referencia a la 'luna debajo' lograba erotizarlo. Era lo blando, la glútea..."

> El espejo ha desempeñado un papel pasivo en las aventuras galantes. Se limitaba más que a reproducir, a desdoblar (...) El espejo metálico y el de azogue complican la imagen del cuerpo y el cuerpo de la imagen. Ambos hicieron nacer en el hombre la idea de que el espejo llegaría a exonerarse *por el sexo* (...) en el centro del espejo aparece siempre *lo priápico.* (Cap. VIII)

El espejo, a más de dar razón de las simetrías de construcción de la obra, del constante juego de duplicación en anamorfosis de ciertas escenas, acarrea el tema narcísico del doble: espejo de dos caras, cara y cruz, sombra y luz, paraíso e infierno, pues refleja el objeto escindido en la parte buena aceptada y la mala rechazada.

El objeto escindido antitéticamente es siempre la proyeccción del Yo también escindido, obviamente del Sujeto Lezama, desgarrado entre su apetencia y repelencia hacia el objeto, entre su sueño paradisíaco de inocencia homosexual y la pesadilla infernal de la censura social y moral. El Yo ideal se proyecta en el claro espejo (el puro Fronesis) y el Yo denegado, reprimido en sí, se proyecta y condena en la imagen sombría de Galeb.

La solución del conflicto íntimo entre la mano aceptada y la mano rechazada, entre el bien y el mal del espejo, la fusión entre el negativo y el positivo del clisé se opera en la foto que conserva sin embargo el blanco y negro antitético de su dualidad. Pero es una, una como la obra doble, o como la mano del onanismo o de la escritura masturbadora[25].

El espejo, el doble, nos remiten, naturalmente, al tema obsesionante y central de Lezama, el de la IMAGEN. La magen, como un paraíso reconquistado al final de una larga errancia a través del laberinto

---

[25] Sobre la relación entre escritura y masturbación, véase PIERRE GUYOTAT, "Langage du corps", en ARTAUD, Colloque de Cerisy, *Vers une révolution culterelle: Artaud, Bataille,* V.G.E., Collection 10/18, París, 1973, pp. 161-181.

del Infierno, resulta ser una protección frente al inevitable fraude de toda realidad:

> Y no hay nada más que el cuerpo de la imagen y la imagen del cuerpo. La imagen al fin crea nuestro cuerpo y el cuerpo segrega imagen (...) Así como para Descartes no hay más que pensamiento y extensión, para mí no hay nada más que cuerpo e imagen. (Cap. VIII)

ESTETICA Y EROTICA EN OCTAVIO PAZ

Gemma Areta

En el primer volumen de su *Historia de la sexualidad* Michael Foucault destaca cómo desde el siglo XVIII ha habido una proliferación de discursos sobre el sexo, discursos que enmascaran su verdad y que se enlazan con una mecánica del poder, él habla de unas "espirales perpetuas del poder y del placer"[1] eternas por las innumerables ganancias económicas que dejan la medicina, la psiquiatría, la prostitución y la pornografía. Para este filósofo francés, ha habido históricamente dos procedimientos para decir la verdad sobre el sexo: 1º) El *Ars erotica* (en China, Japón, India, Roma, árabes y musulmanes) donde la verdad tiene su origen en el placer mismo, saber secreto de maestros a discípulos enfocado hacia la práctica; 2º La *Scientia sexualis*, es decir, la sexualidad como correlato de la práctica discursiva, el placer del análisis, eso que Baudrillard llama "la lógica discursiva de la sexualidad, discurso del sexo como valor" y que se funda en el férreo control de lo simbólico.

En Occidente hay una verdadera obsesión por lo teórico, a no considerar nada fuera del ámbito cien-

---

[1] FOUCAULT, MICHAEL: *Historia de la sexualidad. La voluntad de saber,* Madrid, Siglo XXI, 1984, p. 50.

tífico y racional, como si no fuera posible lo inexpresable, lo que no puede ser alcanzado por el conocimiento teórico.

"Ser otra cosa", ser "metáfora de", el reino de la palabra "como", son algunas de las expresiones frecuentemente utilizadas por Octavio Paz para establecer frente a un primer término del planteamiento, otro que lo absorbe y extiende su significado. Su pensamiento siempre es dialéctico, el fluir constante de las imágenes de su lenguaje es la apuesta por la no contradicción, por la conjunción. Frente a la sexualidad, el erotismo de Paz es "un ser siempre más allá"; "no sabemos a ciencia cierta lo que es, excepto que es algo más. Más que la historia, más que el sexo, más que la vida, más que la muerte"; "El erotismo es imaginario: es un disparo de la imaginación frente al mundo exterior"[2]. En estas definiciones, el erotismo, aliado del deseo, de la imaginación, se convierte en un claro equivalente de la poesía, y fue ella precisamente la que se ha mantenido al margen de esa lógica discursiva del sexo de la que antes hablábamos. Para Octavio Paz, "la poesía, si es algo, es revelación de la esencial heterogeneidad del ser, erotismo, otredad"[3].

El cuerpo, perseguido por la religión, cuyo modelo corporal de referencia es el animal, por la medicina excesivamente dependiente del cadáver o por la técnica y el robot, se refugió en el arte, quizás porque la percepción estética es esencialmente un placer ligado a una forma. La poesía de Paz no sólo afirma la primacía del erotismo, como la de Luis Cernuda, sino que la pregunta sobre su ser, presente en cada uno de sus poemas y ensayos, se contesta a través suya, su modelo de poética se explicita mediante un arte reflexionado del amor. Y lo realiza en

---

2 PAZ, OCTAVIO: "El más allá erótico", en *Los signos en rotación y otros ensayos,* Madrid, Alianza Editorial, 1983, p. 189.

3 PAZ, OCTAVIO: *El arco y la lira,* Méxio, F.C.E., 1981, p. 91.

cada uno de sus distintos niveles, que podrían ir desde lo abstracto hacia lo concreto, aunque no sea necesariamente éste el proceso seguido por Paz, sino el que nosotros vamos a utilizar.

Un primer plano sería la propia articulación de su pensamiento, de su lenguaje mediante la analogía, fundamento de la imagen. En el diálogo que sostiene con Julián Ríos, le explica una de las razones de su admiración por Oriente: "Donde encontramos la erotización de las ideas es en la India. Ahí los conceptos se sexualizan, se vuelven cuerpo. Los sistemas son conjunciones eróticas"[4]. La India niega el cambio pero afirma la relación; como verdad aceptada hace mucho por Oriente, fue el gran descubrimiento de los estructuralistas, pero mucho antes, la analogía como ciencia de las correspondencias anterior del cristianismo, atraviesa la Edad Media y por medio de los neoplatónicos, iluministas y ocultistas, llega hasta el siglo XIX. Desde entonces, la poética se convierte en uno de sus testigos importantes, porque los elementos constitutivos de la poesía, desde siempre, no son sino reflejo de los modos de operar analógicos. El pensamiento oriental está gobernado por el ritmo y sus repeticiones, por un principio poético, erótico.

Según la mítica judía a Moisés le fue dado no solamente la Torá, sino también las combinaciones secretas de las letras, que partiendo del tetragrama Y.H.V.H. forman los diferentes nombres de Dios. Los rollos de la Torá son un organismo viviente, en el que cada letra cuenta, por eso se dice que "Aquel que se ocupa del estudio de la Torá mantiene al mundo en *movimiento* y da a cada elemento la posibilidad de realizar su función"[5].

Dentro del hinduismo, los himnos que se cantan

---

[4] RIOS, JULIAN: *Solo a dos voces,* Barcelona, Lumen, 1973, sin paginar.

[5] SCHOLEM, GERSHOM: *La cábala y su simbolismo*, Madrid, Siglo XXI, 1985, p. 50.

durante las ceremonias religiosas están formados por *cadenas* de mantras, asociaciones de vocales y consonantes. Según los textos tántricos, las consonantes del alfabeto son femeninas y las vocales masculinas; unión sexual de los fonemas, el sánscrito se funda en una teoría erótica y metafísica del lenguaje.

De la repetición llegamos al movimiento, ya que la unión y dispersión de los signos está regida por el ritmo, *Poesía en movimiento* se titula la antología que Octavio Paz realiza junto con Ali Chumacero, J. Emilio Pachecho y Aridjis del panorama mexicano comprendido entre 1915 y 1966. "Los signos en rotación" será el epílogo de *El arco y la lira* (1956) a partir de su segunda edición en 1965. Y en la edición original de *Blanco* en 1967 hay que abrir el poema y desdoblar la página que se irá doblando sucesivamente a medida que la lectura avance. Su forma y tipografía, distintos colores, nos están hablando de la movilidad de su estructura. Todos estos ejemplos están relacionados con el movimiento y son a su vez claros síntomas de cómo Octavio Paz afirma el aspecto procesual del arte a la manera de Heidegger, quien afirmaba que "el arte de cómo poner en obra la verdad es la poesía"[6]. Ese girar constante de los signos es sinónimo de la defensa de la libertad en las palabras o de las palabras que fundan esa libertad.

El movimiento no sólo hace referencia a la polisemia de la palabra poética, a su multiplicidad de sentidos, a sus emanaciones, sino sobre todo a ese indagar del poeta dentro de ella, ese violentarlas para penetrarlas, como dice Octavio Paz: "A diferencia de los útiles del artesano, del pintor y del músico, las palabras están henchidas de significados ambiguos y hasta contrarios. Usarlas quiere decir esclarecerlas, hacerlas de verdad instrumentos de nuestro pensar y

---

6 HEIDEGGER, MARTIN: *Arte y poesía*, México, F.C.E., 1958, p. 114.

no máscaras o aproximaciones"[7]. Emblema de esta opinión podría ser el poema "Las palabras":

DALES la vuelta,
cógelas del rabo (chillen, putas)
azótalas,
dales azúcar en la boca a las rejegas,
ínflalas, globos, pínchalas,
sórbeles sangre y tuétanos,
sécalas,
cápalas,
písalas, gallo galante,
tuérceles el gaznate, cocinero,
desplúmalas,
destrípalas, toro,
buey, arrástralas,
hazlas, poeta,
haz que se traguen todas sus palabras.[8]

La experiencia de la otredad, eje axial del pensamiento de Octavio Paz, en las tres formas privilegiadas por él: lo sagrado, la poesía y el amor, se ejemplifica en *El arco y la lira* mediante el salto a la otra orilla, Kierkegaard y un término sánscrito le facilitan esta expresión. Hacernos otros sin dejar de ser nosotros mismos, liberar nuestra conciencia habitando los dualismos más escondidos, *necesita* de una modificación lo suficientemente importante como para que podamos superar el mundo fenoménico y distraernos de la temporalidad.

El tema del doble, herencia surrealista, y el hermafroditismo platónico están presentes en la otredad, pero el aspecto que nuestro poeta va a resaltar de ella será el deseo. "Si el hombre es un ser que no es, sino que está siendo, un ser que nunca acaba de serse, ¿no es un ser de deseos tanto como

---

[7] PAZ, OCTAVIO: *El laberinto de la soledad, Postdata, Vuelta a el laberinto*, México, F.C.E., 1981, p. 168.

[8] PAZ, OCTAVIO: "Las palabras", *en Poemas (1935-1975)*, Barcelona, Seix Barral, 1981, p. 69.

un deseo de ser?"[9] El movimiento se traduce como ese impulso, ese ir hacia el otro cuerpo que se reparte cuando lo tocamos, manos del amante o boca del poeta que borra la distinción de las partes para presentarnos en un instante de incandescencia algo total, sin dualismos, sin paradojas. Escritura vivida como un cuerpo, cuerpo leído como una escritura: "... más que un cuerpo / la mujer es una pregunta / y es una respuesta / La veo la toco / también hablo con ella / callo con ella somos lenguaje"[10].

Blanco o El mono gramático participan del concepto de la obra de arte como escritura jeroglífica cuyo código se hubiera perdido y cuyo contenido estuviera determinado en parte por esta pérdida. A la pluralidad de autores se suma la pluralidad de lectores, como en la Rayuela de Cortázar el verdadero autor parece ser el lenguaje que juega consigo mismo a través de nosotros: el texto siempre está en eterno movimiento. La idea de juego, la fiesta y la comunicación están presentes en la escritura jeroglífica. Un mismo impulso llevó a Joyce, a Cortázar, a los surrealistas y a Paz a escoger de entre todos los rasgos de la lengua aquél que afirma la movilidad de los signos: la concepción del escrito como doble del cosmos. Ese mundo inventado, creado, afirma su presencia, el autor es un dios porque posee una realidad total, pero fundamentalmente porque se hace presente, ya no está (forma limitada del tiempo), sino que "es" de forma definitiva y para siempre.

Para Breton, "La poésie se fait dans un lit comme l'amour"; el poema nos prepara un orden amoroso porque el lenguaje se vuelve cuerpo y la lectura rito sexual, sólo el lector, como el amante, conoce el fin del camino. La mujer no es para Octavio Paz sólo un tema, una musa, su cuerpo será el erotismo ar-

---

9 PAZ, OCTAVIO: El arco y la lira, op. cit., p. 136.
10 PAZ, OCTAVIO: "Carta a León Felipe", en Poemas (1935-1975), op. cit., p. 444.

quetípico del lenguaje, sus atributos, sus cualidades, todo aquello que la define y la caracteriza en el juego amoroso, pasará a serlo también de la poesía. La mujer es la forma, su *Gestalt*, su modelo de poética. De ella nos dice: "La mujer es puente, lugar de reconciliación entre el mundo natural y el humano. Es lenguaje concreto, revelación encarnada"[11]; "La mujer nos exalta, nos hace salir de nosotros y, simultáneamente, nos hace volver"[12]. El amor-pasión será ese instrumento que nos arroja a su cuerpo, la pareja para Paz se convierte en el símbolo de ese tiempo suspendido, presente y eterno.

El mono gramático se publicó por primera vez en 1972 en versión francesa de Claude Esteban, dentro de la colección "Los senderos de la creación"; en el fragmento número 28 de este libro podemos leer:

> Al comenzar estas páginas decidí seguir literalmente la metáfora del título de la colección a que están destinadas, "Los caminos de la creación", y escribir, trazar un texto que fuese efectivamente un camino y que pudiese ser leído, recorrido como tal. A medida que escribía, el camino de Galta se borraba y yo me desviaba y perdía en sus vericuetos. (...) A cada vuelta, el texto se desdoblaba en otro, a un tiempo su traducción y su trasposición: una espiral de repeticiones y de reiteraciones que se han resuelto en una negación de la escritura como camino. Ahora me doy cuenta de que mi texto no iba a ninguna parte, salvo al encuentro de sí mismo.[13]

La multiplicidad de textos convierten al libro en un sistema de espejos que, aunque niegue la metáfora del camino, afirma por su convergencia la del abrazo de los cuerpos. Disolución de camino, "la poesía no quiere saber qué hay al fin del camino", nos dice Paz en este mismo fragmento, pero afirmación de lo

11 PAZ, OCTAVIO: *Corriente alterna,* Madrid, Siglo XXI, p. 59.
12 *El arco y la lira, op. cit.,* p. 135.
13 PAZ, OCTAVIO: *El mono gramático,* Barcelona, Seix Barral, 1974, p. 136.

erótico porque la poesía "concibe al texto como una serie de estratos traslúcidos en cuyo interior las distintas partes —las distintas corrientes verbales y semánticas—, al entrelazarse o desenlazarse, reflejarse o anularse, producen momentáneas configuraciones"[14].

Le versión castellana se publicó en 1974, edición más modesta y con menos ilustraciones realizada por la editorial Seix Barral. Para su autor, este libro "Es un texto de cien páginas en el cual la novela se disuelve y se transforma en reflexión sobre el lenguaje; la reflexión sobre el lenguaje se transforma en experiencia erótica, y ésta en relato"[15]. Finaliza con la nota "Cambridge, verano de 1970"; entre 1969 y 1970, Octavio Paz va a Inglaterra como invitado por la Cátedra Simón Bolívar de Literatura Hispanoamericana de la Universidad de Cambridge. Desde la habitación que ocupa en el Churchill College, escribe esta obra de 29 fragmentos numerados[16], en la que la elección del tema, el camino de Galta, se funde o confunde con la propia gestación del libro, el camino de la escritura.

La memoria será su principal fuente de invención, porque ella inaugura un tiempo que es siempre un ahora duradero, entendida a la manera de la "duración" de Bergson, permite la superposición de espacio y tiempo que se vuelven intercambiables. El espacio recordado del sendero de Galta y el espacio desde el que se recuerda, Cambridge, están unidos por un mismo tiempo, el de la creación, al que le corresponde la ubicuidad.

Sería obvio señalar que la unidad del discurso,

---

[14] *Ibidem*, p. 134.

[15] Ríos, Julian, *op. cit.*

[16] En la "advertencia" a *Corriente alterna* nos dice Octavio Paz: "Creo que el fragmento es la forma que mejor refleja esta realidad en movimiento que vivimos y somos. Más que una semilla, el fragmento es una partícula errante que sólo se define frente a otras partículas: no es nada si no es una relación. Un libro, un texto, es un tejido de relaciones".

de los distintos fragmentos reside en el sujeto del discurso, el yo como fundamento, como origen, en esa mutltiplicidad de la visión poética de Paz que permite enlazar realidades tan discordantes como: el paisaje, los mitos hindúes, el análisis semiológico, escenas amorosas... parece existir un referente multiforme que, sin embargo, se articula de esta forma: el camino como escritura, la escritura como cuerpo. Pero rota la primera analogía, sólo la siguiente parece tener funcionalidad, y se configura como el rasgo unificador más importante. La mujer, que recibe en *El mono gramático* el nombre de Esplendor, no sólo acompaña al poeta en su viaje hacia Galta: "Cogí a Esplendor de la mano y atravesamos juntos el arco, entre una doble fila de mendigos"[17], sino que también es privilegiada espectadora del acto creador de la escritura: "... el cuerpo de Esplendor yace entre las sábanas mientras yo escribo sobre esta página y a medida que leo lo que escribo (...) se levanta de la cama y anda en la penumbra del cuarto con pasos titubeantes"[18], y finalmente, su cuerpo se convierte en una página en blanco donde se inscriben los signos, las señales del amante; de esta forma termina el último fragmento de nuestro libro:

> Esplendor es esta página, aquello que separa (libera) y entreteje (reconcilia) las diferentes partes que la componen, aquello (aquélla) que está allá, al fin de lo que digo, al fin de esta página y que aparece aquí, al disiparse, al pronunciarse esta frase, el acto inscrito en esta página y los cuerpos (las frases) que al entrelazarse forman este acto, este cuerpo. La secuencia litúrgica y la disposición de todos los ritos por la doble profanación (tuya y mía), reconciliación/liberación, de la escritura y de la lectura.[19]

Hay tres fragmentos dedicados íntegramente a Esplendor, los números 7, 11 y 15. Los dos primeros

---

[17] *El mono gramático, op. cit.*, p. 84.
[18] *Ibidem*, p. 139.
[19] *Ibidem*, p. 140.

recrean el rito sexual y el tercero es un texto tomado de los Brahmanas, comentarios de los Vedas, manuscritos interpretativos del culto y sobre todo del sacrificio que llegó a ser elemento fundamental de la vida religiosa. Los Brahmanas incluyen numerosas leyendas antiguas, como la del diluvio universal, o la que aparece en este fragmento número 15, la creación de Eva-Esplendor con el sudor de "Prajapati", que es uno de los numerosos nombres del dios Brahma; esta palabra sánscrita significa "amo de las criaturas" y se le concede en su calidad de personificación del Ser creador y del Universo.

El *Sefer ha Zohar* (*Libro del Esplendor*) es una de las obras más importantes de la Cábala judía, fue escrito en arameo por Rabbi Moché Maimón (1135-1204), primer gran codificador religioso postalmúdico que vivió en España. "Zohar" es una palabra hebrea que significa brillo, esplendor, y se relaciona con la creación porque la primigenia luz vino después del Verbo divino, de la Palabra.

"Esplendor", criatura creada o acto de creación, poema o *poíesis*, este nombre propio sintetiza la analogía corporal.

Entre 1962-1968, Octavio Paz ocupa el cargo diplomático de embajador de su país en la India. A excepción del "Cuento de los jardines", todos los poemas de *Ladera este* fueron escritos en la India, Afganistán o Ceilán; en 1969 se publica *Conjunciones y disyunciones*, 1968 *Corriente alterna* escrito en su mayor parte en la India y, en 1972, *El mono gramático*; todas estas obras condensan la experiencia orientalista de Paz. La India no sólo representó para él la posible conjunción de los signos cuerpo y no-cuerpo, sino que la religión tántrica le permitió acceder a una atmósfera de refinado erotismo, a un lenguaje crepuscular que se disuelve en el silencio.

Una pareja de amantes hacen el amor a la luz de un fuego que proyecta sus sombras en la pared, sombras y formas que se combinan como en un poema: "Al reflejarse en la pared, esos movimientos inventan una pantomima en la que, festín y ritual, se descuartiza a una víctima y se esparcen sus partes en un espacio que cambia continuamente de forma y dirección, como las estrofas de un poema"[20], la poesía, como el cuerpo, siempre son un más allá, erótica.

> Todo cuerpo es un lenguaje que, en el momento de su plenitud, se desvanece; todo lenguaje, al alcanzar el estado de incandescencia, se revela como un cuerpo ininteligible. La palabra es una desencarnación del mundo en busca de su sentido; y una encarnación: abolición del sentido, regreso al cuerpo. La poesía es corporal: reverso de los nombres.[21]

[20] *Ibidem*, p. 140.
[21] *Ibidem*, p. 123-124.

CONCEPTOS VARGUIANOS Y SEXUALIDAD

Olga Caro
(Universidad de París VIII)

Es innegable que la sexualidad tiene un papel determinante en la obra de Mario Vargas Llosa. Leitmotiv exuberante en cada una de sus novelas, esa cuestión parece funcionar, en consecuencia, como un necesario mensaje lanzado al lector.

Si el autor está esencialmente preocupado por la situación del hombre víctima de la sociedad, sabe pertinentemente que el comportamiento erótico es el lugar preferencial de las manifestaciones conflictivas del ser humano. A partir de esta problemática y a través de los conceptos narrativos de Vargas Llosa, hemos tratado de analizar aquí el significado de esa voluntaria profusión.

Conscientes de la importancia y de la diversidad de la obra del escritor, preferimos limitarnos a dos novelas carcterísticas en relación con el tema y que cubren épocas precisas para el autor. Si *La Ciudad y los perros* [ver nuestra bibliografía: 2] es una creación de juventud y corresponde a su experiencia personal de la infancia, *Conversación en La Catedral* [3] prolonga ese período y es una novela de madurez, que se refiere a su adolescencia. Señalemos, además, que en esas obras se concentra una cierta ideología literaria, que se aplica a un momento de la vida del escritor.

Como el autor lo explica él mismo, sus temas de inspiración están formados por un conjunto de elementos "controlado por la razón e irrigado por la sinrazón" [1, p. 1]. Esta última componente irracional se construye a partir de acontecimientos extraídos de su propia existencia, de obsesiones y de dramas sufridos interior, familiar y también socialmente, ya que el escritor subraya que esos traumas son en realidad los que generó un tipo de sistema político, como por ejemplo el de Odría. Por consiguiente, gracias a *La Ciudad y los perros* y *Conversación en La Catedral*, el autor va a comunicarnos esos choques emocionales, en sus formas y consecuencias más monstruosas.

De ese substrato inconsciente, Vargas Llosa extrae lo esencial de su inspiración, esa "realidad ficticia" que posee las dos finalidades literarias del escritor, individual una y colectiva la otra.

La primera se vuelve un acto de expulsión, una necesidad catártica de defensa psíquica, que recuerda inevitablemente las teorías de Freud, de quien Vargas Llosa dice: "Es cierto que mis opiniones prestan imágenes al romanticismo... pero su contenido debe más a Freud" [5, p. 17]. Para el gran psicoanalista, el arte es el sucedáneo narrativo del mundo de lo reprimido, que lleva con él las pulsiones, los fantasmas prohibidos, disfrazados o amplificados, exorcisados en una "purga" benéfica e inofensiva: "El artista —escribe Freud— es, originariamente, un hombre que se aparta de la realidad, porque no se resigna a aceptar la renuncia a la satisfacción de los instintos por ella exigida en primer término, y deja libre en su fantasía sus deseos eróticos y ambiciosos" [5, p. 26].

La segunda adquiere una dimensión universal por su función filantrópica, ya que Vargas Llosa crea también para corregir. La novela se convierte en un arma que tiene que despertar las conciencias humanas, escandalizarlas. Para lograr ese proceso de "insurrección permanente", basta con proyectar verbalmente la realidad, porque de la pintura total de las cosas surge la verdad. Observemos que ese fenómeno corresponde a una evolución de la experiencia humana, marcada por la complejidad y la multiplicidad de las perspectivas y de las dimensiones exteriores, internas, objetivas y subjetivas del pensamiento: "fantástica, histórica, militar, social, erótica, psicológica: todas esas cosas... ni más ni menos que la realidad" [5, p. 56].

Pero si para Vargas Llosa, ese concepto de "totalización" encierra todas las manifestaciones del comportamiento humano, también incluye sus aspectos íntimos y sus "dragones monstruosos" que se mueven insidiosamente en nuestras mentes. Inspirándose a la vez en Flaubert y en Bataille, el autor comprende que las miserias humanas y "la parte maldita" son los parámetros determinantes en el camino hacia el progreso. Los fondos turbios y prohibidos son los mejores reflejos de los acontecimientos históricos, y tal un "buitre" el escritor tiene que alimentarse de la "putrefacta carne de la historia" [1, p. 166] para llegar a la salvación.

Con esos diversos conceptos de obsesiones, escándalo o "faz oscura" de la persona, Vargas Llosa nos obliga a practicar el "salto cualitativo" que nos lleva hasta la "zona fronteriza" de "un mundo más onírico, de símbolos, de pesadillas, de sueños..." [6, p. 28]. Asistimos a la intrafusión de objetivismo y de fabulación que conduce de la realidad concreta a una realidad ficticia, donde lo imaginario se conmuta en objetividad, los fantasmas en certitudes y lo inhabitual en banalidad.

La sexualidad es, entonces, el denominador común de todos esos ingredientes y nociones, que se amalgaman para formar un material privilegiado de comunicación: "El sexo está en la base de lo que ocurre; es, junto con el dinero, la clave de los conflictos, y la vida sexual y la económica se confunden en una trama tan íntima que no se puede entender la una sin la otra" [7, p. 31]. La sexualidad se deforma y exhibe sus rostros monstruosos para dar testimonio de los males de una sociedad, es decir, del determinismo social, de la violencia, de la frustración, de la corrupción y de la hipocresía.

La jerarquización económica o racial de la especie se siente continuamente en *La Ciudad y los perros*, gracias a la elección de los personajes, a las diversas reacciones de los principales protagonistas en relación con Tere-Teresa, y también a las múltiples acciones de los cadetes en el ambiente cerrado del colegio militar. Vargas Llosa nos revela los mecanismos darwinistas de supervivencia gracias a los cuales cada ser subsiste según su origen, y nos muestra como Alberto utiliza la hipocresía burguesa o como Jaguar se sirve de la violencia del hampa.

Con el fresco colectivo de *Conversación en La Catedral*, el autor nos pinta las diversas conexiones entre los individuos, mostrando sus alianzas y sus antagonismos y el juego relacional entre los poseedores y los desheredados. Comprendemos poco a poco que los seres tienen el placer otorgado a su rango, ya que los sirvientes conservan el estatuto de *factotum* sexual de sus señores y que los poderosos compran sus prostitutas personales.

La violencia es el corolario implacable de esa estructura, y como Vargas Llosa lo subraya, en América Latina es el fundamento de toda relación humana. El autor lo comprueba gracias a su experiencia en el Leoncio Prado, y nosotros la recibimos en su fase primitiva, provocante por la intensidad de su barbarie. El lector es avasallado por la zoofilia, "la plus épouvantable du péché de Sodome" [8, p. 313], la masturbación colectiva o la prostitución. El Leoncio Prado que tendría que ser un lugar de aprendizaje de la vida, se transforma ante nuestros ojos en un cenáculo demoníaco. En ese recinto militar, el paso de la infancia a la madurez se transmuta en culto de la virilidad, y el sistema impone una serie de pruebas donde el niño se encuentra encerrado entre su fuerza y su debilidad, es decir, entre el machismo y la castración.

Desde el principio, el bautismo iniciático impone por su brutalidad una categorización interna, la que determina el estatuto de "perra" hembra, o de "macho, con bolas de acero". Pero más machista, más militar aún, es también y sobre todo, la transgresión de las leyes, en realidad de la "Ley". La sexualidad se convierte entonces en un medio de competición y de proeza, a través de las cuales hay que demostrar no la posesión de un simple pene, sino la del mítico falo: uno tiene que ser capaz de violar todo, de todo tipo de acción, hasta la de la cubrición de un animal. En este sentido, el juego de los "vasos comunicantes" cobra todo su valor narrativo con la escandalizante escena de la gallina, situada al principio de la novela. Interconfusión de relaciones perversas que se avivan unas a otras, como la zoofilia, la tentativa de violación de un cadete o la coprofagia, el quinto episodio es uno de los epicentros más destacables de la obra.

Pero Vargas Llosa exacerba todavía más nuestros fantasmas, sajando en ellos una dimensión horrorosa con los personajes monstruosos que representan Boa y Paulino, percibidos esencialmente en el interior del recinto del colegio. Concentrando las actitudes más perversas en esos dos protagonistas, el escritor los transforma en verdaderos símbolos del Mal, en productos y excreciones de un sistema.

Conversación en La Catedral contiene también esa carga de violencia, ya que asistimos a asesinatos, torturas, corrupciones y presiones políticas. Sin embargo, el autor nos describe otro tipo de violencia más hipócrita y más insidiosa, la que ejerce una clase poderosa. Brutalidad elegante y aceptada por la fuerza del dinero, ella se sustituye en realidad a la ferocidad de los pobres: por omnipotencia de casta, los Fermín Zavala o los Cayo Bermúdez compran sirvientes y prostitutas explotándolos en lujosos prostíbulos. Vargas Llosa nos transmite esa agresividad, con choques emocionales constantemente disparados al lector que experimenta físicamente el asalto de esa violencia. Padecemos dislocaciones provocadas por desencajamientos temporales y espaciales, que nos llevan del discurso objetivo-político a una excitación subjetivo-sensual. "Chispazos mentales" enigmáticos y perversos crean una ruptura psicológica, por la cual captamos al vicioso Bermúdez, escondido en su puesto de vigía, pegado a un sillón, espiando y gozando del espectáculo erótico de un cunnilingus entre dos lesbianas. Por el discurso angustiado de Ambrosio sufrimos el realismo de la relación sadomasoquista de Fermín, vivimos su dolor orgásmico, sus prácticas mortificatorias y sus ceremonias sodómicas. Vargas Llosa añade dimensiones fantasmáticas que revelan no sólo la inquietud de los personajes, sino que amplifican también la propia angustia e imaginación del lector: un pronombre completo disfraza pero significa el sexo de Ambrosio, la cadencia de un sillón se vuelve el aforador de la exaltación voyeurista de Bermúdez, y la salivación de la progresión del esperma.

En lo que concierne a la frustración, particularmente sentida por toda una joven generación, Vargas Llosa nos la ilustra magistramente a partir de la perspectiva leonciopradina. En *La Ciudad y los perros*, el colegio es la imagen del Perú que refleja un país entero, formado y deformado por un sistema militar. La vida en el Leoncio Prado se desarrolla según una serie de comportamientos que dejan descubrir sus cargas de insatisfacción o de compensación, porque en realidad ese universo que quiere ser el del machismo es, en definitiva, el de la castración. En la unión de Boa con Malpapeada, se adivina la búsqueda de la imposible amistad con un compañero, o el amor de la quimérica "mujercita". Los largos soliloquios y las confidencias hechas al animal, y sobre todo la escena de la transferencia de la mújer onírica en la perra, son los testimonios más impresionantes de esas carencias vividas patológicamente. De la angustiante cuestación de Alberto para encontrar los "veinte soles" necesarios para la cita con Pies Dorados, a la "gran ansiedad" que finaliza las escenas de masturbación colectiva y la de la entrevista con la prostituta, todo se connota con el sentimiento de frustración. Una profunda inquietud se desprende de esa experiencia prostibularia que Alberto se siente forzado a enfrentar, es decir penetrar machistamente a esa mujer. El miedo invade las distintas tentativas zoofílicas con la gallina, y finalmente hay que hacer un sorteo para saber quién se atreverá. Cada uno se afana por compensar la ausencia de placer o la soledad, y trata de esconder, como "el poeta", una cierta impotencia.

La novela *Conversación en La Catedral* está, por su parte, edificada sobre un sentimiento de fracaso, es decir, el de Santiago, y se construye a partir de la búsqueda de las causas de ese fracaso. Además de las frustraciones de los personajes más desprovistos económicamente, Vargas Llosa trata aquí de las privaciones de los poderosos. Así, a través de la descripción de las existencias de Zavala y Bermúdez, no sólo exhibe las actitudes políticas y financieras de los dos protagonistas, sino particularmente sus comportamientos eróticos. Compensaciones de las desgracias con su hijo Santiago y de los reveses económicos, la sexualidad se transforma para Zavala en simbólicas penitencias, donde el autor lo representa suplicando de rodillas la penetración del falo de Ambrosio. En ese sentido, los ensueños imaginativos y las prácticas voyeuristas de Bermúdez son muy significativas, ya que cada una necesita un guión muy específico, donde la noción de humillación es el elemento central. Sus fantasmas con la hija de Landa y principalmente la escena de degradación con la Señora Ferro,

173

donde soslaya su deseo con el castigo verbal, confirman su tendencia. En todas estas situaciones, Bermúdez es sometido a una escenificación precisa, que comporta la relación blanca-negra, dueña-esclava. Además, su sentimiento de frustración jamás será satisfecho, ya que en el espectáculo voyeurista de las actuaciones sexuales entre la morena y vulgar Queta con la elegante Hortensia, sustituye incansablemente la actriz Hortensia por la mítica y blanca Señora Heredia. Desahogos psíquicos, las representaciones fantasmáticas del "cholo" Bermúdez, compensan las afrentas raciales insidiosamente lanzadas por un Zavala, para mantenerle en su lugar de "perro, sirviente" [p. 208].

En *La Ciudad y los perros*, Vargas Llosa concretiza el fenómeno de la corrupción gracias a las figuras simbólicas de niños, es decir, de inocentes traicionados por un sistema encarnado aquí por los militares. El juego de antes, del mientras y del después, muestra la metamorfosis de estos seres humanos, dotados en su infancia de una gran capacidad de amor y que sufren ahora el aprendizaje de la degradación que los lleva hacia el mal y el vicio. La novela revela cómo todos son corrompidos y corrompen a su vez, o como cada uno aprovecha sus fuerzas o sus debilidades para sobrevivir. Después del bautismo, primera prueba de envilecimiento, aparecen las diversas manifestaciones de ese deterioro: Boa vicia sus relaciones con una perra y Alberto deprava todavía más a sus compañeros.

Pero para "malificar" esa destrucción que aún podría ser demasiado inocente, Vargas Llosa crea el personaje de Paulino, auténtico símbolo de esa descomposición. El autor lo construye tal un exterminador, que abusa del desamparo de los cadetes, los explota y los corrompe para autosatisfacer su vicio pedofílico. Paulino recuerda el "misti" de José María Arguedas, que Vargas Llosa pinta como "Depredador, psicópata, el 'misti' es también el corruptor, el que cancela la inocencia..." [9, p. 30]. Existiendo para el lector, únicamente en el recinto del Leoncio Prado, descrito en la sordidez de su tienda, vallado en el vallado, Paulino adquiere esa dimensión inmunda que falta todavía al joven Boa. Como una enfermedad contagiosa, es precisamente en el reducto de la Perlita, que se cogen esas "hormigas" que se inmiscuyen en el cuerpo y los espíritus de los cadetes, para contaminar la inocencia.

Respecto a *Conversación en La Catedral*, Vargas Llosa explica que quiere "reflejar... el clima del Perú durante el 'ochenio odriísta': aquella dictadura blanda, pero de increíble corrupción, que yo viví durante mi época universitaria en Lima y cuyo lodo... nos salpicó a todos. Pero no es una novela política, sino el reflejo a muchos niveles (social, humano, erótico, racial, económico y también político) del Perú durante esta época" [1, p. 407]. Así, gracias a la vida de un Zavala y de un Bermúdez, el autor desea expresar la destrucción de las instituciones de nuestra sociedad, las de los valores familiares, políticos y económicos. Los vicios eróticos se vuelven las alegorías del Vicio omnipresente en el sistema, que como el "gusanito" de Santiago, roe todos los mecanismos de nuestra existencia. La novela se cambia en una saga, donde las realidades se descubren en las habitaciones de los prostíbulos y en las bocas de las prostitutas, hundiendo de ese modo al lector en los ritos lesbianos, voyeuristas y sodómicos.

Para Vargas Llosa, la hipocresía es uno de los peligros más inquietantes, porque ayuda a disimular todos esos males de la sociedad. Como Flaubert, el escritor confirma que "casi todo se duplica en algo que lo confirma y lo niega... La realidad descubre su sordidez por contraste con la imagen embellecida que traza de ella..." [7, p. 171]. El autor explica entonces no sólo la estructura de superficie de la Historia, sino sobre todo la "histoire privée des nations" para destruir la mítica unicidad y denunciar la dicotomía entre la amable apariencia y la oculta verdad.

El epígrafe de *La Ciudad y los perros* es en ese sentido significativo: "On joue les héros parce qu'on est lâche et les saints parce qu'on est méchant..." Profecías de duplicidades futuras, la novela revela los perversos comportamientos que se abrigan detrás del inocente y universal candor de la infancia. Si el Leoncio Prado es exteriormente un lugar de aprendizaje, de encaminamiento hacia el legendario estatuto de hombre, Vargas Llosa nos desenmascara su verdadero papel, y transforma la magnánima ascensión en bajada a los infiernos, donde hieden la bestialidad de Boa y las veladas masturbatorias. Las elecciones geográficas, es decir, los recintos cerrados, escondidos de las miradas, acentúan todavía más la dimensión hipócrita de cada una de las actuaciones. Doble tabique para esconder la realidad, Vargas Llosa nos hace vivir de se modo las escenas más perversas, entre los muros del Leoncio Prado o en el fortín bien guardado de la Perlita.

Si en *La Ciudad y los perros* la simulación se encuentra en su nivel de preámbulo, en *Conversación en La Catedral* se convierte en un principio confirmado. Bajo la fachada de un Perú elegante, de "industriales bonachones, ministros impecables, y un odriísmo progresista..." [1, p. 360] rezuman los efluvios nauseabundos de las perversiones sexuales. Subrayemos que el escritor quiere hacernos sentir esa dualidad, gracias a la separación geográfica que crea, y a partir de la cual pasea a su lector. Del palacio presidencial o de la lujosa vivienda de Zavala a las miserables habitaciones de los prostíbulos, percibimos las desemejanzas y las similitudes de comportamientos.

Es fundamental entender aquí que toda la técnica narrativa de Vargas Llosa va a concurrir a sumergirnos en ese universo bífido. Para impregnar mejor a su lector, el escritor hace fusionar la marcha de sus personajes con la lectura progresiva de la novela. Como un protagonista metido él mismo en los meandros de esa doble vida, el lector tiene que descifrar los jeroglíficos que le impone el autor. El juego de las insinuaciones y de los indicios dejan presentir que existe un mundo paralelo y oculto: entre inocentes conversaciones surgen diálogos enigmáticos, y algunos monólogos se acompañan de un misterioso "don". Para hacer contrastar a don Fermín Zavala de "Bola de Oro", Vargas Llosa opone la descripción directa de la vida exterior de Zavala con la de sus actos sexuales restituidos por Ambrosio, es decir, mediatizados por el discurso del sirviente. Signos de conductas simuladas, a las numerosas apelaciones de Zavala podemos añadir las siete maneras distintas de nombrar a Bermúdez, que corresponden cada una a momentos o a tipos de conducta muy diferentes.

Si Fermín es una de las más auténticas figuras del maquiavelismo en la novela, Bermúdez es, sin embargo, la mejor representación de esa duplicidad. La pintura de las veinticuatro horas de un día de Cayo, es el pretexto para mostrar las características de esa hipocresía. A través de ese personaje, el autor nos expone la doble componente que forma el mundo y, sobre todo, denuncia la íntima asociación y la simultaneidad de esas dos dimensiones. Si en un primer tiempo Vargas Llosa nos presenta un nivel superficial de los hechos con la descripción del mundo financiero y político, nos deja poco a poco penetrar la estructura profunda de las cosas, gracias a fracturas en lo cotidiano. A una narrativa objetivizada por el empleo de la tercera persona, se interponen los "chispazos mentales", sujectivizados por la utilización de la primera persona. La perversidad erótica de Bermúdez surge bruscamente a la conciencia del personaje, y se mezcla con los asuntos del hombre de esta: "—El gobierno no ha querido establecer una censura oficial... *dijo él*. —Si no llama al doctor Alcíbes esto no se va a aclarar nunca, señor Bermúdez

—*tu cajita de vaselina y adelante Robertito...*" [p. 254, los subrayados son nuestros]. El episodio de Cajamarca es en este sentido particularmente esencial, ya que Vargas Llosa va más adelante en el proceso, haciendo fusionar los dos niveles de consciencia de Bermúdez: la visión exterior del mundo con la pulsión libidinal y obsesiva de sus fantasmas. La personalidad de Cayo parece diluirse en la confusión y el desorden mental, ya que no se distinguen sus niveles de conciencia y se confunden totalmente con el empleo de la tercera persona en las dos situaciones: "los agricultores del departamento habían colaborado magníficamente en los preparativos... *Y él saldría de detrás del biombo... su cuerpo sería una antorcha... vería y su corazón agonizaría*: sepa que le pondremos cuarenta mil hombres en la Plaza, si es que no más. *Ahí estaría bajo sus ojos abrazándose, oliéndose, transpirándose, anudándose* y don Remigio Saldívar hizo una pausa para sacar un cigarrillo... y **él** automáticamente **abrió** la boca y **arrugó** la cara... **El se adelantó** en la silla..." [p. 331, los subrayados son nuestros]. Es capital entender cómo Vargas Llosa insiste en la minucia y el placer experimentados por Cayo durante los "guiones" de actos políticos poco recomendables, proceso que encontramos con el mismo cuidado y gozo, en los momentos de fantasmatización y voyeurismo. El lector comprende la sincronía y las interferencias de los dos niveles, que el escritor intensifica aún con la combinación del apogeo político y el voyeurismo.

Así, para Vargas Llosa, más que un simple síntoma, la sexualidad es verdaderamente el síndrome de una sociedad. Mecanismo humano auténtico, el sexo es el indiscutible testimonio de una estructura política. Si el autor no elige pintarnos tiernas conductas amorosas sino actos perversos, es que éstos son las verdades de nuestro mundo. Símbolos de una época, de un Perú, el Leoncio Prado o La Catedral, estos "jabes", contienen las muestras representativas de la especie humana, a través de las cuales Vargas Llosa quiere exhibir toda la monstruosidad de la existencia del hombre.

Señalemos que este mal sexual continúa siendo para el escritor "el vehículo más eficaz y certero, el menos tramposo..." [10, p. 21] de la realidad. Si observamos una de sus últimas novelas, *Historia de Mayta*, cuando el narrador se encuentra frente al "verdadero" Mayta, asistimos al diálogo siguiente: "—El personaje de mi novela es maricón —le digo... —¿Y por qué? —pergunta, al fin. Me toma de sorpresa: ¿acaso lo sé? Pero improviso una explicación. —Para acentuar su marginalidad, su condición de hombre lleno de contradicciones. También, para mostrar los prejuicios que existen sobre este asunto entre quienes, supuestamente, quieren liberar a la sociedad de sus taras. Bueno, tampoco sé con exactitud por qué lo es" [11, p. 335]. Perpetuo signo de argumentación ideológica, el sexo pertenece siempre y todavía al dominio de sus fantasmas y de sus obsesiones.

Bibliografia

1   ROSSEMAN, C., FRIEDMAN, A. (Coord.). *Mario Vargas Llosa. Estudios críticos*. Madrid: Alhambra (col. "Estudios" 21), 1983. 231 pp.

2   VARGAS LLOSA, MARIO. *La Ciudad y los Perros*. Barcelona: Seix Barral (col. "Biblioteca Breve de bolsillo. Libros de enlace", 1), 1981. 394 pp.

3   VARGAS LLOSA, MARIO. *Conversación en La Catedral*. Barcelona: Seix Barral (col. "Nueva narrativa hispánica"), 1983. 669 pp.

4   GIACOMAN, H.F., OVIEDO, J.M. (eds.). *Homenaje de Mario Vargas Llosa. Variaciones interpretativas en torno a su obra*. Nueva York: Helmy F. Giacoman, José Miguel Oviedo (col. "Las Américas"), 1971. 412 pp.

5   PEREIRA, A. *La concepción literaria de Mario Vargas Llosa*.

México: Universidad Nacional Autónoma de México. Instituto de Investigaciones Filológicas. Centro de Estudios Literarios, 1981. 107 pp.

6   VARGAS LLOSA, MARIO. *La Novela* [México]: Fundación de cultura universitaria (col. "Cuadernos de literatura", 2), 1974. 28 pp.

7   VARGAS LLOSA, MARIO. *La Orgía perpetua. Flaubert y "Madame Bovary"*. Barcelona: Seix Barral (col. "Biblioteca Breve"), 1981. 227 pp.

8   EY, H. *Etudes psychiatriques. Aspects séméiologiques*. París: Desée de Bouwer et Cie, 1950.

9   VARGAS LLOSA, MARIO. *José María Arguedas, entre sapos y halcones*. Madrid: Cultura hispánica del Centro Iberoamericano de Cooperación, 1978. 46 pp.

10 BATAILLE, G. *La Tragedia de Gilles de Rais*. Pref. de Mario Vargas Llosa. Barcelona: Tusquets (col. "Serie Cotidiana", 6), 1983. 130 pp.

11 VARGAS LLOSA, MARIO. *Historia de Mayta*. Barcelona: Seix Barral (col. "Biblioteca Breve"), 1984. 346 pp.

SEXO Y LENGUAJE EN
PALINURO DE MÉXICO,
DE FERNANDO DEL PASO

Claude Fell
(Universidad de París III.
Sorbonne Nouvelle)

> *Toute caresse, qu'elle soit du corps ou du langage, est sacrée.*
>
> PAUL ELUARD

Palinuro, el protagonista central de la segunda novela de Fernando del Paso, *Palinuro de México* (1977), reconoce que su "obsesión constante" se refiere a "la muerte y las palabras, el sexo, la cultura, la fama". Uno de los presupuestos estéticos y poéticos del libro de del Paso, es que el cuerpo lleva en sí el universo y, en conexión con la tradición renacentista, el cuerpo se presenta como la imagen reducida pero perfecta del mundo. Aludiendo a uno de los encuentros eróticos de la novela, el narrador precisa: "Puso la mano en el cuello de la mujer y la deslizó dulcemente siguiendo la forma del pecho, del vientre, de los muslos, del universo" (p. 447)[1]. De la

---

[1] Las indicaciones de páginas remiten a la edición siguiente: FERNANDO DEL PASO, *Palinuro de México*. México, Editorial Joaquín Mortiz, 1980.

181

novela se desprende la idea de que ciertos discursos sobre el cuerpo —el discurso medical, por ejemplo— abren a la imaginación territorios desconocidos y fértiles, pero presentan el inconveniente de depararnos una imagen fragmentada del cuerpo y de despertar, como dice uno de los protagonistas, "la conciencia de nuestros límites y nuestra divisibilidad". En cambio, la literatura, según del Paso, actúa en un sentido unitario y cuando privilegia la representación de la sexualidad —como es el caso en varios capítulos de *Palinuro de México*—, es porque ésta significa a la vez descubrimiento y fusión.

A través del doble prisma transgredido por la medicina y la sexualidad, *Palinuro de México* impone lo que Bakhtine llama "una imagen grotesca del cuerpo", fundada en "la exageración" y "la hipérbole"[2]. Pero la novela de Fernando del Paso es también un "himno" dedicado al "amor loco" —entre Palinuro y su prima Estefanía—, en la más pura tradición surrealista, la exaltación de una belleza que sólo puede, como dice André Breton, "se dégager du sentiment poignante de la chose révèlée" y no puede ser captada "par les voies logiques ordinaires"[3]. Por otra parte, lo sexual se vincula indisolublemente en este libro con lo idiomático. Mediante la enunciación del acto sexual se instaura un nuevo código lingüístico, que corresponde también con una nueva manera de abarcar y "decir" el mundo. Utilizando una fórmula que parece recordar un precepto muy conocido de Alejo Carpentier, un personaje afirma: "Para que las cosas aparezcan, hay que nombrarlas" (p. 154), y podemos preguntarnos en qué medida ese "nombramiento" se inscribe en una estética *barroca* que, en

---

2 Mikhail Bakhtine, *L'oeuvre de François Rabelais et la culture populaire au Moyen-Age et sous la Renaissance*. Gallimard, "Tel", núm. 70, 1970. Ver el cap. VI: "L'image grotesque du corps chez Rabelais et ses sources", pp. 302-365.

3 André Breton, *L'amour fou*. Gallimard, "Folio", núm. 723, pp. 20-21.

distintas entrevistas, el mismo Fernando del Paso ha reivindicado como suya[4].

La imagen del cuerpo grotesco: la carnavalización del sexo

Fuera del amor pasión que comparte con su prima, Palinuro habla mucho de sexo con dos amigos suyos, estudiantes como él, Fabricio y Molkas. Entre los tres, arman ciertas bromas donde lo sexual adquiere una dimensión voluntariamente escandalosa, que forma parte del folclor estudiantil de las Facultades de Medicina. Lo cómico brota de un sinfín de juegos de palabras, de la desmesura en lo absurdo, de la acumulación de detalles disparatados, y del contraste entre lo chabacano de las situaciones y de los discursos (frente a Molkas, Palinuro decide "tomar con filosofía su vulgaridad —o su 'vulvaridad', como él mismo decía" [p. 301]), y la erudición científica, mitológica, artística que manifiestan los tres estudiantes ("Que no se diga que no somos cultos", exclaman [p. 453]).

La visión del cuerpo grotesco se organiza, según Bakhtine, alrededor de "la prédominance du principe de la vie matérielle et corporelle: images du corps, du manger et du boire, de la satisfaction des besoins naturels, de la vie sexuelle... De surcroît, ces images son outrées, hypertrophiées"[5]. A lo que parece, el libro de Fernando del Paso se inscribe en la tradición "rabelaisienne" —repetidamente, en el libro, se establece un paralelismo entre Pantagruel y Palinuro—, ya que los tres amigos se dedican a concursos (de pedos, de vergas, de emisiones de esperma, etc.) que

4 "Fernando del Paso entre lo sagrado, lo profano y lo intrascendente" (entrevista). *El Diario de Caracas*, 31 de julio de 1985, pp. 24-25.
5 M. BAKHTINE, *op. cit.*, p. 27.

originan verdaderos derroches metafóricos. Este proceso metafórico, del que se nutre la novela de del Paso, privilegia los órganos portadores de funciones nutritivas o sexuales (o las dos, muy a menudo asociadas: Molkas tiene erección sólo cuando bebe leche de mujer): la boca, el sexo, los pechos, el ano.

En doble homenaje a Quevedo y Bataille, del Paso inventa nuevas metáforas para el episodio del ojo en el ano (cap. V). A veces ciertos órganos llevan, como lo subraya Bakhtine, a propósito de Rabelais, "una vida independiente" que favorece la exaltación imaginativa. Así es que cuando Palinuro visita la "Casa de los enfermos" (cap. XVIII), una especie de hospital imaginario, tiene que pasar revista a una serie de monstruosidades sexuales: "En nuestros frascos —le dice el médico que le acompaña—, conservados en fenol, tenemos monstruos que superan todas las previsiones imaginativas" (p. 397-398); en la misma veta acumulativa se sitúa el concurso de verdad del capítulo titulado "La Priapíada": "Mi verga —dice Molkas— representa la degeneración del "Manierismo en estilo serpentinata" (p. 465). Sin embargo, en este brotar desenfrenado de imágenes priápicas, se deslizan de vez en cuando unas indirectas que refuerzan lo paródico del texto y de estas divagaciones aparentemente incontroladas: "Todo está cargado de simbolismo —admitió Fabricio, no sin cierta ternura—: algún día los psiquíatras descubrirán que el miembro viril es un símbolo fálico" (p. 460).

Palinuro de México instaura un blasón grotesco del cuerpo. El enaltecimiento clásico de la blancura marmórea del cuerpo del ser amado cobra aquí visos netamente paródicos. Si el cuerpo de Estefanía resulta tan blanco, es que Palinuro le untó minuciosamente la piel con su esperma: "Y mi prima quedó así, tiesa y blanca como un ángel de fibra de vidrio, almidonada y nívea como recién salida de la lavandería de un hospital. Y como embarazada, la pobre, un millón de veces al mismo tiempo: una por cada una de sus poros, una por cada uno de mis espermatozoides" (p. 77). Lo que cuenta es menor el "hacer" que el "decir", y numerosos episodios "eróticos" sólo se justifican por el hallazgo verbal en que culminan. Del Paso combina el efecto de acumulación y lo que podemos llamar, con Violette Morin, la "disjonction référentielle"[6], como en el ejemplo siguiente: "Los domingos hacíamos el amor religiosamente (...) Hacíamos el amor compulsivamente. Los hacíamos deliberadamente. Los hacíamos espontáneamente. Pero sobre todo, hacíamos el amor diariamente" (p. 200). Es en este juego adverbial, en el goce que disfruta el narrador frente a esos malabarismos verbales donde se reconoce la filiación "rabelaisienne" del libro.

El cuerpo grotesco es un cuerpo en expansión, en "desbordamiento" (para citar un término que se repite en la novela), un derramamiento. Es una fuerza de vida, de comunicación, de procreación. La esperma de Molkas es roja, colorea el blanco estéril del mundo, esparce su color vivificante que derrota "la alarma blanca y los gritos blancos y el asombro, el dolor, el pánico blancos". La sustancia que brota del cuerpo de Molkas purifica y modifica el mundo, "así como era, roja y blanca, blanca y rosa y azul y nevada y lactescente y ópalo, salpicando las alas violetas de los cuervos blancos, la boca rubia de los vinos rojos, los olvidos verdes de las niñas grises, el perfume azul de las rosas negras" (p. 320). Eso explica la proliferación en el libro de verbos como "inundar", "rebosar", "salpicar", "desbordarse", "brotar", "manchar", "teñir", etc. Lo sexual es factor de mutaciones narrativas constantes. En este libro tan permeado por la expresión plástica —y particularmente por el lenguaje pictórico— el sexo señala el advenimiento de una nueva estética narrativa.

---

6 Violette Morin, "L'histoire dröle". *Communication*, núm. 8. 1966, p. 118.

Jugar con lo escabroso ofrece también la oportunidad de poner en tela de juicio los tópicos de la literatura pornográfica. Palinuro reconoce que penetró a Estefanía con los instrumentos tradicionalmente utilizados por los "pervertidos": "cortineros, palos de escoba, zanahorias peludas y cañones de escopeta", pero añade: "Si la imaginación no va más allá (...) no llegará a tocar siquiera la punta de nuestras sábanas (...) porque yo penetré mil veces a Estefanía con cuchillos de alas de mariposas, con espolones de harina, con corazones de duendes y sombreros de almendras, con surtidores de abanicos y con los colmillos que en las noches de luna crecen en los lomos de las nubes en miniatura" (p. 324-325). Cualquier transcripción de prácticas sexuales tiene que dejar el campo libre a la imaginación, a la creación verbal, que es su verdadera justificación. La imaginación adhiere al principio de placer, según la famosa distinción freudinana, y no al principio de realidad, por la mera razón de que expresa la forma más alta de libertad que puede concebirse frente a un orden establecido. Más allá de los malabarismos verbales que remiten al cuerpo grotesco, *Palinuro de México* se presenta, pues, como un alegato contra lo que Marcuse llama "el principio de rendimiento", como un llamado a la libre expresión de la "pulsión erótica" y el regresar al instinto, a cierta "corporeidad" del lenguaje reivindicada, entre otros, por Octavio Paz[7], a lo que Marcuse define como "las bases eróticas de la civilización"[8].

7 Sobre Octavio Paz y el diálogo de los signos "cuerpo" y "no-cuerpo", cf. O. PAZ, *Conjunciones y disyunciones*. México, Joaquín Mortiz, 1969.
8 HERBERT MARCUSE, *Eros et civilisation*. París, Les Editions de Minuit, 1963, p. 114.

Esta fiesta es la de la plenitud, del tiempo detenido, de la inocencia, de la espontaneidad que excluye la vulgaridad. El amor físico está asociado al juego, a la extravagancia, a la abolición de lo prohibido: "Porque sólo por jugar, sólo porque sí, con inocencia y sin remordimientos y en las tardes de ocio y de grandeza, y unas veces porque yo lo quería y otras porque ella me lo pedía así, yo acostumbraba a penetrar a mi prima con los objetos más variados y legítimos que mi pensamiento pudo liberar" (p. 324). El adjetivo "legítimos" subraya la idea de que objetos concebidos para un papel definido adquieren en el contacto erótico y bajo la impulsión de un pensamiento "deseante" una función nueva. Se transforman en vectores del deseo.

Cuando el deseo no puede expresarse, el sujeto se hunde en la frustración, y el texto de del Paso cobra de pronto extraños acentos realistas, como cuando describe a Fabricio enfrentado con la concepción pecaminosa de la masturbación: "Y se quedó así, para no cometerlo, manco de las dos manos, desamparado, sumergido en los terrores que le traía la noche (...) y que le hacían despertarse un segundo antes del derrame, con el miembro henchido de hormigas de hierro, empapado de sudor y de remordimientos entre las sábanas, ardientes de tanto soñar que su cuerpo se incendiaba" (p. 139).

En *L'amour fou*, André Breton escribía: "L'amour réciproque, tel que le l'envisage, est un dispositif de miroirs qui me renvoient, sous les mille angles que peut prendre pour moi l'inconnu, l'image fidèle de celle que j'aime, toujour plus surprenante de divination de mon propre désir et plus douée de vie"[9]. En la misma perspectiva, Estefanía encarna la transposición poética del deseo de Palinuro, y repre-

---

[9] A. BRETON, *op. cit.*, p. 75.

senta una especie de contrapunto al universo de dolor y de muerte con el cual la medicina lo pone constantemente en contacto. Al cuerpo sufrido, disecado, fragmentado, se opone el cuerpo amante, disponible, acogedor, el de una mujer "luminosa como una amatista de dulce o un fresno parpadeante" (p. 86).

El amor "infinito" (pp. 140 y 141) que une a Palinuro y Estefanía, contamina el universo, que comienza a latir a su ritmo. Pero, mediante un balanceo que estructura constantemente la progresión del relato, a esta estética del amor unificador se opone la estética de la diseminación, de la muerte, de la fragilidad disimulada bajo la proliferación. Y precisamente, el barroco del libro de del Paso reside en esta oposición, destinada a abolir las líneas armoniosas de un clasicismo dominador pero superado. Palinuro define a Estefanía como "excelsa y celestial y absurda", y es ese último calificativo el que decide explicitar porque encierra una verdadera carga poética: "absurda como la leche negra de Celan o la nieve roja de Góngora, absurda como un demonio de malavisco o un ángel de carbón, un puente de aire o la oscuridad al rojo blanco, un buitre de hule-espuma o un lirio de excremento" (p. 87).

Acto sintético, el encuentro erótico rompe el aislamiento y borra la armonía algo pétrea de cuerpos marmóreos cuajados en su blancura y perfección, en la nitidez depurada de sus perfiles. El acto sexual hace comunicar exterior e interior, descubre vellos, sudaciones, excreciones, asimiladas a aperturas hacia un mundo desconocido, secreto, "maravilloso", hacia "lo misterioso y lo prodigioso" (p. 271), hacia "el interior pleno" (p. 270). Paralelamente, el acto carnal obra como un proceso de difracción del ser humano, en la medida en que es "la prolongación de una misma imagen"; hacer el amor equivale a instaurar "una metáfora repetida hasta el infarto y hasta el infinito". Por eso, en *Palinuro de México*, sexualidad y literatura aparecen íntimamente ligadas.

El acto de amor desemboca naturalmente en un acto literario, que lo remata y lo prolonga: después del amor, Palinuro ofrece a su prima un "ramillete" de rosas tomadas de innumerables obras de la literatura universal: "las rosas místicas de Rubén Darío, la rosa más secreta e inviolada de Yeats y la rosa de ayer de Omar Khayyam" (p. 624).

Además, este amor no se satisface con ser "dicho", tiene que escribirse, y Estefanía empieza a redactar el relato de su propia vida y la de Palinuro, por desafío, porque se les reprocha lo reiterativo, lo ritual, de sus existencias, "que transcurrían en una serie de etapas casi inevitables; hacíamos el amor, nos disgustábamos o nos reconciliábamos con los objetos; nos peleábamos; teníamos un sueño; creábamos un juego; el juego hacía crisis y de la crisis nacía otro juego; nos contentábamos después, soñábamos y volvíamos a hacer el amor" (p. 624). Detrás de esta frase anodina, se esconde el programa narrativo de la novela de Fernando del Paso, un programa que se desarrollaría según las modalidades de un proyecto neosurrealista: erotismo, animación de objetos y de las cosas, alteración como acto de palabra creadora (en la medida en que se dicen cosas "inéditas" sobre el otro), juego como apuesta a lo desconocido e instauración de una relación de "azar" con la realidad, y de nuevo el sexo. La enumeración se abre y se cierra sobre la alusión a relaciones sexuales, como si fueran el punto de partida y la meta de cualquier acto creador.

El libro de Estefanía, que se llamará sucesivamente *Los ojos azules de la Plaza de Santo Domingo, Las plazas azules de los ojos de Santo Domingo, Los Domingos azules de los ojos de la Santa Plaza,* suscita violentos reparos por parte de un amigo de la pareja: "Criticó también el sinnúmero de veces que aparecían en el manuscrito ciertas palabras gruesas, así como las múltiples referencias a nuestros órganos genitales y a nuestras necesidades fisiológicas". Mediante estas reservas y críticas, Fernando del Paso plantea, por protagonista interpuesto, el problema del alcance de cualquier creación literaria, ya que, como lo subraya Palinuro/del Paso, el libro maneja conceptos mucho más comprometedores y peligrosos para futuros lectores: "A cambio de ello, no hizo ningún comentario sobre las muchas veces que Estefanía escribió palabras como "mundo", "Dios", "universo", "arcoiris", "ángeles" y "amor" (p. 625).

En el contexto de una literatura mexicana tan escasamente abierta a lo sexual, *Palinuro de México* abre territorios nuevos. Además, el libro de Estefanía (como el de del Paso) no lleva fechas, todo parece repetirse en una especie de presente absoluto: el erotismo —es lo que lo distingue de la pornografía— tiene vocación a lo intemporal, desprende a la literatura de lo contingente. Una breve anécdota permite aclarar los resortes de la creación, tal como la concibe del Paso. Mientras el censor se enfrasca en la contemplación de una "mariposa moribunda" o de una "hoja seca" caída entre las cuartillas del manuscrito, Estefanía y Palinuro juegan a "ensalivarse", lo que le permite a Palinuro "encontrar una relación entre los puentes de [su] cuerpo y cosas que estaban fuera de [él] y eran ajenas a [su] epidermis" (p. 626). El erotismo sirve el proyecto creativo del libro: por una parte, encontrar relaciones nuevas, inéditas, entre objetos, seres, comportamientos aparentemente inconexos e incompatibles; por otra, inventar nuevas imágenes y metáforas, que constituirán el motor de la enunciación de una realidad nueva, confirmando por consiguiente la abolición de cualquier "superstición que le prohibiera interrumpir el juego o desconfiar del desorden. Pero no había deslealtad, ninguna contradicción, que deslindara lo cotidiano de lo insólito" (p. 284).

La erotización desestabiliza las normas y al mismo tiempo ofrece bases nuevas a la creación literaria, lo que se traduce aquí por un estatuto incierto del relato y del discurso, como en los libros de Lautréamont, el uno interfiriendo con el otro. "Una vez más —nota Palinuro— nos habíamos dejado arrastrar por el artificio y la obsesion de llevar todo a un extremo donde la magia y las artes combinatorias no se permiten ya más (...) Uno no puede salir a comprar una manzana o una rosa, y regresar con ciento". Cualquier limitación a esta exacerbación del artificio aparece como una amputación de la conciencia. Palinuro y Estefanía se preguntan si tienen que "contentarse con una pizca de omnisciencia" y, por ende, restringir y contrarrestar sus deseos: "Pero a cambio de ello nunca volveríamos a gozar de un orgasmo completo, ya que sentiríamos sólo las primeras mitades y tendríamos que guardar las otras para la noche del futuro en que abjuráramos nuestra promesa y pudiéramos amarnos con algo más que medios besos y centésimas de caricias" (p. 629).

En *Palinuro de México*, la novela es un cuerpo y el cuerpo es la novela; abolir el orgasmo o su expresión, es trabar la escritura, agotar el brotar de esta prosa que podemos calificar —utilizando un término creado por Severo Sarduy— de "neobarroca"[10]: "No —precisa Fernando del Paso—, el escritor no es una especie de médico ante un cuerpo vivo, porque no tiene que curarle a la escritura. Ni un cirujano, que es el que interviene cuando la medicina falla. Ni un forense, porque el escritor es el demiurgo, el que crea y da vida a ese cuerpo siempre vivo que es la novela —y vivas están todas, hasta las malas y las peores—. En cambio, muchos críticos y estudiantes y maestros de literatura asumen, quisieran asumir una actitud de forenses ante las obras literarias".

---

10 SEVERO SARDUY, "El barroco y el neobarroco". *América Latina en su literatura*. UNESCO/Siglo XXI, 1972, pp. 167-184.

Le reconstitución de este amor loco, "infinito", obliga al lenguaje a erotizarse, o sea, a cambiar de naturaleza; los objetos encuentran su justificación en el amor, y recíprocamente: "Queríamos tanto a nuestro cuarto, que lo considerábamos como un ser vivo" (p. 121). El estado amoroso permite volver a encontrar cierta inocencia del lenguaje y limpiarlo de palabras-escorias gastadas por el uso cotidiano. Dicho de otro modo, el amor reordena el mundo mediante el lenguaje, a través del proceso de volver a nombrar todos los objetos del mundo. La novela se asimila, pues, a un proceso de transformación del mundo existente, por lo cual es también, en sí misma, un mundo entero, diverso y separado del contexto en que nació.

El paroxismo erótico da su verdadero peso a las palabras. El lenguaje del amor físico se afirma como una totalidad, cuyas variaciones podrían asimilarse a las distintas lenguas. Lo demuestra un texto sabroso: "Tuvimos que hacer el amor en silencio, y nos limitamos a comunicarnos tan sólo con el lenguaje de nuestras lágrimas, nuestros besos y caricias, nuestros eructos y nuestros gestos, sin decirnos una sola cosa ni en español ni en ningún otro idioma. Pero a cambio de esto, y para que mi prima viera que en efecto yo hablaba un lenguaje más vivo y más de una lengua muerta, un día la besé en francés. Ella se limitó a bostezar en sueco. Yo la odié un poco en inglés y le hice un ademán obsceno en italiano. Ella fue al baño y dio un portazo en ruso. Cuando salió, yo le guiñé un ojo en chino y ella me sacó la lengua en sánscrito. Acabamos haciendo el amor en esperanto" (p. 148-149).

A imagen del cuerpo —que la sexualidad obliga a abrirse y a descubrirse—, el lenguaje tendrá en adelante que amoldarse a la fantasía, a los caprichos, a los deseos de los locutores. A partir del doble presupuesto de que, por una parte, "estamos hechos de palabras, y las cosas también", y, por otra, que las palabras sólo tienen de vez en cuanto el sentido que pretendemos darles, Estefanía y Palinuro deciden "no permitir nunca más el embrujamiento de [su] inteligencia por medio del lenguaje" (p. 149). En particular, niegan a las palabras cualquier valor simbólico, "aunque esto equivaliera a regresar a la infancia misma de la especie humana y no sólo retornan a nuestra propia infancia, en la que creíamos que los paraguas podían cerrar las alas y dormir, las cucharas ponerse tristes por la muerte de la azucarera y los libros leer a otros libros o ponerse frente al espejo y leerse a ellos mismos al revés" (p. 149).

Un nuevo sistema de signos se constituye, en un contexto fuertemente sexualizado y marcado por un humor desmitificador. El *Palinuro* se impone un verdadero lenguaje del cuerpo, funcionando a partir de la transposición de la gestualidad sexual y de una acumulación desenfrenada de neologismos ("huesoteca", "basuroteca", "la sifilización occidental", el "bebiculum vitae""); Molkas establece equivalencias entre "orquídea" y "orquitis", "penicilina" y "pene", etc. Ahora bien, el neologismo, esta "gramática jocosa" de la habla Bakhtine, es, según lo que afirma Barthes[11], un "acto erótico": toda invención de palabra nueva representa un afán —evidente en el libro de Fernando del Paso— por hacer decir a la lengua más de lo que quiere y puede decir. Cuanto más que se repite en la novela la idea de que el lenguaje corriente oprime al hombre en vez de estar a su servicio. A propósito de una riña entre los dos, afirma Estefanía: "Nosotros no nos dijimos cosas feas... Fueron ellas las que nos dijeron a nosotros" (p. 624). El lenguaje que usamos padece de agotamiento e inadecuación. Pero Fernando del Paso no saca de es-

---

[11] Roland Barthes, *Sade, Fourier, Loyola.* Editions du Seuil, 1971, p. 87.

ta constatación las conclusiones pesimistas de un Beckett o de un Borges; se reúne más bien con Joyce, para quien lo arbitrario del lenguaje es fuente de poesía y libertad. El lenguaje nombra, pues crea. Pero el único lenguaje creador es el de la literatura, como lo afirma Walter, el primo de Palinuro: "Nadie aprende nunca lo que es mamá y el color verde hasta que no se aprende la palabra *mamá* y la palabra *verde*. La literatura comienza —al menos la clase de literatura que a mí me interesa— cuando decimos *mamá verde*" (p. 520).

Palinuro de México reivindica su condición de "mundo de palabras", construido a partir de lo que Caillois llama, a propósito del trabajo de los surrealistas sobre la lengua, "des grilles d'analogies"[12]. La obra de Fernando del Paso abre, como lo nota Marco Antonio Montes de Oca, una doble perspectiva: "el itinerario del conocimiento que es la cultura histórica, y el conocimiento mismo arrancado de la experiencia convergente del amor, el sexo y la muerte"[13]. Detrás de las metáforas sexuales se perfila una representación del mundo y una concepción de la literatura. Un protagonista sostiene que la única manera de abarcar a la ciudad de México consiste en asimilarla a un cuerpo. El cuerpo es el mundo, y la sexualidad inscribe en él figuras, figuraciones, motivos que sólo la literatura puede descifrar, interpretar y enaltecer.

---

12 Roger Caillois, *Cases d'un échiquier*. Gallimard, 1970, p. 218.

13 Marco Antonio Montes de Oca, "*Palinuro de México*, de Fernando del Paso". *Vuelta* (México), núm. 40, marzo 1980, p. 44.

NO TE BAÑES, AMOR
Escritura y sexualidad: cuestión de olfato

Dorita Nouhaud
(Universidad de Limoges)

*Comme d'autres esprits vaguent sur la musique,
Le mien, à mon amour, nage sur ton parfum*
CHARLES BAUDELAIRE

Con razón se ha dicho que impenetrables eran los caminos por donde nos lleva el Señor. Resulta que cuando recibí la invitación del Centro de Investigaciones en Literatura latinoamericana de Poitiers para participar en un coloquio sobre "literatura y sexualidad", se me antojó que escritura venía de todos modos con mayúscula y sin pensarlo dos veces metí las narices en en *Libro de Daniel* que cuenta de Susana y de dos viejos jueces lujuriosos.

> Dijo pues Susana a sus doncellas: traedme el aceite y los perfumes, y cerrad las puertas del jardín, pues quiero bañarme. Hiciéronlo como lo mandaba, y cerraron las puertas del jardín; y salieron por una puerta excusada para traer lo que había pedido, sin saber ellas que los viejos estaba dentro escondidos.
> Así que se hubieron ido las criadas, salieron los dos viejos y

195

corriendo hacia ella le dijeron: "No te bañes, amor, que necesito olerte".

Espontánea y equivocadamente venían encajando los versos del poeta colombiano Darío Lemos con el harto conocido texto de Daniel en el que los susodichos viejos farfullan en versículos hebraicos, por supuesto, no en lírica castellana:

corriendo hacia ella le dijeron: "Mira, las puertas del jardín están cerradas, nadie nos ve y nosotros estamos enamorados de ti; condesciende, pues, con nosotros, y cede a nuestros deseos".

Pero, pensándolo bien, no andaba yo tan descarriada en el jardín de citaciones por donde me guiaba el olfato, siendo éste condición máxima en materia de investigación. Pues sí, cabe preguntarse por qué se aceleraron los dos perversos en asediar a Susana con sus seniles requiebros sin darle tiempo siquiera a quitarse los bíblicos trapos que llevaba puestos. La tradición iconográfica suele representar a Susana desnuda e incluso metida en el agua hasta la pantorrilla, pero al respecto fueron los pintores los que se aceleraron interpretando —que no pocos se entusiasmaron con el tema, Veronés, Rembrandt, Rubens, Mieris, y no les cuento de Tintoretto, que sentó a la casta más bien pierniabierta frente al espejo— digo que los muy pendejos pusieron en sus lienzos lo que no venía en la Escritura porque más les importaba la exaltación de los encantos de la modelo que la reprehensión de la lujuria de los jueces, entonces, puestos a pintar, mejor pintar a Susana desnuda, cosa que a mí desde luego me parece bien. Pero vuelvo y repito que por qué, en el Libro de Daniel, no aprovecharon los muy lúbricos la inesperada oportunidad de contemplar a Susana desnuda. Que porque carecían de vocación contemplativa sería apelar a un determinismo óptico de mal gusto, que porque pronto iban a regresar las criadas, al determinismo casero también censurable a estas alturas. Yo creo que con sus prisas pretendían los viejos conjurar el peligro que Darío Lemos expresaría milenios después: que en el baño fuera a perder la señora su perfume *di donna*:

> No te bañes, amor, que necesito olerte.
> Ya no serías tú, sería el agua.
> Se parecen, pero no admito.
> (Soy basto y no morboso.)
>
> *Sinfonías para máquina de escribir*

Por antojos anatómicos de la naturaleza, la fisiología del olfato calca o recalca la del gusto. La lengua francesa, siempre melindrosa y amiga de escabullimientos metafóricas, propone en su dieta amatoria "manger une femme a baisers" a guisa de —y no en guiso— mero entremés, cuando la lengua castellana, especialmente en América, con mayor congruencia reúne los sentidos de "baiser" y "manger" én el verbo "comer" que significa muy precisamente lo que hubieran querido hacerle los viejos a Susana antes de que se bañara. Inauditos, poéticos y a veces hasta escalofriantes efectos surtieron algunos escritores a partir de tales contigüedades anatomicosemánticas. Digo que escalofriantes como es el caso de *Torotumbo* de Miguel Angel Asturias, cuando el señor Estanislao, hemorrioso alquilador de disfraces, se apresta a violar a Natividad Quintuche, una niña de siete añitos.

> Le besuqueó las orejas, le lengüeteó la nuca, oliéndola como si ya se la fuera a comer (...) Ahora ya la mordía, ya se la empezaba a comer, no sin hurgarle las piernecitas bajo la ropa, como si tanteara empezar a devorarla por allí (...) el sexo sin vello, meado, caliente olor a orines que le quemó las narices como una llamarada de espinas.

El texto opera complejamente a partir del distanciamiento básico "como si":

1) *comer* se da en sentido propio, pues la niña Natividad ve al señor Estanislao como a un ogro que se apresta a devorarla viva; la descripción de libidinosas caricias metaforiza este primer sentido, y finalmente *comer*, que sin embargo nunca viene abiertamente en el texto con sentido sexualmente traslaticio, es metáfora de este mismo significado. Metáfora envuelta en metáfora, si se quiere.

2) en el sentido propio que le da Natividad, *comer* connota *dolor*; en el sentido traslaticio del señor Estanislao, *comer* denota *olor*; eufónicamente *olor* y *dolor* se atraen. Tan así es que después de la violación, buscando ropa para poner en orden su persona, el señor Estanislao se pilla la mano en un cajón y dice el texto:

> Por poco se quiebra los dedos que se llevó instintivamente a la boca *para chuparse el dolor*. Conservaba *en las uñas el olor* de la pequeña.

Volvamos al final de la primera citación para ver de qué forma combina la escritura sexo, olfato y orina para crear una mitología erótica peculiarmente asturiana: "el sexo sin vello, meado, caliente olor a orines que le quemó las narices como una llamarada de espinas". Esta misma imagen convoca pertinazmente todo tipo de locura, y especialmente la calentura sexual, solterona lujuria del señor Estanislao y locura etílica de la Mulata asexuada que, en *Mulata de tal*, "se emborrachaba noche a noche, expuesta a una llama interior que al respirar la enloquecía", locura mágica de Calistro en *Hombres de maíz*, locura genésica de Cuculcán en "Segunda Cortina Negra" de la obra ya citada, todas ellas, imágenes de ignición. En cuanto a la orina, y nótese de paso su papel en la medicina indígena, puede decirse que es aquí la micción la única circunstancia en la que el sexo es una función sin dejar de ser una gracia. Y si no, véase el riíto amoniacado meado por un chamán, que se transforma en liana/serpiente, o las secretas revelaciones de las meadas a los Bacinicarios, "aquéllos que se fueron a la tumba sin revelar lo que oían, olían y sabían (...) ya que en el ruido cabía, según cábalas normandas, conocer si la prometida era virgen o si la 'goda' que se hacía pasar por noble, por la copiosidad de sus lluvias se conocía que era una advenediza" (*Mulata de tal*), o los luminosos sembrados por los cometas cuando cruzan el cielo orinándose de risa (*Tres de cuatro Soles*), o los secretos trucos de Nana Hollín, pero esto apenas si es ya una gracia:

> ¡Ji! ¡Ji!, su secreto. Mantener con hambre a los perros y huntarse restos de comida en el cuerpo, en todo el cuerpo, para que la lengüetearan unos las tetas, otros el vientre, otros las piernas, otros las nalgas, otros la espalda y los más rijosos, las partes, salpicándola de orines, los bermejos sexos de fuera, entre devorada y besada.

En lo que al sexo masculino atañe, no desconozco que entre las generales representaciones fálicas ocupa espacio privilegiado la nariz, especie desde luego ya muy sin gracia de tan señalado, pero conste que si el apéndice nasal obra en cuanto que significante en el simbolismo de la líbido, no siempre es puntal del erotismo literario. En cambio, en la escritura asturiana el órgano del sensualísimo sentido del olfato señala siempre un reciprocar metaforizado, siendo "respirar" un habitual sinónimo de copular, como lo declara esta frase de *Leyendas de Guatemala*: "en luna creciente, tuvo respiración de mujer bajo su pecho". Tomada del mismo libro, connota algo parecido la jubilosa exclamación de Cuculcán, Poderoso del Cielo en "Cuculcán, Serpiente envuelta en plumas", "mis narices al oriente, al oriente el sentido de mi olfato para que entre los cabellos de la lluvia vaya mi aguja con dos ojos enhebrada a un solo aliento" pero también es de notar que se inicia una nueva variación de la imagen fálica, entre aguja y pico, llegando, en ocasiones, a espina y pedernal. Perforar, horadar, siempre herir, son verbos eminentemente asturianos, cultural y eróticamente sugerentes, de ritos agrarios y sexuales. De ahí que picaflor, colibrí, chupamiel, en la obra de Asturias entrañen el simbolismo sexual que les concedían las culturas prehispánicas, enlazando así, con el motivo poético del pájaro tropical de insinuante pico y nombre fino, obras aparentemente dispares como "Cuculcán, Serpiente envuelta en plumas", *Claravigilia primaveral, Mulata de tal* y *Torotumbo* (*Week-end en Guatemala*). Pondré tres ejemplos:

> —¡Las rosas se han levantado, sin las espinas en los pies de las hojas, vuelven los chupamieles sin sus picos de espina (...)!
>
> —¡Di, por qué, Colibrí, no la perforaste tú con tu dardo de amor, de chupamiel, de picaflor? ¡Di, por qué, Colibrí?
> —¡Di, por qué, Zarespino, no la perforaste tú con tus espinas calcinantes? ¡Di, por qué, Zarespino?
>
> —¿Si te lo devuelven (el sexo) empapado en sangre de colibrí, lo recibirás?
> —¡Lo recibiré estremecida como mujer estéril que llora al sentirse herida por la sangre del colibrí!

La primera citación la tomo de "Cuculcán" (*Leyendas de Guatemala*), la segunda de *Torotumbo*, el planto por Natividad Quintuche vestida de angelito para volar al cielo; la tercera de *Mulata de tal*, el planto de la mulata que está barriendo con escoba mágica el ruido de sus lamentaciones sobre el sexo que le robara una rival. Todo ello sin que el pasar de una obra a otro conlleve solución de continuidad en el sexo a sexo, vale decir, en esa organización metafórica en torno a la flor, sea ésta Yaí, Flor Amarilla que Cuculcán huele de noche, la "plorcita" que le quitó el Diablo a Natividad Quintuche, la viva flor de la mulata que, cual rojo clavel lleva en el ojal la Huasanga, enana robasexos. El hábito lingüístico de los mayas de igualar en el mismo nombre *nicte*, la Flor de Mayo, (*plumería*) y el sexo femenino, inspiró a Asturias bellísimas imágenes sobre la realidad fragante de la mujer: "hasta muy lejos se derramaba su olor de jardín con sobaco y sexo", canta, en "Cuculcán", el Maestro de los Cantos de Vigilia; "aquél (...) es el dueño de nuestro olor —interrumpían las doncellas—", señalando a su prometido entre los guerreros ("Leyenda del Tesoro del Lugar Florido"). Todo ello muy poético, muy mítico, muy metafórico y muy todo lo que se quiera, pero eso sí, constante, profunda e incuestionablemente involucrado en la imaginativa sensorial, o sea, la sensualidad del escritor. Miguel Angel Asturias hubiera podido dar por suyo el testamento literario de su amigo Pablo Neruda: "Confieso que he vivido".

No así Darío Lemos, un Arthur Rimbaud y a la vez Antonin Artaud colombiano, que en julio de 1984, meses antes de morir sin alcanzar los cuarenta y cinco años, escribía a la mujer amada:

> No fuiste mi madre porque no me amas desde ese útero, porque no me nutres con tus pechos cerrados como campos de concentración. No eres mi madre pero yo soy el hijo que nunca quisiste tener y que tuviste.
> Si en ese marzo negro esa señora asesina no me hubiera causado todo esto, posiblemente estuviera iluminando el templo escondido de tu vulvita abstracta, expulsando a este mundo a un poeta, para que no naciera como nací yo, muerto.
> Sé la madre de mi nueva muerte. Páreme nuevamente, no a la luz, sino a la sombra.

A manera de posdata vienen cuatro versos, los cuatro versos ya citados: "No te bañes, amor, que necesito olerte. / Ya no serías tú, sería el agua. / Se parecen, pero no admito. / (Soy basto y no morboso)". A estas alturas, ya había dejado el poeta, en sucesivos quirófanos, los miembros inferiores y parte de las vísceras (Ya ni siquiera necesitaba sillita de ruedas porque no tenía cuerpo), en sanatorios psiquiátricos parte de la salud mental, ostentando su boca desdentada un solo diente, "para reírse de sí mismo" decía su amigo el poeta Eduardo Escobar. Y como riéndose precisamente de sí mismo trovaba a guisa de negrísimo chiste: "yo tengo brazos para orinar tranquilamente". *Tranquilamente*, sí: porque por lo menos en ese suyo menester se veía libre de enfermeras, pero sobre todo porque se sentía ya libre de inquietudes sexuales. Como decir que el sexo no le servía sino para orinar. Años atrás, en "Sinfonía número seis para máquina de escribir" era otro el adverbio que exaltaba las arrebatadas turgencias: "orinaba para tener *fuerte* entre los dedos lo que te ahogó de música". Pero transcurridos veinte años de frenética drogadicción, al muchacho cuya belleza física había sido reclamo para atrapar mujeres y que en un poema en forma de insolente autorretrato pregonaba "se derriten de deseos bajo este sol tropical porque yo cobro las miradas y los besos a precios muy altos y generalmente en dólares", el deterioro físico le sugería un inesperadamente místico balance: "mi sexo está en mi espíritu como un ángel de tiza. Quisiera permanecer aquí sin fricción con otras carnes. Todos los deseos esperando en el cerebro". Así se entiende el atrevido traslado metafórico de una secreción a otras: "orinar lágrimas de amarillenta pus". El adjetivo "amarillenta" apunta mucho más allá que a repulsivas denotaciones cromáticas en lo que al pus interesa: como se entiende por su color solar, la orina, el pus, todo aquello que emana del cuerpo —mejor sería decir que lo dimana— posee la perfección orgánica del Poeta, de esencia solar: en "Sinfonía número diez para máquina de escribir", Darío Lemos se cita con otro loco de lo amarillo: "Sugiero a Van Gogh un encuentro con el Sol en lo amarillo", y titula "Salida del Sol" el poema en que celebra su salida de la cárcel. Digo que todas las cosas del Poeta se bañan en lo amarillo, incluidos sus afectos, razón por la cual no deja de ser doloroso y sobre todo peligroso el color divino ("Amarillo peligro" se titula un poema):

Pero la niña amarilla llegó en junio (...) Mi advenimiento a las pecas fue motivado por narices levantadas apuntando al cielo. Pero ella creció y los ángeles turbados encendieron marihuana que sabía a Sol. Estas heridas son el testimonio. Y este espíritu que brinca como una oveja y bala por mi rostro de ferrocarril de carbón, es testimonio claro de que el color amarillo en niña, en crepúsculo, en lienzo, en cáscara de mandarina es peligroso (...) Amarilla que me lanzaste a los sanatorios mentales, a las cárceles y a las ciudades donde soy el fugitivo notorio porque crecieron florecientes las alas (...) deja tu trasero dorado en esa montaña donde fue llevado siempre moviente y oloroso a pulpa de babano.

Puma le decían a la niña efélide que, si bien por breves años, llegó a ser la esposa del poeta y la madre de Boris, el "Rey de Oros". Y Puma, los nombres enteran; en la biografía y la escritura difiere por completo de Angélica. Aquella, "hembra amarilla de senos y vulva extensos como un idioma", en pasado ("yo recorría", "nos bañábamos") es protagonista y promotora libidinal de baños metafóricos en la escritura pero, eso sí, muy concretos en cama:

> yo como viajero que busca las profundidades
> recorría el territorio de tu cuerpo
> con la fuerza de una noria,
> como buzo que se desespera
> cuando tropieza con las montañas del fondo.
> Nos bañábamos en el lecho como dioses de balso.

A Angélica, mero recuerdo, en presente, de una "piel color mortiño, color de uva que nunca se consume", el consumido poeta ofrece retóricamente, o sea, sólo en forma de figura, compartir la sensación oceánica que lo invade cuando "viaja" estando marihuano: "Te invito a ese jugo jugoso y juguetón. Zambúllete en mi viaje, acércate a mi nada". Pero aún más interesantes que la optativa aventura son los deslices metafóricos que le ayudan al poeta, quizás inconscientemente, evitar la "catástrofe" que en su cuerpo provocan los recuerdos: "llegaré caminando con mis alas, que nunca serán piernas, hasta tu apartamento donde bulle el olor de tus jugos más íntimos, el olor de tus cejas calcadas en un arco sin flecha". Ya tuvimos la oportunidad, con el desliz orina/lágrimas, de advertir una propensión edéitica a la ascensión somática como voluntad de escape lejos del sexo hacia el cerebro. Se repite el proceso con "olor de tus jugos" / "olor de tus cejas", quedando desautorizada la nariz/flecha, a la vez que en su realidad orgánica propiaciadora de erotismo, en su acostumbrada habilidad de símbolo sexual. Felizmente, cuando no hay nariz porque no hay olfato porque no hay sexo, hay escritura. Esta, de pleno en su papel compensatorio, recupera no por supuesto los sentidos, olfato y gusto, sino los verbos deícticos oler y comer, invirtiéndolos optativa e irreverentemente en un sistema eucarístico en el que, no pudiendo él "comer", el poeta propone ser comido:

> ¡Huéleme y sábeme! Con un poco de mostaza y pimienta mi corazón será más digerible, y mis miembros atrofiados serán deliciosos como ancas de ranas, rociándolos con ese vino "Leche de Mujer Amada (...)"

Más de una vez se impone, en poemas o en cartas, la sacrílega aproximación "comer"/hostia, a partir de un lejano recuerdo, reactualizado por la obsesa escritura, de un suceso de los años mozos del poeta que con un grupo de amigos nadaístas entraron a profanar las sagradas formas en la Catedral Metropolitana de Medellín durante la misa; y dizque a Darío Lemos, que pisoteaba una hostia en el atrio, le propinó un cura, español por si fuera poco, un golpe en el costado con un Cristo de plata.

> el estallido
> brutal de las uñas contra el sexo
>   ("Sinfonía número seis para máquina de escribi

uñas nerviosas, comidas como si fueran hostias, llenas de milagros.

(Carta a Angelita)

Como una magnífica glosa de la relación inte-
raccional entre sexualidad y escritura, sigue así la
"Carta a Angelita": "Mis poemas también serán comibles; no te enfermarás en el estómago, sino *aquí* en
el cerebro". Cabe valorar el deíctico espacial en donde inesperadamente se ubican, pese al imperialismo
lingüístico, el poeta y todas sus cosas, su sexo muerto y su lejano amor.

Entonces, poemas comibles, escritura erótica:
bon appétit, messieurs!

Z/Z

Bernard McGuirk
(Universidad de Nottingham)

Un eco... empiezo con un eco. El primero de muchos ecos. Cualquier resonancia dentro de este análisis de "Emma Zunz" de Borges será, tiene que ser, incompleta; apenas una reminiscencia de *S/Z*. *S/Z* es tal vez el más tajante asedio de Roland Barthes contra la re-presentación... y, sin embargo, preguntaré *¿Qué* representa "Emma Zunz"? Y más aún, *¿Cómo* representa? La respuesta a la pregunta "¿Qué?" debe ser plural siempre, siempre una diferida corrsepondencia con los "mundos reales", con "las realidades" a partir de las cuales es construida. Y la respuesta a la pregunta "¿Cómo?" revelará que las estructuras narrativa, semántica y psicológica del cuento son un entramado de estrategias convencionales de significación. Como en el caso de *S/Z* y "Sarrasine", mi "Z/Z" sólo puede situar "Emma Zunz" como un texto que difiere la misma realidad que toca.

No necesito recordarles, recordaos, que, para Roland Barthes, las estrategias discursivas particulares de cualquier narración son los "trazos" o "códigos" que la atraviesan. Estos códigos o voces "culturales" no pertenecen a nadie, sino que funcionan como principios impersonales de estructuración y son constantemente re-iniciados y revitalizados por prácticas creativas de lectura. Por esta razón, entonces, y a pesar de lo improbable de mi elección, en el contexto de este coloquio sobre "Escritura y sexualidad en la literatura hispanoamericana", de un texto de Borges —dos entidades mutuamente excluyentes en la opinión de muchos críticos—, os invito a escuchar, provisionalmente, la descarga de algunas voces culturales, que hacen eco desde dentro de "Emma Zunz" —voces que son hispanoamericanas y sexuales, y a muchas voces más.

El inconsciente político

Antes de examinar los modos de diferimiento, o estrategias textuales, puede considerarse brevemente el contexto argentino de un enclave judío situado, y sitiado, dentro de la cultura bonaerense predominantemente católica de los años 20. La especificidad socio-cultural de un drama judío desarrollándose dentro de las estructuras más amplias de la sociedad capitalista, en su fase de creciente industrialización, es innegable. El texto de Borges, notoriamente "formalista" y muy a menudo considerado poco apto al análisis ideológico ofrece, sin embargo, muchos "huecos" que el lector puede llenar con lecturas políticas. Sea cual sea la motivación de Emma, el escenario de su "acción decisiva es la fábrica, usurpada por un negociante de textiles a quien ella enreda y mata —dentro de las maquinaciones de una huelga— aun declarándose, "como siempre, contra toda violencia". En cierto sentido, Emma usa la huelga como pretexto y pre-texto; es decir, que su acto de violencia personal esconde e inscribe, a la vez, roles y motivos que van mucho más allá del deseo de venganza de "la obrera Zunz". Aunque el texto empieza y termina con *El capital* —desde un desfalco hasta una coartada (que se aprovecha) de la explotación de una obrera por su patrón; desde "dinero roto" hasta los cálculos de un avaro— "Emma Zunz", *como texto*, nunca se limita a la base económica que afirma; es un cuento (¿y una cuenta?) que resiste siempre la clausura.

No es suficiente, sin embargo, mostrar los mecanismos a través de los cuales el texto apunta, inicialmente, a "un mundo real" antes de "volverse trascendental":

> Rorty y los marxistas están extrañamente unidos en condenar lo que consideran como la tendencia de la deconstrucción a "volverse trascendental" ("going transcendental")... al contrario, sólo la preservación de este momento de crítica epistemológica posibilita que la filosofía (o teoría literaria) mantenga su tajante radicalidad.
>
> (Christopher Norris, *Contest of Faculties*, p. 10)

Así, pues, aun Frederic Jameson —a pesar de su propio imperativo "¡Siempre historiZar!" ("Always historicize!")—acepta la dificultad de acceder al "significado reflexivo" de Borges. Describe "la clásica ansiedad de los intelectuales ante su estatus 'flotante' y su falta de enlaces orgánicos con una u otra de las clases sociales fundamentales: este significado reflexivo queda explícito en Sartre, pero implícito en escritores como Conrad o Borges" (Jameson, *The Political Unconscious*, p. 258). La palabra clave, aquí, es "implícito", lo que exige una "lectura sintomática" del tipo propuesto por Pierre Macherey:

> ... siempre encontramos, al margen del texto, el lenguaje de la ideología, momentáneamente oculto, pero elocuente por su ausencia misma [como tal] en la obra de Borges, donde el *mito de leer* tiene que ser interpretado más bien que tomado literalmente, y donde el problema de la escritura se plantea independiente, si bien antes que el problema de la lectura.
>
> (Macherey, *Pour une Théorie de la Production Littéraire*, pp. 75 y 163)

"El mito de leer" puede ejemplificarse, en "Emma Zunz", en la resistencia del texto al "compromiso" histórico. A pesar de la especificidad del escenario bonaerense de los años 20, se presenta un narrador poco confiable quien conduce al lector hacia *des*-historización textual en la frase "en aquel tiempo fuera del tiempo..." En el proceso, el lector es invitado a "mitificar", a leer y a aceptar una *ir*realidad:

> Referir con alguna realidad los hechos de esa tarde sería difícil y quizá improcedente. Un atributo de lo infernal es la irrealidad, un atributo que parece mitigar sus terrores y que los agrava tal vez. ¿Cómo hacer verosímil una acción en la que casi no creyó quien la ejecutaba, cómo recuperar ese breve caso que hoy la memoria de Emma Zunz repudia y confunde?

No sólo el tiempo cronológicamente ordenado, sino también el tiempo condensado de la memoria son situados más allá de la credibilidad por un texto que "se vuelve a-histórico" (o "trascendental"), optando por la a-temporalidad de las estructuras, de los sistemas simbólicos, de los modelos y resonancias genéricos.

El mismo Macherey se preocupa menos que Jameson por el llamado "significado reflexivo" *implícito* de un texto de Borges:

> ... la narrativa se inscribe al revés, al comenzar desde el final, pero esta vez en forma de un arte *radical*; se empieza el relato al final de tal manera que ya no sabemos cuál es el final y cuál es el comienzo; habiendo dado vueltas sobre sí mismo, el relato produce la coherencia ilusoria de una perspectiva infinita Pero la escritura de Borges tiene un valor otro que el de un rompecabezas... Las estratagemas de Borges conducen todas, finalmente, hacia la posibilidad de... una vasta polémica que concierne a la composición de una novela en primera persona, cuyo narrador omitiría o desfiguraría los hechos y se daría el lujo de varias contradicciones que permitieran a unos pocos lectores —muy pocos lectores— percibir una realidad atroz o banal.

(*Théorie*, pp. 251 y 257. La cita es de "Tlon, Uqbar, Orbis Tertius".)

En lo que sigue, trazaré las estratagemas de Borges, en busca de un "arte *radical*", bien consciente de la "vasta polémica" que ha surgido entre las prácticas de lectura deconstructivas e ideológicas. Si "esos pocos lectores" perciben la realidad de "Emma Zunz" como "atroz o banal", dependerá, finalmente, de la medida en que puedan reconciliar en una unión plausible los análisis marxista y freudiano, es decir, ese "choque dialéctico" que —cuando quiera que se textualice lo ideológico— opera no siempre en el nivel del consciente sino dentro de las capas más subversivas del *inconsciente político*.

Narratología

> *Lire c'est lutter pour nommer.*
> S/Z XL

Para Barthes, "toda subversión... empieza en el Nombre Propio" (S/Z LXI). ¿Quién es, entonces, Emma Zunz? Aunque el título del cuento nos invita a fijar nuestra atención en el código sémico, o de personajes, no podemos evitar sentirnos desconcertados por esta otra afirmación de Barthes: "Lo que es obsoleto en la novela contemporánea no es lo novelístico, sino el personaje; lo que ya no puede ser escrito es el Nombre Propio" (*S/Z* XLI). Así que "Emma Zunz" promete ser totalmente subversivo y, sin embargo, *como nombre, como firma*, "inescribible".

En el contexto de la empresa narratológica de las generaciones formalistas y estructuralistas, no es sorprendente que Barthes escriba que el Nombre Propio es obsoleto en tanto que *personaje*. Para el estructuralista, lo que determina el código sémico es la organización diegética del discurso "ficcional" más que cualquier psicología. Por muchos que estemos en desacuerdo, socialmente hablando, con que el signo o el sistema de signos convencionales trascienda lo individual, ficcionalmente hablando, es un poco más difícil refutar la noción estructuralista del personaje como aquello que consiste en una serie de signos sobre una página en blanco.

No nos concierne ahora extendernos sobre la teoría de los roles o funciones que los personajes pueden asumir en la ficción. Sin embargo, podemos recordar que, en la poética aristotélica, la noción de personaje es secundaria y depende enteramente de la de acción. Más aún, no se debe olvidar que la tragedia clásica conoce sólo "caracteres" y no "personajes". El cambio desde *persona* entendida como "una voz detrás de la máscara" hasta "persona" entendida como "ser" es relativamente moderno, posiblemente romántico. Más que la subjetividad atribuida desde entonces al acTOR, o la reificación específica de una acCION, las teorías formalistas y estructuralistas se centran en una función lingüística diferente, aquella del acTANTE (participio), una forma que "comparte la naturaleza de un verbo y un adjetivo" y apoya aquellas nociones que conciben al personaje como "lo que describe la acción — lo que la acción describe".

Si, en el cuento "Emma Zunz", tales teorías fueran capaces de conducirnos a alguna conclusión sintagmáticamente construida, sería probablemente *no* hacia la sexualidad sino hacia la justicia. En el mejor de los casos, podríamos trazar la trayectoria de "Emma Zunz" dentro de la morfología de Propp[1], aislando los roles de, por ejemplo, el villano (Loewenthal), la persona buscada (Emma) y su padre (Emanuel Zunz); o dentro del paradigma actancial

---

[1] Véase *Morfología del cuento*, Madrid, Ed. Fundamentos, 1985. Sexta edición. (Nota del editor.)

de A.J. Greimas de: donante/objeto/recipiente/ayu-dante/sujeto/opositor. Os aseguro que he jugado con estos roles —y con su intercambiabilidad— hasta el punto de situar a "Emma Zunz", en varios momentos, en todos ellos, de la misma manera que he podido trazar sintagmas congruentes de acción contractual, performativa y disyuntiva a través del cuento de Borges.

Sería exagerado afirmar que no he sacado nada en claro de tal análisis, dado el hecho de que la complejidad de detalles interrelacionados dentro de la trama recompensa la mayor atención. Como lo sugiere la intercambiabilidad de los roles actanciales de "Emma Zunz", la acción constituida por el "personaje nombrado" no sólo es de una complejidad "sin fin", sino también, como el texto subraya, resiste interminablemente cualquier cierre interpretativo, aun en el nivel de lo no-psicológico. La advertencia de Roland Barthes, entonces, subraya lo inadecuado del Nombre Propio, inadecuado (u obsoleto) en tanto que se fragmenta y se disuelve en múltiples estratos de significados, de ecos, de paronomasia y del juego que constituyen el texto —y sus muchos intertextos.

Nombres, fechas, lugares...
efectos de irrealidad

Una de las paradojas tajantes del cuento de Borges concierne al uso del Nombre Propio. Meticulosa, juguetona, erudita y humorísticamente Borges elige todos los Nombres Propios de la narración con tal deliberación que el lector fácilmente podría pensar que el proceso de nombrar *no* es una lucha sino un ejercicio hermenéutico, acaso un criptograma en que el lector-exégeta primero desenreda las capas de resonancia "Escritural" para volver a entretejer los hilos ultra-identificables de la tradición bíblica en un diseño "maestro", intertextual, sí, pero siempre reconocible. Brevemente, ahora, quiero sugeriros el tipo de diseños de nombres fechas y lugares que el texto explota.

El día 14 del primer mes del calendario cristiano (una trasposición o un eco del día 14 del primer mes del calendario judío, Nisan, y la fiesta más sagrada de Pascua, de sacrificio sanguíneo y salvación del primogénito), una joven judía, al cabo de seis años de separación de su padre Emanuel, se enfrenta no con su mera (secreta) ausencia sino con la revelación (textual) de la muerte de aquél:

> ... quiso ya estar en el día siguiente. Acto continuo comprendió que esa voluntad era inútil porque la muerte de su padre era lo único que había sucedido en el mundo, y seguiría sucediendo sin fin.

"Repetir", "sin fin", este momento (cualquier otra voluntad ya inútil) es la trayectoria que anuncia el texto desde su primera página. En una palabra, la sucesión temporal cede al tiempo narrativo, ya (prolépticamente) "aquel tiempo fuera del tiempo" que, posteriormente, Emma vive, habita, manipula.

El pergamino de la revelación de la pérdida irrecuperable del patriarca está furtivamente encajonado (enmarcado) para siempre; a partir de ahora, para Emma, el saber coincide con la acción ("ya era lo que sería"). Desde ahí, la historia que se desarrolla emerge de la "creciente oscuridad". Emma está separada *no* de Emanuel (porque ese nombre significa "Dios está con nosotros"), sino de Manuel (Maier) —un incompleto, no totalmente sagrado nombre de Dios. La armonía primordial de "los antiguos días felices [cuando] fue Emanuel Zunz" puede ser recuperada sólo *puta*tivamente, a través de un eco que reverbera, que distorsiona textualmente, a través de la interacción de Em[ma]nuel. El actante nombrado, entonces, la esfera de acción del Nombre Propio, es

214

dividido, pluralizado, fragmentado. El juego binario no se limita, sin embargo, a Emma-Manuel; el tejido de la patriarquía se teje con muchos hilos dado que el negocio del padre de Emma y de su socio Aarón Loewenthal son los tejidos. *Aarón*, quien cedió ante la presión, cuando Moisés se ausentó, a la idolatría del becerro de oro; *Loewenthal*, el valle del león, donde "el adversario, el diablo, anda como un león que brama, buscando devorar" (Pedro, I, versículos 5-8).

Ni siquiera con su mejor amiga Elsa *Urstein* había compartido Emma su secreto conocimiento —conocimiento primordial que data desde más allá de "la piedra de Ur" (*Urstein*), más allá del lugar de Abraham (O Abram) un patriarca-"modelo" quien también cambió de nombre. Un cambio imitado aquí por *Maier* —el nombre falso adoptado ahora, en la amargura [mrh/mrr] de la pérdida de su hija por Manuel, el padre ausente, como anteriormente por Noemí (o Mara= amargo), la madre enlutada (Ruth I: 19-21). *Maier* de nombre y amargo en la vida —hasta la muerte, dado el hecho de que muere tomando el barbitúrico (o veneno amargo) "veronal".

La cronología del "tiempo fuera del tiempo de Emma Zunz, su sábado sin fin, es, pues, crucial. Aquel sábado empieza al anochecer, a las 6 del viernes; empieza con el rito purificador. En este caso, una visita a la piscina, donde una mujer no podía bañarse si estaba menstruando —razón por la cual Emma Zunz tiene que someterse a "la revisación" y las "bromas vulgares" de Elsa y las hermanas *Kronfuss*. Una "revisación" de cabeza (*Kron*) a pies (*fuss*) no será nada excepcional para ellas —a diferencia de Emma, violenta y virginal, en quien "los hombres... inspiraban, aún, un temor casi patológico". Este acto de iniciación, en el club de las mujeres, preludio de su pasaje *físico* (al "club" de los hombres), es sellado por el deletrear ritual de su nombre propio —"tuvo que repetir y deletrear su nombre y su apellido".

La invitación a repetir el nombre *Emma Zunz*,

a deletrearlo, forma parte de lo que llama Barthes "la lucha por nombrar". Lo *judío* del nombre, la adhesión rígida a la genealogía judaica, la rareza relativa de la inclusión de una mujer en los registros genealógicos de la Biblia, en fin, la forma poco común para no decir única del nombre *zunz* —todas éstas son correspondencias diferidas con el mundo real, todas éstas son estrategias narrativas y, desde luego, semánticas. Me demoro momentáneamente en la *semantica* de "Emma Zunz".

zunz: obviamente un palindroma invertible, un signo encerrado, auto-suficiente. Reversible, impenetrable. Igualmente obvio es el hecho de que es un *tetragrámaton* —un nombre sagrado de cuatro letras, una versión de lo nunca pronunciable, lo nunca escribible. El colmo de una textualidad cuadrangular (a base de 4) judaica que comprende:

cajones: reminiscencia de los cajones secretos de los textos apócrifos escondidos de la escritura no-canónica.

losanges: de la memoria de Emma Zunz, de su infancia idílica, ortodoxa —pero también un diseño heráldico judaico tradicional para la *soltería*; la forma de las tablas, clásicamente inscritas por 10 —o, en este caso, por "nueve o diez líneas borroneadas"— puesto que ningún texto puede ser fielmente *re*presentado.

Los textos que sirven de marco siempre tomarán formas diferentes, sea en los "amarillos losanges de una ventana... de la casita de Lanús" (los que ocultan a la madre medio-olvidada); los "stills" de cine, o en el *retrato* superficialmente "ocultante" de Milton Sills, la *textualidad* furtiva, silenciosa, hollywoodesca de la *sexualidad* sublimada de Emma. (En 1923, Milton Sills era la estrella de la película *Madonna of the Streets* [*La madona de las calles*], hecha, es de suponer, en 1922, el año de la acción del cuento.) No por nada los textos "marco" de *zunz* son los espejos "en que se vio multiplicada por luces y desnudada por los ojos hambrientos"; otros marcos son "la *puerta* y después... el turbio *zaguán*, luego el *vestíbulo* (en el que habrá una vidriera con losanges idénticos a los de la casa de Lanús)", y, finalmente, a través de una serie vertiginosa de marcos textuales, hasta el *pasillo* y la "*puerta* se cerró". En la llegada espacial a aquel sitio donde nunca se puede pronunciar ni escribir la última palabra de cuatro letras, a saber, *cama*, también ocurre un vértigo temporal, en la escalera espiral de la "virginidad-en-retirada" de Emma —puesto que "los hechos graves están fuera del tiempo... porque no parecen consecutivas las partes que los forman".

Aparentemente *no* consecutivas son las partículas semánticas que forman la esfera actancial del nombre de Emma Zunz. Tomando en cuenta la naturaleza *consonántica* del hebreo escrito (las vocales las provee el lector) el actante *zunz* explota:

[znh]	representar la ramera; cometer idolatría;
[znḫ]	rechazar como abominable, deshacerse de;
[znv]	atacar por detrás; apuñalar por la espalda;
[zuv]	una moneda de plata; la *cuarta* parte de un shekel;
[zuzim]	un pueblo del lado este de Jordán, asociado con Abraham de *Ur*;
[etc.]	

Cuando mucho, la red semántica, por rica que sea, sólo puede diferir la relación entre lo léxico y la realidad que toca —como os sugerí al principio en el caso de este mismo "Z/Z". Es sólo provisionalmente, por lo tanto, que me demoro en una sola de estas posibilidades semánticas, a saber, [znh]: "representar la ramera", lo cual crea un eco abiertamente sexual en el comportamiento de Emma Zunz. Pero, ¿por qué se comete idolatría?

El final de la ortodoxia de Emma tiene tantos estratos como la construcción de esa misma ortodoxia. Los elementos más abiertos de su comportamiento *no*-ortodoxo son: el Gentil, el "hombre sueco o finlandés", la "herramienta" aria "[que] sirvió... para la justicia", su abnegación con el marinero "quizá más bajo que ella y grosero", del *Nordstjärnan* ("desde el Norte, de donde la justicia de Jehovà y la calamidad serán desatadas", Jeremías 1, v. 14-15). Pero una serie de tensiones binarias, de dobles judíos y cristianos que se bifurcan, teje la textura de su encuentro sexual, de su transición de la base cuádruple del judaísmo ortodoxo a la base triple, la trinidad, de su desfloramiento cristiano. La codificación de esa transición —por instrumental que sea ("herramienta") va más allá del "dique *3*" del *Nordstjärnan* y los *tres* tiros que matan a Aarón Loewenthal. Porque Emma incluso se abstiene el viernes, comiendo una sopa de tapioca y verduras, cuando simpatizar con los judíos se asociaba con el comer carne. Lo que es más, la prostitución y la idolatría se unen en la asociación blasfema de dinero ario y pan cristiano (la Santa Eucaristía): "romper dinero es una impiedad, como tirar el pan" —el único "acto de soberbia" de que se arrepiente Emma aquel día. La última reminiscencia de la *no*-ortodoxia que quiero subrayar es la que enlaza a Emma Zunz con Jael, la *no*-israelita utilizada por Jehová para vengar a la nación judía, para asesinar a Sisera, opresor de Israel, quien —al inverso del texto de Borges— llega a su tienda a pedir agua... y recibe no agua, sino una muerte inesperada, violenta y que también rompe las sienes (Jueces 5, v. 24-31).

Midrash

En cierta medida, mi análisis muestra la transición, de parte de Emma, de la ortodoxia a la heterodoxia, de la pureza judaica a la profanación gentílica (*no* al estilo de una *prima donna* egocéntrica, sino, tal vez, como una pre-Madonna calculadora cuyo "*goy*-toy" es su herramienta, su llave de paso). Paradójicamente, he empleado un sistema (o alfabeto) consistentemente hebraico para explorar este paso. Puede que los lectores familiarizados con los últimos avances deconstructivos de la Yale School detecten en esta paradoja la inevitabilidad de *Midrash and Literature*, tesis que propone insertar toda la literatura occidental en la tradición rabínica del *midrash*, que "designa un genero de exégesis bíblica y las complicaciones en tal exégesis... a la larga se conservaba... una red extraordinaria no fácilmente igualada en la tradición occidental" (Hartman y Budick, *Midrash*, pp. ix-x).

¿Pero hasta qué punto puede aplicarse el *midrash* a "Emma Zunz"? ¿Cómo puede haber anticipado Borges a Hartman y Budick? Escuchemos sus propuestas:

Lo que nos concierne en este volumen son varios modos "abiertos" de interpretación, una vida en la literatura o en la escritura que se experimenta en el espacio inestable entre el intérprete y el texto. En ese mismo espacio intermedio queda todo un universo de textualidad alusiva (la historia de la escritura misma, dicen unos), lo que se ha dado en llamar últimamente la intertextualidad. En esta "escena/espacio" de escritura, el conocimiento asociativo del intérprete está imbuido de poderes notablemente amplios, incluso el privilegio hermenéutico de permitir que las preguntas constituyan parte de las respuestas... Enfrentando la no-decidibilidad del significado textual, esta especie de interpretación no se paraliza. Al contrario, su propia actividad se absorbe en la actividad del texto, produciendo un continuo de suplementos intertextuales, muchas veces en un espíritu de juego altamente serio. Y aun cuando encontramos un juego de tipo aparentemente escandaloso, no podemos rechazarlo como nada más que auto-complaciente, porque el fenómeno de la intertextualidad y la suplementaridad logran, sistemáticamente, hasta un grado notable, el mismo desvanecimiento del ser. Aquí no hay derechos de propiedad ni, en esencia, hay individuos que sean propietarios. Así es, podríamos decir, en el caso de las exégesis midráshicas del Rabino Akivo, Reb Derrida, Reb Kermode; igual que en el caso de Reb Milton, Reb Agnon, Reb Borges: todos pseudo-epígrafos. El *midrash* de algún modo se dedica a revelaciones siempre nuevas de un texto originario, mientras la cuestión de los orígenes se desplaza hacia la tradición viva de la escritura. En efecto, el santo y seña de nuestra era, todavía duro para nuestros labios sin circuncidar, puede que sea el "suplemento originario", el que Derrida y otros, hace veinte años, empezaron a trazar, y el que ha estado inscrito en el *midrash* desde hace dos mil años. Es posible que, en esta fase emergente, el *midrash* afirme la integridad y la autoridad de un texto y, al mismo tiempo, lo fragmente y lo siembre siempre. (*Midrash,* pp. xi-xiii)

No será ninguna sorpresa, quizá, que Hartman y Budick atribuyan la reemergencia, en tiempos modernos, del *midrash* a un tal Leopoldo Zunz... aunque "el impacto de Zunz, ominosamente, fue suprimido por las autoridades", añaden sin demora. Tampoco sin demorar, y para evitar la tentación de apropiar el cuento de Borges para una lectura hasídica, yo añadiría que la transición desde la ortodoxia, de parte de Emma, la deja varada *entre* alfabetos. Pues su historia forma parte de la colección *El aleph*, el eco que Borges hace a la primera letra del alfabeto hebraico, sobre la cual nos advierte Gershom G. Scholen, en *On the Kabbalah and its Symbolism:*

Oír el aleph es no oír prácticamente nada, es la preparación para todo lenguaje audible, pero en sí no conlleva ningún significado determinado, específico. (*Kabbalah,* 30)

Sin embargo, mi lectura de "Emma Zunz" —Z/Z— gira sobre la *última* letra de los alfabetos modernos, occidentales, cristianos... una reinscripción no en el lenguaje *audible* sino en una escritura siempre no-decidible, siempre bifurcante, siempre deconstructible... un Z/Z.

Ecriture féminine: *un discurso* no *amaestrado*

He jugado ya con las estructuras narratológicas y semánticas de las estrategias significantes de "Emma Zunz", pero, cada vez, he procurado señalar la arbitrariedad y las limitaciones obvias de cualquier red de lectura —por intrincada, por rica que sea. Consideremos por ejemplo las posibles conclusiones que se pueden sacar del hecho de que Borges ha tomado mucha de la trama de "Emma Zunz" del Antiguo Testamento —igual que muchos de sus tropos y motivos. ¿Es Emma Zunz, pues, una moderna heroína judía, con sed de justicia y de la restauración de la armonía patriarcal? ¿La hija que se sacrifica a sí misma quien, en la alta tradición judaica de la responsabilidad de la *hembra* por la salvación de la genealogía, pone el nombre y el honor de su padre más arriba que los suyos? Tales lecturas patriarcales son peligrosamente limitadas y limitantes, aunque el texto de Borges sí que juega con "el pensamiento binario". Lejos de sostener los binarios femeninos *pasivos* de pasión natural y resignación, el cuento podría ser leído como una denuncia paralela al ataque de Hélène Cixous contra la noción de que: "O la mujer es pasiva o no existe" (*La Jeune Née*, p. 118). Parafraseando la descripción de Toril Moi de la trayectoria de Cixous, el cuento de Borges podría "en un sentido resumirse como el esfuerzo por deshacer esta ideología logocéntrica: proclamar a la mujer como la fuente de la vida, del poder y de la energía y celebrar el advenimiento de un nuevo lenguaje femenino, el que constantemente subvierte esos esquemas binarios patriarcales donde el logocentrismo colabora con el falocentrismo en un esfuerzo por oprimir y silenciar a las mujeres" (*Sexual/Textual Politics*, p. 105). La Emma Zunz *no*-natural, *des*-apasionada, *no* resignada, explotando activamente su "cultura" (contra su propia "naturaleza"), ejerciendo su *inteligencia*, tanto como su sexualidad podría concebirse así como re-escritura de la tradición (lo que incluso explicaría la serie de inversiones de las fuentes bíblicas tales como el *pedir* agua en vez de darla).

Sin embargo, yo me opondría a una lectura tan extremadamente tipo *écriture féminine* de "Emma Zunz", sugiriéndoos que, como protagonista, Emma está demasiado implicada en el mismo discurso que busca rechazar. Yo llevaría su re-escritura (o deconstrucción) del discurso logocéntrico más allá de un "suplemento" del término ausente, a saber, *su* nombre, *su* rol en la continuación, en la garantía de una versión *no*-patriarcal de la justicia. Iría más allá del gobierno "legal", hasta la *gubernamentalidad* "letal" de Foucault —puesto que, inevitablemente, la resistencia de Emma es *parte* del orden institucional que ella habita. Emma Zunz tiene que participar siempre tanto en el *logo*centrismo (para la justicia) como en el *falo*centrismo (para su coartada).

Donde sí aceptaría el análisis de la *écriture féminine* sería en la medida en que "los textos femeninos son textos que 'trabajan sobre la diferencia', se esfuerzan hacia la diferencia, luchan por subvertir la lógica falocéntrica dominante, abren el encerramiento de la oposición binaria y se regocijan en los placeres de una textualidad abierta" (Moi *STP*, p. 108). Por consiguiente, yo re-afirmaría también la idea de Cixous: "el hecho de que un texto escrito esté firmado con el nombre de un hombre no excluye en sí la feminidad. Es raro, pero a veces se puede encontrar la feminidad en escrituras firmadas por hombres: sí que ocurre" ("Le sexe ou la tête", p. 13).

Aunque los textos de Borges han recibido más atención crítica que los de cualquier otro escritor latinoamericano, la *estrechez* de metodologías, básicamente temáticas y mitológicas, ha sido sorprendente. En los últimos años se ha prestado más atención a la poética de sus textos ahora que se están empleando unas perspectivas más teóricas. Sin embargo, aun cuando se ha usado un análisis bakhtiniano, explorando nociones tales como la *carnavalización* y el *crónotopo*, la crítica no ha querido extender ese análisis a la zona de la sexualidad. Borges, según parece, está "excluido" (canónicamente) de la posibilidad de "trabajar sobre la diferencia", de construir un cronotopo *sexual*, una escena de lo descrito (del "rito") donde se construye el género... y se desconstruyen los *estereotipos* de género. Una multivocalidad puede identificarse en el texto de Borges, una *heteroglosia* que afirma no la presencia de una voz hablante, sino la construcción de una siempre diferente, siempre diferida *escritura*; y —¿por qué no?— de una siempre diferente, siempre diferida *sexualidad*. El texto "trabaja sobre la diferencia" de la oposición "masculino/femenino", construyendo *actantes* que, como diría Cixous, son "inherentemente bisexuales". Así, "Emma Zunz" opera esa "*otra bisexualidad* que es múltiple, variable y siempre cambiante, que se constituye por la *no*-exclusión, *ni* de la diferencia, *ni* de uno de los sexos" (Moi, STP, p. 109). El peligro de teorizar, sin embargo, sobre la *écriture féminine* es que la *escritura* rechace a toda la textualidad estática, y desempeñe una sexualidad "vática":

> ... esta práctica nunca puede ser teorizada, encerrada, codificada —lo que no significa que no exista. Pero siempre irá más allá del discurso que regula el sistema falocéntrico; tiene y tendrá lugar en áreas diferentes de las subordinadas a la dominación filosófico-teórica. (Cixous, *LJN*, p. 155)

Si estamos familiarizados con la obra de Cixous, nos daremos cuenta de los ecos, específicamente del Antiguo Testamento, entre "Emma Zunz" y *La Venue à l'écriture*, que abre así: "In principio adoravi" ("Al principio he adorado"), (Cixous, *LVE*, p. 9). Aquí Cixous se representa como profetisa, la madre desolada que quiere salvar a su pueblo, un Moisés femenino: "Yo misma soy la tierra, todo lo que pasa en ella, todas las vidas que viven en mí viven allí en formar diferentes" (*LVE*, pp. 52-53).

Como en el caso de Emma, Cixous reconstruye su "vocalidad" desde una presencias "desmoronada", una patriarquía escrita, un Testamento diferido: "Escritura o Dios. Dios la escritura. Dios que escribe" (*LVE*, p. 30). Como en el caso de Emma Zunz, el poder del falo es aprovechado, integrado... y trascendido. El orden simbólico falocéntrico es explotado porque es insuficiente, ineficiente; la escritura se vuelve un "texto-violación" (*LVE*, pp. 19-20), una "sumisión a la regla fálica del lenguaje como diferencia, como una estructura de lagunas y ausencia" (Moi, *STP*, p. 119). Pero, como suplemento, el "texto violación" se vuelve un creativo "texto madre", que dispersa las lagunas, las disyunciones y las *injusticias* del sistema patriarcal.

A la luz de lo que nos dice Cixous de la *écritura féminine*, la insuficiencia —la misma torpeza— de, digamos, interpretaciones restrictivamente edípicas de "Emma Zunz" son mostradas como nada más que otras limitaciones del orden simbólico patriarcal. Tal lectura (freudiana) sugeriría que Emma nunca pasa más allá de la "ciega culpa" de su primera impresión cuando recibe la carta; la convicción de que está condenada a repetir (y a suprimir) la escena primaria de aquella violencia "que su padre había hecho a su madre"; la posibilidad de que "esa voluntad" (inmediatamente percibida como "inútil") de escapar, de "ya estar en el día siguiente" —un mañana irreal, sin acción y sin responsabilidad— no sea su propia voluntad sino la Voluntad del Padre, manipulándola a ella como instrumento de su venganza. En efecto, tal lectura se presenta sólo momentáneamente, porque Emma —a fuerza de sus acciones— sale de la sombra del Padre... y de la herencia de Freud. Pasando más allá de la *sexualidad* freudiana hacia la *textualidad* activa, efectiva y de(con)structiva, Emma corrige lo inadecuado del discurso freudiano... discurso, sin embargo, que ella tiene que repetir —aun hasta la boca abierta, obscena, ensangrentada de Loewenthal —para poder re-escribirlo.

El falologocentrismo que situaría a la acción de Emma en un binario *Nom-du-Père/Non-du-Père* (de Nombramiento/Interdicción) es ultra-superficialmente plausible como explicación de —solución al— cuento de Borges. Tal lectura (lacaniana) sugeriría que Emma Zunz nunca emerge de, ni rompe con, el orden simbólico que, *sexualmente*, la condena a "repetir" "sin fin" el pensamiento: "(no pudo pensar) que su padre le había hecho a su madre la cosa horrible que a ella ahora le hacían"; el orden simbólico que, *escrituralmente*, la condena a nunca emerger de, ni romper con, el sistema (fragmentado) de los patronímicos. Pero... observemos que el texto *no* promueve una interpretación *unívoca* de los motivos de Emma según perspectivas lacanianas. Puesto que es la única intervención de un narrador marcadamente patriarcal, en el momento crucial, *no* textualizado, del coito de Emma —"En aquel tiempo fuera del tiempo, en aquel desorden perplejo de sensaciones inconexas y atroces"— quien pregunta, retóricamente "—¿pensó Emma Zunz *una sola vez* en el muerto que motivaba el sacrificio? Yo tengo para mí que pensó una vez y que en ese momento peligró su desesperado propósito"... ¿Y *a él* quién le pidió su opinión? ¿Tiene la opinión del narrador el derecho de funcionar como el discurso "maestro" más que esa prohibición edípica "por la cual el deseo se dirige hacia lo prohibido" para Jacques Lacan? ¿No nos sería posible reiterar (y revisar) el grito de Deleuze y Guattari, cuando rechazamos la interpretación de este narrador en primera persona? "La ley nos dice: No te casarás con tu [padre] ni matarás a tu [madre]. Y nosotros los sujetos dóciles nos decimos: ¡Ay! Eso *es* lo que yo quería!"

La ventaja de un análisis no esencialista feminista *no* es sin embargo, el anti-edipo. Subrayando la manera en que funciona lo marginal (femenino) —a la Kristeva o a la Foucault— "se abre el significar del texto —el signo se vuelve polisémico más que unívoco... la lucha por el poder se *entrecruza* en el signo" (Moi *STP*, p. 158).

Y el entrecruzamiento en el signo de una lucha por el poder, lejos de evocar la sombra interdictoria y el nombre sagrado del *Padre* —en un cisma edípico de la esfera de acción Emma-Emanuel— puede considerarse como la evocación textual del Tetragrámaton suprimido, la palabra de cuatro letras absolutamente impronunciable que se oculta entre EnMA y MAnuel... (MA-MA). Un "nom-de-mère" emerge como el contrapeso escondido de un discurso-maestro refutado. ¿Y qué sobra cuando aparece esta "mamá", texto-madre hispano-cristiano? *No* un "Em-" fragmentado sino uno reconstituido, un judaico "EM" —la palabra "madre" en hebreo. EMMA, según parece, puede situarse de nuevo (aunque esta vez no "varada") entre dos culturas. Está inscrita entre un judaísmo anciano del mundo Antiguo y un semitismo argentino del Mundo Nuevo —una occidental e "idish" IMMA ("madre" en arameico).

Está claro que la aplicación a Emma Zunz de ciertas perspectivas de la *écriture féminine* subraya y problematiza lo inadecuadas que son las nociones de "subjetividad individual", "moralidad personal", "nombre propio" o "naturaleza femenina". "Si lo femenino puede definirse de algún modo en término kristevianos, es sencillamente como 'aquello que es marginalizado por el orden simbólico patriarcal'... El énfasis que pone Kristeva en la marginalidad nos permite concebir esta represión de lo femenino en términos de la posicionalidad más que en términos de esencias (Moi *STP*, p. 66).

Spéculum no ataca a Freud sino a aquello que él no logra ver: lo femenino (Luce Irigaray, *Spéculum de l'autre femme*). Si especulo ahora sobre una posible ceguera en "Emma Zunz", es para reflexionar sobre los quevedos de Loewenthal. Genéricamente, en términos del relato policial, la falla en la coartada de Emma es el hecho que le quita a Loewenthal los anteojos. ¿Por qué quitárselos, salpicados de sangre, después del asesinato? Ofreciéndole al detective (o al lector) la falla en un crimen "perfecto", "Emma Zunz" invita a más especulaciones, rehúsa la clausura de su propio texto, añadiendo como suplemento a lo ya leído la traza de lo todavía no escrito. Ningún relato de un crimen es perfecto porque ninguna representación (de una "verdad") es, textualmente, posible. Mientras exista la tentación de especular que Emma esté expresando su propio (secreto) deseo de ser *cogida en el acto*, invita, en terminos machereyanos, a una lectura sintomática:

> Evidentemente, la función del discurso de la narración es llegar a *la verdad*. Pero esto se hace al precio de un largo desvío, un precio que hay que pagar. El discurso forma una verdad sólo autocuestionándose. (Macherey, p. 254)

La noción de Macherey de un discurso que "se autocuestiona" es ejemplificada de modo notablemente relevante para "Emma Zunz" por Mary Jacobus en "Reading in Hysteria":

> La nota al pie de página de Freud a sus *Estudios sobre la Histeria* se limita a decir que, cuando se trata de histeria, resulta imposible "sobre-interpretar". El laberinto de signos, su "metáfora" del texto histérico, evoca no sólo lo intrincado del sendero sino también el resto de la pérdida de *self*... Jane Gallop... sugiere que el olor es reprimido por la organización freudiana de la diferencia sexual en torno a una imagen espe-

cular ("la visión de una presencia fálica en el niño, la visión de una ausencia fálica en la niña")... El tufo femenino.. es lo impronunciable de una escatología misógina. (Jacobus, *Reading Woman*, pp. 229 y 243)

Análogamente, "Emma Zunz" disturba el orden simbólico patriarcal en la medida en que el hombre sólo es capaz de aceptar una evidencia racional (sub-interpretada) y visible, respaldada en la "verdad" de una coartada. Nótese que el cuerpo de Loewenthal, "se desplomó como si los estampidos y el humo lo hubieran roto" —ejemplo, tal vez, de aquella "contradicción que deforma el texto" de Macherey. *Sonido* y *olor* (¿barrera de sonido? ¿cortina de humo?) rebotan en una *mirada* de "asombro y cólera". La reacción de Loewnthal ejemplifica la siguiente idea de Jacobus:

> ... la inmediatez femenina —basada en la noción de una relación incompletamente mediatizada entre el cuerpo femenino, el lenguaje y el inconsciente— produce una ansiedad que sólo puede ser manejada mediante la representación, esto es, privilegiando las representaciones visuales en la reorganización psíquica... En consecuencia, los intentos de leer implican la sustitución (represiva) de algo —una figura— por nada. Al principio, los patrones sirven simplemente para reflejar la propia lectura especular del narrador, repetida sin fin en la figura de los ojos. (Jacobus, pp. 244 y 246)

"Emma Zunz" es, por lo tanto, un texto anti-espejo, ante-fase-del-espejo, anti-estadio-del-espejo-, anti-freudiano-, anti-lacaniano, anti-"cura" y es quizá textualmente más relevante —en el *con*-texto de su coartada vaginal— volver a Irigaray y a su meditación sobre el espéculo —falo de la práctica ginecológica. ¿Bastará la coartada de Emma? ¿Tendrá que sucumbir (nuevamente) ante el deseo masculino de penetrar, "de atravesar el misterio del sexo de la mujer" (*Spéculum, p. 182*)? ¿Acaso el frío acero del espéculo masculino tendrá que explorar la más íntima "textualidad" femenina... del mismo modo que el caliente metal de las balas femeninas tendrá que abrir el templo de la "sexualidad" masculina?

Considerar que las lentes de Loewenthal constituyen la falla —la vuelta de tuerca deconstructiva, el funcionamiento de un término ausente en el presente texto de la coartada de Emma— es desviar la atención de lo oral a lo escrito, así como de la validez a la falsedad de las afirmaciones con las que el texto de Borges concluye:

> La historia era increíble, en efecto, pero se impuso a todos, porque sustancialmente era cierta. Verdadero era el tono de Emma Zunz, verdadero el pudor, verdadero el odio. Verdadero también era el ultraje que había padecido; sólo eran falsas las circunstancias, la hora, y uno o dos nombres propios... [¿concordancia *ad sensum* en favor del género femenino?]

Porque, ¿qué es la verdad sino una versión (visión) masculina de la justicia? Desplazando la especularidad del *ver* al *explorar* la sexualidad femenina, "Emma Zunz" especula sobre la posibilidad de un caso ("ficha") no-concluido (Emma coloca los anteojos —se recordará— no *dentro de* sino *encima del* "fichero"). Luce Irigaray re-abre el caso no concluido de la "tache aveugle d'un vieux rêve de symétrie" (título de la primera parte de *Spéculum*) de Freud —esa ceguera que hace de la "pequeña hembra" (un)a-versión de la sexualidad del "pequeño macho", encasillándola para siempre en la "verdad" edípica. "Emma Zunz" re-abre el caso no concluido de *esa* verdad... y de *toda* verdad; anti-legible:

> La distancia entre el signo y el significado es aquella ausencia que el histérico procura abolir o esconder textualizando el cuerpo mismo. Montrelay se refiere al discurso del analista como "no reflexivo sino diferente". En tanto tal, es una metáfora y no un espejo del discurso del paciente... la metáfora engendra el placer de "poner en juego la discursión sobre la

represión en el nivel del texto mismo"... La forma última de este placer impronunciable sería la *jouissance* femenina, ese significado que excede los efectos represivos de la interpretación y la figuración. (Jacobus, pp. 247-248)

Después del crimen —después que Loewenthal ha llegado (ha sido llevado) a derramarse en un clímax final— y antes que suene el teléfono, Emma prolonga su propia *jouissance*, su propia lectura (proléptica) de la reacción a la Ley. En el proceso, ella vuelve el texto ilegible. Cuando Emma le quita a Loewenthal los anteojos, combate falsas especulaciones. Al hacerlo, salpica el texto con una mirada muerta... y mortal.

* * *

Quiero terminar sugiriéndoos que, cualquiera que sea nuestra metodología, nuestro modo de análisis —en este caso, por ejemplo, lecturas narratológicas, semánticas o psicoanalíticas— de Emma Zunz, el peligro, en nuestra cultura, de mantener a la mujer fuera de la representación, como lo ha mostrado Luce Irigaray, es constante. Y que "lo femenino ha tenido, por consiguiente, que ser descifrado como algo vedado [*interdit*], entre los signos, entre los significados realizados, entre las líneas" (Irigaray, *Spéculum*, p. 20). Siempre habrá, no obstante, discursos oposicionales, "maestros". Pero como Jacques Derrida explica, "los programas de la deconstrucción y del feminismo han sido similares: La resistencia contra la deconstrucción es exactamente la misma que esa resistencia que se ha opuesto a los estudios femeninos... pero siempre está en juego algo sexual en la resistencia contra la deconstrucción" (Derrida, "Woman in the Beehive". p. 220)... ¿Algo (in)conscientemente político?

Bibliografía

HELENE CIXOUS, *La Jeune Née*, París, UGE, 10/18, 1975.

——, "Le Sexe ou la tête?, *Les Cahiers du GRIF*, 13, 1976.

——, *La Venue à l'ecriture*, París, UGE, 10/18, 1977.

JACQUES DERRIDA, "Woman in the Beehive: A Seminar with Jacques Derrida", *subjects/objects*, 2, 1984. Citado por Elaine Showalter en "Shooting the Rapids: Feminist Criticism in the Mainstream", *Sexual Difference, Oxford Literary Review,* vol. 8, núms. 1-2, 1986.

LUCE IRIGARAY, *Spéculum de l'autre femme,* París, Minuit, 1974.

MARY JACOBUS, *Reading Woman: Essays in Feminist Criticism,* Methuen, London & New York, 1986.

TORIL MOI, *Sexual/Textual Politics,* London, Methuen, New Accents, 1985.

HOMOTEXTUALIDAD:
LA DIFERENCIA Y LA ESCRITURA

Jorge Ruiz Esparza
(Universidad de Nottingham)

I

La homotextualidad del título se refiere no a una textualidad homogénea, o a una textualidad de homologías (apuntada por Goldman[1]), sino a una textualización de la homosexualidad. La homosexualidad como diferencia (el amor por lo mismo en oposición al amor por lo diferente) que se convierte en escritura que (como nos dice Derrida[2]) a su vez se convier-

---

[1] LUCIEN GOLDMAN (en *Hidden God*) propuso homologías (paralelismos estructurales) entre situaciones de clase, puntos de vista sobre el mundo y formas artísticas... "What is unsatisfactory about this work... is not the establishment of a historical relationship among these three zones..., but rather the simplistic and mechanical model which is constructed in order to articulate that relationship, and in which it is affirmed that at some level of abstraction the "structure" of the three quite different realities of social situation, philosophical or ideological position, and verbal and theatrical practice arte "the same". (FREDERICK JAMESON, *The Political Unconscious* –PU–, Methuen, 1981, pp. 43-44 –305–.)

[2] "El sentido de *differance* queda suspendido entre "diferenciar" y "diferir"; ambos contribuyen a la fuerza textual del vocablo, pero ninguno captura totalmentesu significado. En la *differance* el juego de la significación difiere siempre el significado –acaso hasta una suplementaridad inacabable". (CHRISTOPHER NORRIS, *Deconstruction*, Methuen, 1982, p. 32 –157–.)

te en diferencia o diferimiento. Lo que distingue a *Las púberes canéforas,* novela de José Joaquín Blanco[3], es su modo de textualizar la homosexualidad hasta convertirla en discurso. Quisiera partir de una cita de Foucault que me servirá como punto de entrada a ese texto que he escogido o encontrado o (en más de un sentido) perdido:

> La cuestión básica no es (por lo menos en primera instancia) determinar si uno dice sí o no al sexo, si uno formula prohibiciones o licencias, si uno afirma su importancia o niega sus efectos, o si uno depura las palabras que usa para nombrarlo; sino explicarse por qué se habla al respecto, descubrir quién lleva a cabo esa habla, las posiciones y puntos de vista desde los que se habla, las instituciones que permiten a la gente hablar de ello y que acumulan y distribuyen lo dicho. La cuestión es, para decirlo brevemente, el "hecho discursivo" general, el modo en que el sexo "se transforma en discurso".
> [*Historia de la Sexualidad*][4]

De alguna manera, un análisis de las *Las púberes canéforas* (*LPC*) podría anclarse fácilmente en la afirmación o negación de lo homosexual, de su viabilidad y validez, cuando quizá sea más fructífero preguntarse por qué, quién, desde dónde y cómo habla de ello.

La novela se mueve en varios planos textuales desde los que se desarrollan otras tantas líneas narrativas interconectadas. La primera se refiere a Felipe y Analía. El es un "chichifo" —especie de prostituto— y ella prostituta. Los seguimos a ambos en una noche de festejo que termina en tragedia. Después de ver el "show" en el cabaret *Bingo-Bango* son agredidos por los guardaespaldas ("guaruras") del senador Domínguez, que vienen de romper una huelga. Felipe termina herido y abandonado en una ca-

---

3 Océano, México, 1983, p. 151.

4 Penguin Books, 1987, p. 168. Publicado originalmente en francés bajo el título *La volonté de savoir,* Editions Gallimard, 1976. La traducción de las citas al español de este y otros libros es mía.

rretera; Analía escapa y no volvemos a saber de ella, y Claudia, compañera de cuarto de Analía, es asesinada. Felipe vuelve a la ciudad y se interna en un hospital. Al final, reaparece enyesada en una fiesta navideña del propietario del *Bingo-Bango*.

Guillermo, burócrata y amante de las artes, escritor frustrado y bebedor constante, ha sido cliente de Felipe y entre ambos ha habido una relación incipiente. Guillermo se enamora de Felipe y trata de "educarlo", pero Felipe parece interesarse más por el dinero y sus símbolos. De hecho, se siente sofocado por Guillermo y termina abandonándolo. Este se consuela fortaleciendo sus dosis alcohólicas y concibiendo la idea de escribir una novela sobre Felipe.

La Gorda, dentista amigo de Felipe, entusiasta de la "cultura física" y compañero de cacerías nocturnas, opera como contrapunto del carácter de Guillermo, es agresivo y concibe la sexualidad como una transgresión. Guillermo sueña con una reconciliación entre su homosexualidad y un mundo limpio y equilibrado.

Al final, la Gorda, Guillermo e Irene (ex esposa de Guillermo) acuden a la fiesta del dueño del *Bingo-Bango*. Como parte de los festejos, se rifan jóvenes chichifos entre los asistentes. Uno de ellos es Felipe. La Gorda soborna a los organizadores y el número de Irene sale premiado. Guillermo se retira. Al día siguiente, al salir de ciertos baños públicos que la policía conoce como refugio de homosexuales, la Gorda es detenido por unos agentes no uniformados. Aunque podría usar sus contactos para evitar problemas, decide no hacerlo...

Lo que se dice en la novela podría ser, casi todo, parte del libro que Guillermo escribe sobre Felipe, y esta ambigüedad hace que el texto dé una vuelta sobre sí mismo, autotextualizándose e introduciendo una incertidumbre sobre los niveles y sujetos narrativos.

Propongo que el libro está sujeto a una "voluntad de saber"[5] atada a un sistema de exclusiones que niega, para empezar, la existencia de una "voz" homosexual. Si bien LPV se puede entender como un intento de dar voz a la homosexualidad, puede argüirse también que el sistema de exclusiones en el cual debe insertarse lo obliga a callar la palabra que trata de formular en sí mismo. Es esa "voluntad de saber" la que debe ser cuestionada, para devolver al "discurso su carácter de evento, y así deshacernos finalmente de la soberanía del significante" (Foucault, UT, p. 66).

Quisiera añadir que mi método consiste en partir de algunas ideas de Foucault y Jameson para crear puntos de apoyo que me permitan asediar el texto. Estas ideas son, brevemente, que la sexualidad no está regida por la represión, sino por una explosión discursiva fruto de una voluntad de saber que ve en la sexualidad el signo de una verdad oculta sobre cada uno de nosotros; y que el discurso literario moderno transmite, detrás de su vanguardismo formal, el mensaje silencioso de las ideologías dominantes. Tal método no incluye consideraciones psicoanalíticas, y supone que el psicoanálisis clásico forma parte de las prácticas discursivas relacionadas con la confesión que menciona Foucault en su *Historia de la Sexualidad*. Por lo que hace a Lacan[6], lo considero

---

[5] "When we ask the question of what this will to truth has been and constantly is, across our discourses, this will to truth which has crossed so many centuries of our history; what is, in its very general form, the type of division which governs our will to know (volonté de savoir), then what we see taking shape is perhaps something like a system of exclusion, a historical, modifiable, and institutionally constraining system". (ROBERT YOUNG, compilador, *Untying the Text*, –UT–, Routledge & Kegan Paul, 1987, p. 54 –326–.)

[6] "For Lacan, the passage from the imaginary state to the symbolic order is marked by the infant's experience of what he calls the Name-of-the-Father, a formulation which unites the classical Freudian account of the Oedipus complex and the castration anxiety to the essentially linguistic discovery of the distinction between the paternal function itself –the term "father"– and that individual biological parent to whom he has hitherto related in a more properley imaginary mode". (*PU*, pp. 175-176.)

incluido de modo latente, pues su localización del inconsciente en el campo del lenguaje no contradice el punto de partida de esta ponencia, que consiste en decir que *Las púberes canéforas* es un texto que incide en algunas de las proposiciones de la *Historia de la Sexualidad*, reaccionando a ellas y produciendo un discurso consciente de las relaciones entre sexualidad y poder, pero que al mismo tiempo no puede evitar caer en algunas de las oposiciones directamente derivadas de un hecho histórico: la multiplicación... la saturación del discurso sexual en la cultura occidental.

II

En *Las púberes canéforas* se aplican ciertas estrategias narrativas "modernas" que tienen el efecto de crear un sujeto "descentrado".

La estructuración de la novela apunta a una incertidumbre de niveles y sujetos narrativos. Me refiero a su yuxtaposición de planos y focalizadores, de parámetros temporales de orden y frecuencia, y a la voz evasiva que, con una sola excepción[7], evita mostrarse directamente al lector. En la novela hay, entonces —y esta es mi segunda cita de partida— "una rotación de centros de enfoque que impide a cualquiera de ellos tomar un *status* privilegiado" (Jameson, *PU*, p. 161); esta rotación resulta en "una organización descentrada" del texto. Más aún, los sujetos se ven descentrados asimismo por el efecto de inter-

---

[7] Hay una momentánea aparición del narrador en la página 52, cuando Guillermo está pensando en Felipe y el narrador interviene diciendo: "Curiosamente, en mi opinión, el brillo de Felipe se debe a otras razones: ..." Pero el único sentido de esta intrusión parece ser prepararnos para el momento en que el narrador interviene decisivamente en la página 133.

textualidad[8] que se consigue al superponer distintas hablas sociales, al incluir las notas para la novela que Guillermo planea en su carácter mismo de notas, así como su evocación de las charlas de la Gorda, y al salpicar el texto de fragmentos poéticos sobre la prostitución, la sexualidad y el deseo que van desde la poesía española del Siglo de Oro (Quevedo) hasta la poesía mexicana contemporánea, pasando por el Modernismo.

Es, de hecho, una línea del "Responso a Verlaine", de Darío, la que da título a la novela: "Que púberes canéforas te ofrenden el acanto...", de la que, por cierto, se dice que García Lorca aseguraba entender únicamente la palabra "que".

El lector se encuentra con un desorden de notas y referencias a partir de los cuales debe construir su lectura. Intertextualidad, en este caso, es esa renuncia a organizar el libro e integrar las textualidades que lo forman en un solo registro, lo que permite al texto establecer una distancia autocrítica consigo mismo. Tal intertextualidad forma una "telaraña donde se desmembra al sujeto" (Barthes, *UT*, p. 39). Felipe, Guillermo, el lector mismo, queda a merced de lecturas que el texto no puede controlar. En esta red, sólo el deseo oficia de araña.

---

[8] "Any text is a new tissue of past citations. Bits of codes, formulae, rhytmic models, fragments of social languages, etc. pass into the text and are redistributed whitin it, for there is always language before and around the text. Intertextuality... cannot... be reduced to a problem of sources or influences... The whole of language... comes to the text... following the path of a dissemination..." (ROLAND BARTHES, "Theory of the Text", *UT,* p. 39.)

III

Pues la novela obedece a un deseo, el de obligar a la homosexualidad a expresarse (a confesarse). Este es el proyecto narrativo que impulsa los vagabundeos de Guillermo, así como las incursiones en el universo poético por parte del texto. Se busca una verdad y la satisfacción de un deseo. El libro responde una pregunta vital homosexual, pero también busca llenar un universo construido bajo el "signo" homosexual.

Mi tercera cita viene también de la *Historia de la Sexualidad*:

> [En literatura] hemos pasado de un placer a ser dicho y escuchado, centrándose en la narración heroica o maravillosa de "pruebas" de valor o santidad, a una literatura ordenada de acuerdo con la tarea infinita de extraer de las profundidades de uno mismo, entre palabras, una verdad que la forma misma de la confesión proyecta como una imagen reverberante. (*HS*, p. 59)[9]

Las púberes canéforas incurre en uno de los órdenes de exclusión de los que habla Foucault, el de la sexualidad, tratando de saturarlo y convertir el texto en discurso de lo prohibido (o de lo no hablado, como el discurso de la locura), a través de una "voluntad de saber" que instituye esa exploración como objeto deseado y, al mismo tiempo, lo delimita.

La narrativa primaria en la novela es el "punto de intersección" entre el discurso "realista" —la problemática de Guillermo— y una "realidad externa" —la situación de los homosexuales en una sociedad tercermundista y corrupta. Este punto de intersección se identifica porque ese modo del discurso es promovido a la categoría de "lo real". Dentro del texto mismo esto se explica:

---

[9] "Displacement of romance from some primary register in religious myth all the way to its degraded versions in the irony of a fallen world". (*PU*, pp. 112-113.)

Entre más crudas, incluso más obscenas, las cosas le parecían menos mentirosas. Evidentemente le complacía, acaso le excitaba la imagen del chichifo y el viejo puto en las butacas traseras de un cine al borde de la quiebra; quizás hasta estaría imaginando también la película exhibida (una de pandilleros en Nueva York, por ejemplo, muy realista, con mucha sangre), cuyas escenas irían coloreando con reflejos de tonalidades cambiantes, los gestos displicentes del chichifo al derramarse como un amo. Y la nuca del otro, tosiente, atragantado.

"Las cosas le parecían menos mentirosas". El texto obedece a esa exigencia de verdad que Occidente ha puesto "entre cada uno de nosotros y nuestro sexo", y que "nos ha llevado a plantear la pregunta de qué somos al sexo. No tanto al sexo en tanto que naturaleza, sino al sexo en tanto que historia, significación y discurso" (*HS*, pp. 77-78).

En este sentido, *Las púberes canéforas* busca, dentro de su misma sexualidad, la solución a un enigma de identidad. El proyecto de Guillermo se insinúa sobre todo en su invención de una anécdota marginal, la aventura de Fabián e Ignacio —dos jóvenes proletarios que se hacen amantes y conciben la idea de tener con sus novias una sexualidad abierta y múltiple—, y consiste en "un intento de producir una nueva forma de discurso (en la que los órdenes de) inclusión/exclusión, interioridad/exterioridad, posición (entre normalidad y anormalidad) se esfumarían" (Young, *UT*, p. 48).

... Se habían prometido ser como hermanos, "pero cogelones". Lo de Margarita era aparte: un rollo la mujer, el cuarto otro muy diferente, ¿no? Incluso, Ignacio debía de buscarse ya una chava padre, seria, que cogiera bien...Así podrían... hasta conseguirse un departamento decente para los cuatro...: cada pareja su recámara y lo demás para todos... (*LPC*, p. 121)

Fabián e Ignacio, su "aventura", se plantean como una solución ideal. En su *affaire* ellos son capaces de romper limitaciones sociales y sexuales y de participar de un estado de bienestar sexual. La aventura opera como una proyección en la que Guillermo resuelve las contradicciones que lo rodean. Como dicen Balibar y Macherey (*UT*, p. 93):

> ... el discurso literario mismo instituye y proyecta la presencia de lo "real" como una alucinación... [de este modo, los lectores se ven obligados a] tomar hacia luchas imaginarias la actitud que tomarían hacia luchas reales, pero sin correr ningún peligro.

Literalmente (literariamente), Guillermo "alucina" un estado en el que no hay homosexualidad o heterosexualidad, sino únicamente relaciones, deseos de una y otra índole que pueden ser satisfechos sin causar "entropía" social y familiar. Guillermo quiere que sus personajes permanezcan ajenos a la conexión sexualidad-poder. Los proyectos de Felipe y Analía, Fabián e Ignacio, aíslan antisépticamente el problema y lo vuelven artificialmente soluble.

En resumen, el texto emprende el proyecto de "hablar el lenguaje oculto de lo otro" (Young, *UT*, p. 48), tratando de salvar las limitaciones que la forma novelística impone, a través de una estructura en la que los ensayos fallidos ocurren dentro de la misma novela.

> Esa obsesión del novelista frustrado de andar llenando hojas y tarjetitas de frases, notas, observaciones que se traspapelan y pierden, y nunca llegan a cohesionarse siquiera en un borrador de capítulo, pero que le mantienen el diferido, consolador propósito: "Cuando de veras me siente *a escribirlo todo*..." (*LPC*, p. 39)

Así, de alguna manera, se exorcizan los fantasmas del corsé ideológico que sujeta al texto. Hasta qué punto esto funciona, es lo que me propongo ver a continuación.

IV

En *Las púberes canéforas*, deseo y sexualidad se conciben como limitados por un poder basado en la ley, sus manifestaciones y representantes. Este concepto, que Foucault llama "jurídico-discursivo" (*HS*, p. 82), del poder conduce a la siguiente oposición: el poder es extremo al deseo; por lo tanto, la liberación es posible, *versus* el poder es inmanente al deseo; por lo tanto, la liberación es imposible. El texto cae en dicha oposición al enfrentar los deseos de Guillermo, de una homosexualidad ejercible socialmente, a las certezas de La Gorda, de que la homosexualidad florece únicamente en los entrepisos del edificio social:

> Mientras Guillermo insistía en que la homosexualidad era un modo perfectamente natural y libre, sin nada de fatalmente perverso o sucio en ella... la Gorda defendía con garras y dientes sus prestigios infernales... Los reinos infernales de la delincuencia, de la violencia y del desorden... (*LPC*, p. 143)

Pero el poder sólo puede ser analizado eficazmente fuera de esa representación "jurídico-discursiva", ya que ella lleva a dos resultados contradictorios: o a la promesa de una liberación, si el poder sólo tiene un control externo sobre el deseo, o al pesimismo, pues si el poder es parte constitutiva del deseo, entonces uno siempre está atrapado (*HS*, pp. 82-83)[10].

---

[10] "[The analytics of power] can be constituted only if it frees itself completely from a certain representation of power that I will term 'juridico-discoursive'. [This representation can lead to] two contrary results: either to the promise of a 'liberation', if power is seen as having only an external hold on desire, or, if it is constitutive of desire itself, to the affirmation: you are always already trapped. [Some of its principal features:]

Al final, el dilema de la Gorda es el dilema del texto, que sólo puede manifestarse como la persecución de un deseo dentro de las limitaciones de una institucionalidad textual: la novela como género y como forma de inteligibilidad. Ese dilema surge en la impotencia textual de Guillermo, quien es incapaz de ejecutar su ansiada novela. A él se opone el narrador —su némesis y alter-ego autorial— quien, lejos de las formas tradicionales —beletrísticas— de la literatura, tiene el poder de llevar a cabo el proyecto que Guillermo sólo puede desear.

V

Pero no olvidemos, y esta es mi siguiente cita, que

La estructura literaria, lejos de realizarse completamente en cualquiera de sus niveles, se inclina poderosamente hacia el lado subterráneo de lo *no pensado*, o *no dicho*, en una palabra, hacia el inconsciente político del texto, de modo que sus se-

---

The negative relation... Where sex and pleasure are concerned, power can 'do' nothing but say no to them... *The insistence of the rule*: Power is essentially what dictates its law to sex, which means... That sex is placed by power in a binary system: licit and illicit, permitted and forbidden... [That] power prescribes an 'order' for sex that operates at the same time as a form of intelligibility [the law]... [That] power's hold on sex is maintained through language... fact that it is articulated, a rule of law... *The cycle of prohibition*... Renounce yourself or suffer the penalty of being suppressed... Power constrains sex only through a taboo that plays on the alternative between two nonexistences. *The logic of censorship*... The logic of power exerted on sex is the paradoxical logic of a law that might be expressed as an injunction of nonexistence, nonmanifestation, and silence. *The uniformity of the apparatus*. Power over sex is exercised in the same way at all levels..." (*HS*, pp. 83-84.)

> mas dispersos —cuando se les reconstruye de acuerdo con es-
> te modelo de encerramiento ideológico— nos dirigen ellos
> mismos al poder que da forma a las fuerzas o contradicción
> que el texto busca controlar en vano. (Jameson, *PU*, p. 49)

El sujeto que había sido descentrado exitosamente por la estructura narrativa, reaparece en la intrusión del narrador, quien condena a Guillermo a carecer de expresión al emprender su propio discurso. El "autor" indica que, en sus mismos deseos, Guillermo sostiene una versión ideológicamente limitada de la literatura (sujeta al "inconsciente político"), mientras que él mismo (por exclusión) propondría una literatura "congruente".

La aparición es escatimada inmediatamente por medio de un subterfugio; Guillermo y el narrador se saludan brevemente, después se separan, pero —nos dice el narrador— "podía yo adivinar lo que Guillermo iba diciendo" (p. 134):

> Es un escritor superficial, un petulante... Al final de cuentas,
> la literatura es el arte de lo indecible, la única página digna de
> ser escrita es la imposible; pero profesionalitos como él no
> dejan de cagar cuartillas a diestra y siniestra, corrompen la li-
> teratura: la vuelven un oficio, una rutina, hasta una indus-
> tria... (*idem*)

El escritor provee la explosión verbal que se deja regir por el deseo. Es un "cagatintas", mientras que Guillermo está sujeto a la institucionalidad literaria, sus formas, su lenguaje. Está institucionalidad cierra su práctica discursiva a tal grado que le impide escribir. La institución lo constriñe al extremo de cerrar toda salida al deseo.

Guillermo mismo prevé lo que sucederá: el cagatintas le va a robar la historia. De algún modo, ése es su proyecto:

> Pero en fin, soporto sus tiradas demagógicas, sus teorías lite-
> rarias y sus dogmas sarcásticos, y me desquito jugándole una

mala pasada: le digo que voy avanzando en la novela que, por supuesto, nunca escribiré; le cuento pasajes enrevesados, improviso charadas y contradicciones, hasta le doy pedazos de texto... todo un magma. Porque... cuando este cagatinta disciplinado no tenga con qué llenar sus dos libros anuales, no dudes que me va a plagiar... (*idem*)

Ese "autor" intrusivo invalida a Guillermo y hereda su libro en forma intertextualizada; sin embargo, es a su vez incapaz de superar los problemas del texto, pues ancla al sujeto —al establecer, así sea irónicamente, una autoridad interna—, sin proponer una salida a la oposición en la que ha caído, y se ancla a sí mismo en el problema de la homosexualidad, pasando por alto que éste podría ser enfocado como una implantación histórica. De acuerdo con Foucault:

La homosexualidad apareció como una forma de sexualidad cuando se la traspuso de la práctica de la sodomía a una androginia interior, un hermafroditismo del alma. El sodomita había sido una aberración temporal, el homosexual era ahora una especie. (*HS*, p. 43)

Por lo demás, al insistir en plantearse como un espejo de clases y grupos sexuales, el texto desemboca en el realismo policíaco, planteándolo como una especie de grado cero o realismo absoluto donde la literatura se despojaría de su carga innecesaria de retórica y alcanzaría todos sus destinatarios, provocando acaso en ellos una reacción de rebeldía. El texto mismo se separa de lo "libresco" cuando hace decir a Felipe: "¿Qué libro podría tener la sabiduría de dos horas en hoteles de una sola noche? El conocimiento *Real*, no de a mentiras, en palabritas, sino real: la pinche joda de los seres humanos" (*LPC*, p. 75). Pierde así de vista que no hay escapatoria de este lado del texto, que el hecho literario mismo, su existencia, distribución y consumo en tanto que producto, lo condenan a ser un vehículo de las mismas ideologías que quisiera destruir.

VI

Pues cualquier texto es instrumento y obstáculo ideológico al mismo tiempo. Aunque *Las púberes cinéforas* se erige como un obstáculo al poder vuelve a caer en una visión limitada del mismo, al considerar que éste sólo puede decir "no" al placer, y perder de vista el hecho de que lo forma y transforma (como los personajes demuestran).

La formulación del texto como revolucionario está limitada por su forma misma, por el hecho narrativo que el texto no puede dejar de ser. Según Jameson:

> La estrategias de contención no son únicamente modos de exclusión; también pueden tomar una forma represiva de un modo más estricto (hegeliano) en cuanto a la persistencia de un viejo orden reprimido bajo una superficie de forma más moderna. De hecho, diría yo que tal tipo de sedimentación es la estructura dominante en el texto clásico moderno. (*PU*, pp. 213-214)

Hay una tensión entre el deseo de explorar la homosexualidad y los límites a esa exploración puestos por las instituciones que controlan el discurso. La misma oposición entre homosexualidad como modo de vida y homosexualidad como transgresión crea el campo más allá del cual *Las púberes cinéforas* no puede llegar. Esa tensión se rompe cuando la Gorda recurre a la estrategia de obligar al poder a adoptar su forma negativa, rehusándose a ejercer su capacidad de supervivencia.

> La Gorda pudo haberse puesto servil y amable, como otras veces, y pagar la extorsión... "Estuviste cogiendo en los ba-

ños con menores de edad", lo amenazaron. Pero en algún momento se llegaba al final de la calle, a la consumación de un destino. Quizá el suyo empezaba en ese volkswagen café, sin placas, con la portezuela abierta, que estaba junto: "¡No te hagas pendejo! ¡al coche!", le ordenó el agente. (*LPC*, p. 148)

Por un lado deseo, ansia de explicación, se textualiza en el libro. Por otro los "modos de control", los limitantes propios de la literatura, dan forma a la textualización y la obligan a manifestarse —literariamente— como una oposición, entre lo homosexual como ansia de participación y la homosexualidad como estrategia de rebeldía. Homosexualidad y heterosexualidad quedan opuestas en ambos casos, al ser "reificadas" por el texto. El sujeto descentrado reaparece en "su" homosexualidad o heterosexualidad, cuando podría perderse en instancias o momentos de ambos registros. A esto sólo se apunta en los mundos "alucinados" de Felipe y Analía / Fabián e Ignacio, en la solución ideológica que ellos representan para Guillermo, pero que desaparece víctima de los factores "reales" de poder: la corrupción social y política del medio en que se mueven.

Ignacio y Fabián: dos figuras irreales, desde luego inverosímiles en su love story... proletario, urdido por el elemental sentimentalismo de un clasemediero angustiado que frente al mundo de objetos concretos, manuables, prácticos, vulgares, sólo sabe usar palabras de amor que es fraude que es transar que es resplandecer de dientes al cepillazo mágico del dentífrico industrial que es mala conciencia que es lujuria desamparada, idiota, desbordada del ansioso consumidor de jeans ajustados que son la desamparada marginalidad homosexual... (*LPC*, p. 124)

VII

La representación negativa del poder es aceptable para el público porque parece poner simplemente un límite a nuestra libertad. Pero el texto pasa por alto que esta visión legalista ha sido penetrada por nuevos mecanismos de poder que son transparentes dentro de la misma, pues se basan en el control, no en el castigo, en la técnica, no en el derecho, en la normalización, no en la ley; mecanismos que funcionan en todos los niveles, más allá del estado y sus aparatos.

> Hay tanto en nuestras sexualidades [piensa Guillermo] que se resume en la escena del viejo puto... hincado en las butacas traseras de un cine jodido, mamándole la verga a un chichifillo engreído que lo mira hacer con desprecio, sobreactuándose en supermacho... por trescientos pesos, que puntualmente va juntando... de mamada cinera en mamada cinera, para el enganche de la motocicleta o para las botas muy country que son, a su vez, los amos que tienen al chamaco agarrado de la garganta... (p. 42)

Guillermo y la Gorda son productos (no víctimas) de la sociedad que los consume.

> Donde hay deseo, la relación de poder está ya presente: es una ilusión, entonces, denunciar esta relación por una represión ejercida a posteriori; pero es vanidad ir en busca de un deseo que esté más allá del alcance del poder. (*HS*, pp. 81-82)

Las púberes cinéforas es una estructuración de la homosexualidad en términos de "realismo". El texto busca la homosexualidad y la encuentra como una práctica marginal, o como una práctica rodeada de marginalidad. Pero ese texto queda siempre abierto. Por un lado, parece reificar la homosexualidad, al considerarla un estado absoluto, una especie de significante no desarticulable, mientras por otro intuye el problema de los cuerpos, que va más allá de la sexualidad, cuando pone a

Los ángeles rubios y morenos que, al anunciar truzas, panti-
medias, brasieres o navajas de afeitar, traslucen bajos las sua-
ves telas que los dibujan, los músculos delineados casi con la
perfección erótica, la irresistible sensualidad, esas irradiacio-
nes de brillo y poder sexuales de los más celebrados diseños
de automóviles deportivos. (*LPC*, pp. 39-40)

Frente a

... esos cuerpos en bodoque... esos garabatos de carne en que
todos desde los veinte años nos empezamos a convertir.
(*LPC*, p. 27)

Pues la pasión de Guillermo por Felipe está llena de:

... esa sexualidad artificial y lustrosa, que pese a todos sus rollos metafísicos era lo que lo prendía. Ora sí que "esclava del
deseo", bromeó para sí mismo; recordó esa famosa cita de
Bette Davis, que tantas veces había pensado usar en tal o cual
proyecto narrativo: "El sexo es la broma pesada que Dios les
hizo a sus criaturas". (*LPC*, p. 41)

Quedándose al borde mismo de reconocer que la
sexualidad, como formación histórica, da nacimiento
a la noción del sexo, cuando Felipe y Analía...

Se admiraban de que el sexo fuera tan importante para la
gente: tan dramático, tan deformador; de que las personas re-
sultaran tan débiles... Y aun al hacer el amor entre ellos, no
lo hacían como sus clientes bufadores desesperados, sino con
cierto retozo... ¿Cómo era que algo así, tan inofensivo, como
coger trajera a muchedumbres enloquecidas, embrutecidas...?
(*LPC*, p. 73)

No podemos pensar que para decir sí al sexo
uno debe decir no al poder, aun a riesgo de la propia aniquilación, cuando sexo y poder son interde-
pendientes. "Por el contario", dice Foucault, al decir
sí al sexo "se transita por la senda trazada por el
despliege —*deployment*— de la sexualidad. El punto
de partida para contratacar este despliegue debería

ser no el sexo-deseo, sino los placeres y los cuerpos"
(*HS, p. 157*).

> Deberíamos ser más modestos con el sexo [piensa Guiller-
> mo], como en las culturas campesinas... Y lo mismo con los
> sentimientos... Que no sean sueños idiotas que nos esclavicen
> con su lujuria fría y apremiante, que sólo se satisface con
> coartadas... carajo: tanta loca triste con ese sueño [,] como
> pabilos que se extinguen: autodenigrados, autohumillados
> precisamente por sus propios sueños de glamour, de placer,
> de poder... (*LPC*, p. 41)

VIII

En cuanto a los poemas que invaden el texto es-
porádicamente, parecen cumplir dos funciones: primera, atestiguar que la literatura no tiene por qué
hacer a un lado los temas más mundanos, como los
muestran estos ejemplos:

> ¡Oh santo bodegón! ¡Oh picardía!
> ¡Oh tragos; oh tajadas, oh gandaya;
> oh barata y alegre putería!
>
> Las putas, cotorreras y zurrapas,
> alquitaras de pijas y carajos,
> habiendo culeado los dos mapas,
> engarzadas en cuernos y en andrajos,
> cansadas de quitar salud y copas,
> llenaron esta boda de zancajos   [Quevedo, 35 y 36]

Y en segundo lugar, románticamente, relacionar
sexualidad y muerte. El fragmento completo del
"Responso a Verlaine" dice:

> Que tu sepulcro cubra de flores Primavera;
> que se humedezca el áspero hocico de la fiera,

250

de amor, si pasa por allí;
que el fúnebre recinto visite Pan bicorne;
que de sangrientas rosas el fresco Abril te adorne,
y de claveles de rubí.
Que púberes canéforas te ofrenden el acanto;
que sobre tu sepulcro no se derrame el llanto,
sino rocío, vino, miel... (*LPC*, pp. 9, 32)

O el siguiente fragmento de Sor Juana:

Y cuando al golpe de uno y otro tiro,
rendido el corazón daba penoso
señas de dar el último suspiro,
no sé con qué destino prodigioso
volví en mi acuerdo y dije: —¿Qué me admiro?
¿Quién en amor ha sido más dichoso? (*LPC*, p. 124)

Y éste de Góngora:

... En sangre a Adonis, si no fue en rubíes,
tiñeron mal celosas acechanzas,
y en urna breve funerales danzas
coronaron sus huesos de alhelíes (*LPC*, p. 128)

Y, por último, López Velarde:

Cuando se cansa de probar amor
mi carne, en torno de la carne viva,
y cuando me aniquilo de estupor
al ver el surco que dejó en la arena
mi sexo, en su perenne rogativa,
de pronto convertirse el mundo veo
en un enamorado mausoleo... (*LPC*, p. 142.)

El texto funciona aquí como elegía: la homosexualidad se textualiza para convertirse en epitafio,
pues sobre ella se ha dictado una sentencia de muerte. El límite del texto lo señala su manifestación más
liberadora, esa carga poética que lo invade y lo in-
tertextualiza que, analizada a fondo, propone que el
deseo conduce siempre a la muerte: es "un enamorado mausoleo".

Esta visión es congruente con la acepción jurídico-discursiva del poder, y una vez más evita analizar sus efectos, no tanto como algo que nos limita (último límite: la muerte), sino como algo que actúa en nosotros y da forma a nuestros placeres. En cuanto a la textualidad, su forma misma es deseo y sexualidad: ausencia que toma formas diferentes. Acaso más allá de ella haya otro placer de la escritura, y de este lado una estrategia que nos permita hallar su rastro. Por el momento, quedamos estacionados en el epílogo del libro: el mundo como texto, esa alucinación por excelencia: "Nada me desengaña", dice el poema que cierra *Las púberes cinéforas*, "el mundo me ha hechizado".

TEXTUALIDAD Y SEXUALIDAD: EL CRITICO COMO CONFESOR

Adam Sharman
(University of Nottingham)

> ... *nos parece que la verdad alojada en nuestra naturaleza más secreta, exige tan sólo salir a la superficie; y que si no lo consigue, es porque una fuerza la tiene sujeta, la violencia de un poder la presiona, y al final sólo puede ser articulada a costa de cierta especie de liberación.*[1]
> [HS, p. 60]

> *Siempre me han preguntado cuál es la mujer de los* Veinte Poemas, *pregunta difícil de contestar.*[2]

Mezclando *Veinte Poemas de Amor y una Canción Desesperada*[3], de Pablo Neruda, y *La Historia de la Sexualidad*, de Michel Foucault, ofreceré algunos pensamientos sobre dos temas sumamente proteicos: la sexualidad y el sentido literario. Algunas pregun-

---

[1] MICHEL FOUCAULT, *The History of Sexuality. Volume 1: An Introduction.* Penguin, 1981, p. 60. A partir de ahora utilizaré las siglas [HS].

[2] PABLO NERUDA, *Confieso que he vivido: Memorias.* Barcelona, 1983, p. 75.

[3] PABLO NERUDA, *Veinte Poemas de Amor y Una Canción Desesperada.* Losada, 1979.

tas emergen repetidamente: ¿por qué preguntamos "qué es la verdad", en lugar de "por qué perseguimos la verdad" (de la sexualidad) con tanto fervor? ¿Cuáles son las consecuencias de esta caza? ¿De quién es esta sexualidad? Este ensayo tiene por objetivo lo siguiente: argüir que la sexualidad en general (y la [ll]amada Mariso[mbra]l en concreto), lejos de tener una identidad sempiterna, "es" al contrario una construcción históricamente *producida*, en gran parte, por técnicas y discursos de un saber normalizante y estrechamente vinculado al poder. Y como tal es siempre posible no poner al desnudo la verdad reprimida del cuerpo sexual, sino exponerlo por todo lo que tiene de alteridad y división dentro de sí mismo.

Empecemos nuestra trayectoria, con un largo paréntesis, por un libro anterior de Foucault. En *Las Palabras y las Cosas*, Foucault traza los cambios que ha habido en la relación epistemológica entre las palabras y las cosas desde el Renacimiento hasta fines del siglo XIX[4]. En cada era, según Foucault, había un *episteme* dominante (tipo de paradigma epistemológico) que determinaba los modos de saber vigentes. Pongamos por caso el siglo XVI, cuyo *episteme* estaba caracterizado por la Semejanza. Sin embargo, como señala Foucault, una teoría del saber basada en la semejanza trae consigo una capacidad de aplazamiento infinito, ya que una semejanza se refiere a otra similitud y ésta a su vez a otra, y así sucesivamente.

Ahora bien, cada época (o espacio epistemológico) exhibió una función, un concepto o eje que servía para regir y estabilizar, desde el interior o el exterior del *episteme*, el orden del saber. En el siglo XVI, es el microcosmos el que detiene la espiral de semejanzas. Es decir, la existencia de un mundo su-

---

4 MICHEL FOUCAULT, *The Order of Things: An Archeology of the Human Sciences*. Tavistock, 1976. A patir de ahora utilizaré las siglas [OT].

perior (el macrocosmos) garantiza un perímetro que definirá los límites del mundo y del saber. ¿Quién, cabe preguntar aquí, y desde qué posición (¿demiúrgica?) de autoridad, comunicaba la verdad de este macrocosmos?

En los últimos años del siglo XVIII, se disuelve el lazo reconfortante entre las cosas y la representación, segundo *episteme* invocado por Foucault, y que reinó durante el Período Neo-Clásico. En su lugar:

> habrá cosas, con su estructura orgánica propia... el espacio que las articula, el tiempo que las produce; y luego representación, una sucesión puramente temporal, en la que esas cosas se dirigen (siempre parcialmente) a una subjetividad, una conciencia, un esfuerzo singular de cognición, al individuo "psicológico" que, de las profundidades de su historia propia, o a base de la tradición que se le ha legado, intenta saber. [OT, p. 239]

El hombre se convierte en el fundamento de positividades mediante una lógica doble: puesto que "cada una de [las] formas positivas en las que el hombre puede aprender que es finito le son proporcionadas con el fondo de su propia finitud", son estos mismos límites del saber los que "ofrecen una base positiva para la posibilidad de saber"[5]. Por esta razón, el *episteme* moderno, e incluso las Ciencias Sociales (según Foucault), están dominados por cierto concepto empírico/trascendental del hombre; es decir, el hombre que sabe, pero que es asimismo objeto conocible del saber.

En sus últimos libros, Foucault habla de la complicidad de las Ciencias Sociales y de algunas técnicas del saber en la formación de un régimen disciplinario en las sociedades occidentales. Ciertos métodos de normalización y mecanismo de control centrados en el cuerpo vienen a ser una forma más insidiosa y eficaz de regular la población que la al-

---

[5] *Ibid.*, pp. 314 y 317.

ternativa máquina jurídico-militar con su "NO" absoluto. Foucault postula, como consecuencia, la existencia de un íntimo vínculo entre la voluntad de saber y el poder. Así, pues, una característica esencial de este régimen normalizante es la confesión, que extendió su dominio hasta el campo de lo sexual y lo psicológico. De este modo, forma parte del proyecto para averiguar qué pensaba y hacía la masa, y, simultáneamente, avisar a los penitentes de los límites dentro de los cuales los pensamientos-actos deberían acaecer. Agrega Foucault:

> Por lo menos desde la Edad Media, las sociedades occidentales han establecido la confesión como uno de los rituales principales en los que confiamos para producir la verdad. [HS, p. 58]

(Sabemos también que este ritual formó una de las primeras exportaciones de Occidente a América Latina.) En pocas palabras, propongo que esa técnica de confesión se incorporó incluso a la institución literaria. Mi analogía yuxtapone la confesión del penitente con el texto del escritor "expresivo".

En apoyo de una hermenéutica textual-confesional hay, usando la terminología de Jacques Derrida, un fonocentrismo. Esta filosofía está basada en la voz viva, considerándola una exteriorización plena y presente de sentimientos y pensamientos que estarían ellos mismos unificados y presentes-para-la-conciencia. De este modo, la confesión es expresión directa y originaria del penitente. Ahora bien, el texto escrito ha sido visto tradicionalmente con cierto grado de circunspección, dado que sus figuras suplementarias siempre amenazan con alejar esa espontaneidad. Por esta razón, y con el propósito de cerrar la distancia, la crítica trata el texto como una representación de esa expresión del individuo empírico. Por ende, el sentido está *en* el texto-confesión en la medida en que ya estaba *en* el penitente-autor. Del mismo modo, la sexualidad se encuentra plenamente *en* el penitente-autor, postulada como un "detrás", más allá del juego textual, a la vez causa y explicación del texto-confesión. En este esquema, el hermeneuta se arroga la tarea de arrancar el sentido:

> La verdad no residía únicamente en el sujeto quien, al confesarse, la revelaría enteramente formada. Se construía en dos etapas: presente pero incompleta —ciega en relación consigo mismo— en el que hablaba, sólo podía completarse en el que la asimilaba y registraba. Era la función de éste comprobar esta verdad oscura: la revelación de la confesión tenía que ser acompañada por el desciframiento de lo que decía. El que escuchaba no era simplemente el maestro perdonante, el juez que condenaba o que absolvía; era el maestro de la verdad. Su función era hermenéutica. Por lo que se refiere a la confesión, su poder consistía no sólo en exigirla antes de que fuera hecha, o en decidir lo que debía seguirle, sino también en construir un discurso de la verdad con base en su desciframiento. [HS, pp. 66-67]

Paradójicamente, entonces, a la hora de decir su verdad, el texto-confesión se ve sometido a una *institución*, y a una *intervención* por parte del crítico-confesor, sin cuya configuración la verdad permanece hundida en las tinieblas abismales de la ignorancia. Evidentemente, la verdad aquí, nunca más autosuficiente, reside en parte en los discursos institucionales que ya deben ser vistos como a la vez interiores y exteriores al texto-confesión: o sea, desde el momento en que hay "un esfuerzo singular de cognición", el objeto de esa voluntad de saber ya está marcado por la ideología. Donde hay instituciones y regulación de discurso, hay normas y exclusión:

> Siempre es posible que uno pueda decir la verdad en el espacio de una exterioridad remota, pero uno está "en la verdad" solamente por obedecer las reglas de una "vigilancia" discursiva que debe reactivarse en cada uno de sus discursos.[6]

---

[6] MICHEL FOUCAULT, "The Order of Discourse (Inaugural lecture at the College of France)", en *Untying the Text: A Post-Structuralist Reader*. Ed. Robert Young. Boston, 1981, p. 66.

Ahora bien, según la "hipótesis represiva", en la época victoriana la represión sexual (sobre todo de mujeres) alcanzó nuevas cotas. Foucault se opone a esta explicación; para él, ésta sólo sirve para atenuar nuestro concepto de poder, postulándolo como fuerza monolítica y jurídica que viene a actuar posteriormente sobre una sexualidad ya formada separadamente. En otros términos, este concepto ofusca esos efectos "positivos" y preceptivos del poder que dictan exactamente en qué ha de consistir la naturaleza de la sexualidad adulta o infantil. En el siglo XIX, por ejemplo, aquel "discurso de la verdad" sobre la sexualidad viene a definirla como:

> un dominio susceptible a procesos patológicos, y por lo tanto, que exige intervenciones terapéuticas o normalizantes; un campo de significaciones por descifrar; el sitio de procesos ocultados por mecanismos específicos; un foco de relaciones causales indefinidas; y un habla (*parole*) oscura por descubrir y escuchar. [HS, p. 68]

Por lo tanto, no se trata de una *cosa* (que será reprimida solamente *después*), sino de una red compleja de elementos discursivos y no-discursivos, interminablemente constituida por un discurso obligado a *producir* su verdad.

Pero si sostenemos que el *episteme* moderno rige el pensamiento de las diversas disciplinas (entre ellas la de la crítica literaria) sobre la sexualidad —abrigando la ilusión de que un día de éstos la sexualidad, ya no sujeta a mecanismos de represión, "se dé a conocer" en terreno suyo y dictando las condiciones: especie de grado cero de la sexualidad—, ¿es la lógica que resplandece en sus diversos discursos una lógica lisa y unificada; sistema en que, a cada coyuntura, "tout se tient" (como diría Barthes)?

Volvamos a *Las Palabras y las Cosas*, y a la problemática del pensamiento. Al evitar a propósito la cuestión de las razones por las que se transformaron los *epistemes*, Foucault ofusca la posibilidad necesaria de que *dentro* de cada *episteme* ya había *otros* pensamientos, la traza (*trace*) de una configuración diferente: un elemento diferente en el *interior* de la identidad de aquel espacio putativamente homogéneo. De lo contrario, ¿cómo podían haber sucedido las mutaciones? Dicho de otro modo, ¿cómo podían haber emergido aquellos pensamientos de *Analogía* y *Sucesión* (características del *episteme* moderno) si no estaban ya latentes, como posibilidades estructurales, en el *episteme* anterior del Período Neo-Clásico (regido por la clasificación y la enumeración), haciendo éste y el espacio de su *tabula*, heterogéneos e incompletos?

Podemos decir, entonces, que la *Discontinuidad no* fue *ipso facto* excluida del *episteme* Neo-Clásico porque en aquella época este tipo de pensamiento no había podido inventarse, es decir, porque fueron de algún modo impensables. Al contrario, sí tuvieron lugar *en potencia* solamente para luego ser reprimidos y negados, a fin de conservar la unidad de la *tabula*. Por consiguiente, no debemos concebir la represión y la fuerza en términos de una imposición procedente del exterior, sino de un movimiento en el *interior* del sistema[7]. Esto es de suma importancia para la crítica literaria.

Transfiriendo (ya que no pretendo que se trate de la ósmosis) nuestras dudas en cuanto a la lógica discursiva a otro discurso —el poético y más concretamente, los *Veinte Poemas*—, ¿constituye esta poesía una lógica implacable y unitaria *vis-à-vis* el ser de la amada, su estado y sexualidad?

Respecto a los *Veinte Poemas:* ¿por qué han suscitado estos poemas de Neruda tan poca actividad crítica en lo que se refiere a la sexualidad, tratándose de una poesía que, después de todo, ha sido tan leída y que ha estimulado las pasiones de tantos

---

[7] Véase Jacques Derrida, "Force and Signification", *Writing and Difference*. London, 1978.

adolescentes —jóvenes y viejos—? Además, ¿qué se ha dicho de la sexualidad y el cuerpo femeninos las pocas ocasiones en que nuestra disciplina machocéntrica, y no menos biográfica, se ha puesto a escuchar?

* * *

Examinemos brevemente la crítica del tipo "imágenes de la mujer", empezando con una oposición entre el poder respectivo de escritores masculinos y femeninos: "Neruda encuentra un acento viril que levantar frente al canto ardido de las mujeres [o sea, Agustini, Ibarbourou].[8]

La abanderada fuerza masculina levantada contra el deseo difuso de la mujer. Otra técnica de esta crítica consiste en oponer la virilidad masculina a las cualidades telúricas de la mujer. Ahora bien, la poesía nace con un cuerpo (textual) y con la temática de la Mujer-Tierra:

> Cuerpo de mujer, blancas colinas, muslos blancos,
> te pareces al mundo en tu actitud de entrega.
> Mi cuerpo de labriego salvaje te socava
> y hace saltar el hijo del fondo de la tierra.

El "Cuerpo de la mujer" ocupa *por la fuerza* el polo pasivo en su "actitud de entrega". Esta distribución de fuerzas encuentra un apoyo en la lengua española: am*ante* (activo) vs. am*ada* (pasiva). El tema telúrico se difunde por todos los poemas[9]. En el Poema 2, la destinataria es esclava del tiempo y de la creación ("Oh grandiosa y fecunda y magnética esclava / del

---

8 EMIR RODRIGUEZ MONEGAL, *El Viajero inmóvil: Introducción a Pablo Neruda.* Buenos Aires, 1966, p. 48.

9 Véase el artículo de JOHN FELSTINER acerca del sexismo de la poesía de Neruda. "A Feminist Reading of Neruda", *Simposio Pablo Neruda. Actas.* New York, University of South Carolina, 1975, pp. 317-338.

círculo que en negro y dorado sucede"), esclava también, en el Poema 15, del "yo" masculino trascendental ("Como todas las cosas están llenas de mi alma / emerges de las cosas, llena del alma mía"). No obstante, según Guillermo Araya, la mujer figura como polo de orientación del macho:

Pasiva y privada de opinión, la amada gravita como uno de los *centros fundamentales* de esta poesía. Tal vez sea éste el modo más insigne de existir de la mujer, su sola presencia reordena el mundo y *determina la existencia del yo*.[10] *[Lo subrayado es mío.]*

La identidad del yo depende, entonces, de la otra. Sin embargo, la amada es también "muda", marcada por el silencio y condenada a permanecer fuera de la representación ("no tiene voz propia... No se expresa con sus propias palabras ni desde su propio centro" [VP. p. 168]); su condición paradójica: centro sin centro, centro des-centrado. Su unidad es invocada sólo en la medida en que confirma al amador-poeta de quien brota el poder creativo ("la figura de la amada es percibida como unitaria porque es el objeto que dibuja y objetiva un único amor adolescente... una fuerza poética única" [VP, p. 172]). El discurso que intenta representar unitaria y totalmente a la que no tiene centro, sólo termina por representarla (a diferencia de los valores positivos atribuidos al hombre: la presencia, el poder articulatorio y la razón), y definirla precisamente por el silencio, exhibiendo así su parentesco patriarcal tanto del clima socio-cultural de los años veinte en Chile como de una tradición metafísica. Notamos también que la amada es caos y lo negativo ("naufragio"); madura para comer ("fruta"); del orden de lo irracional ("milagro"); "ausencia"; y objeto poseído ("muñeca mía").

---

[10] Guillermo Araya, "Veinte poemas de amor y una canción desesperada". *Bulletin Hispanique*, vol. 84, 1982, pp. 145-188. A partir de ahora utilizaré las siglas [VP].

A este respecto, Juan Loveluck, comentando el Poema 9, habla de la "hembra poseída con avidez" y del cuerpo de la mujer como "un pez adherido" al alma del poeta[11]. Adhiriéndonos un momento a este "cuerpo de mujer" (ya que mi discurso y mi analogía entre las conceptualizaciones de la sexualidad y el sentido textual están motivados precisamente por la posición subordinada de este "cuerpo" femenino dentro de un sistema metafísico violento), vemos como Loveluck señala la oposición mente/cuerpo, y cómo coloca a la amada —conforme con las imágenes de ella recibidas del texto— bajo la égida del término inferior. De ese modo, delinea la red de elementos discursivos y conceptuales que contribuyen al sistema metafísico, en el que funcionan ambas conceptualizaciones (de la sexualidad y del sentido) como fulcros fundamentales de exclusión: 1. oposición jerárquica; 2. asignación del *lugar que corresponde en aquel orden*; 3. subordinación/posesión. En cuanto estrategia preliminar, nos permite afirmar, si se nos antoja, que Neruda es sexista. Sin embargo, el asunto es más complicado y, de hecho, tal estrategia aún funciona dentro de un sistema de significación encima de cuyo basamento se erige la posibilidad misma de la posesión.

Antes de trazar una alternativa, quisiera afirmar que, en cierto sentido, la crítica del tipo "imágenes de la mujer" sí es capaz de perturbar nuestra imagen de la mujer. Por ejemplo, casi todos los críticos de los *Veinte Poemas* convienen en reconocer las múltiples y contradictorias imágenes de la amada, mencionando la autonomía, el vigor, la actividad. Pero volvamos al "Cuerpo de mujer", a lo que he denominado pasividad. El "cuerpo de labriego" representa indudablemente la fuerza activa que "socava", pero acti-

11 Juan Loveluck, "El navío de Eros: Veinte poemas y una canción desesperada, número nueve", *Simposio Pablo Neruda. Actas.* New York, University of South Carolina, 1975, pp. 231.

vidad y voluntad por parte de "ella" ya habitan esta putativa escena de sumisión (Cabe recordar aquí que no se trata de una mujer de carne y hueso, sino de tinta y papel, y por esto vamos descomponiendo *imágenes* para examinar, en su lugar, *palabras*. Este aparente formalismo no nos remite a un sistema lingüístico cerrado y objetivado, sino a un sistema abierto en el que el sentido, lejos de ser "recibido", es producido con una inevitable inversión subjetiva.): "te pareces al mundo en tu actitud de entrega", ella se da; no está dada. Notamos también cómo la amada, indudablemente forjada por el "yo", es, no obstante, ella misma dura y penetrante —"flecha", "piedra"—, finalmente armada: y esta inversión de papeles se acentúa en el Poema 3, cuando es *ella* quien forma el proyector ("arco de esperanza") y él quien se asocia con los proyectiles ("flechas").

Pero veamos dónde desembocamos con otro crítico que señala la "naturalización de la amada", técnica poética cuyo punto álgido lo pueblan las flores ("el jacinto, la amapola, el lirio y la rosa"), y esto "no es un azar", porque se trata, como explica, de "un embellecimieto reiterado... del sentimiento amoroso que tiene su origen y nacimiento en ella. *La mujer es el ser amoroso en sí*." [VP, p. 179-180. Lo subrayado es mío.] Este esencialismo se funda, se centra en el "en sí", es el culto a la "en-si-dad". Volveremos más adelante a este *proceso* de naturalización.

Resulta difícil aceptar la hipótesis de esta crítica (y la comparte la práctica confesional): a saber, las imágenes son presentes y nada divergentes o contradictorias *dentro de sí mismas*; existe una lógica sin aporía del discurso, aunque exhiba cierta polisemia[12]. Es al crítico-confesor al que le incumbe descifrar la lógica. Sin embargo, se ve atrapado en la lógica do-

---

12 Véase JACQUES DERRIDA, *Positions*. London, 1981, p. 45: "la polisemia, como tal, se organiza dentro del horizonte implícito de una reanuda-

ble de su práctica: afirma la existencia empírica de un objeto ya constituido con su verdad conocible y a su vez declara la necesidad de una intervención autorizada a fin de revelarla. Es la paradoja inherente en negar una intrusión subjetiva conforme confiesa su necesidad. Ahora bien, para que se produzca tal saber positivo y estable, se despliega uno de esos fulcros críticos que pretende regular de algún modo el juego lingüístico, la escritura, al mismo tiempo que parece escapar de él como por ensalmo. Tal ejemplo de este logocentrismo es cierto concepto del autor que influye en nuestra disciplina desde hace mucho tiempo. (Vemos aquí cómo Literatura y estudios literarios —con su apoyo a la apoteosis del sujeto y al "individuo único" que crea para sí un mundo propio *ex nihilo*— no dejan de estar involucrados tanto en el *episteme* moderno como en el proyecto de una sociedad disciplinaria fundada en la insinuación de normas y dictados sobre el ser del individuo y el modo de ser/pensar que le corresponde: en el caso de las mujeres, es precisamente porque no corresponden a la norma socio-cultural vigente —o sea, a no ser hombres— por lo que se ven sometidas a la marginación.) Será este concepto, con sus correlativos de subjetividad, expresión, voz y propiedad, el que ocupará nuestro interés aquí.

* * *

He aquí los pensamientos de Amado Alonso sobre la visión poética de Neruda:

---

ción unitaria del sentido, es decir, dentro del horizonte de una diléctica —... una dialéctica teleológica y totalizante que en un momento determinado, por lejos que sea, debe permitir que la totalidad de un texto vuelva a reunirse en la verdad de su sentido, constituyendo el texto como *expresión*, como *iluminación*, y anulando el desplazamiento abierto y productivo de la cadena textual".

> Los ojos del poeta, incesantemente abiertos, como si carecie-
> ran del descanso de los párpados... ven la lenta descomposi-
> ción de todo lo existente en la rapidez de un gesto instantá-
> neo... Ven... el suicida esfuerzo de todas las cosas por perder
> su identidad... El deshielo del mundo. La angustia de ver a lo
> vivo muriéndose incensantemente.[13]

En este orden trascendental, parece que el poeta escapa a la temporalidad. Pretende cumplir precisamente aquella función reguladora que gobernaría misteriosamente el sistema de lo real desde una "posición" exterior: es decir, un centro ausente. Sin embargo, la palabra "angustia" es nuestra clave. Como dice Derrida:

> la angustia resulta invariablemente de un cierto modo de es-
> tar involucrado en el juego, de estar enredado en el juego, de
> estar en cierto sentido en el juego desde el principio.[14]

El mismo Alonso lo reconoce también. Su noción de *desintegración* deconstruye el concepto de identidad (poética), insertando en él un diferimiento temporal y, como consecuencia, la no-identidad:

> cada acto de vida engendra un cambio en el ser vivo matando
> en él algo que había y, por lo tanto, matando en él su identi-
> dad.[15]

Sin embargo, el amor y la poesía "son dos formas de manifestarse el ansia de perpetuidad entre lo caduco".

Elijo este lugar —con inquietud— para empezar una lectura interpolada y necesariamente selectiva de los *Veinte Poemas*, reteniendo las palabras *ansia* e *identidad*. Mi lectura será violenta, ineludiblemente. Lo importante es la forma de esa violencia; la mane-

---

[13] Amado Alonso, *Poesía y estilo de Pablo Neruda*. Barcelona, 1979, p. 122.

[14] Jacques Derrida, "Structure, Sign and Play in the Discourse of the Human Sciences". *Writing and Difference*. London, 1978, p. 279.

[15] Amado Alonso, op. cit., p. 122.

ra en que uno resiste/sucumbe a aquel sistema jerár-
quico. Comencemos, entonces, por un cuasi-centro
del libro, un "Casi fuera del cielo": Poema 11. Nuestra ansiedad encuentra un cuerpo, es encarnada (textualmente) en la amada, o más bien en la *imagen* de
la amada: "Ansiedad que partiste mi pecho a cuchi-
llazos". Del mismo modo, se desdobla ella como el
viento:

> Pero tú, clara niña, ...
> Era la que iba formando el viento con hojas iluminadas

es decir, ella también simultáneamente encarna/es
encarnada en aquel *leitmotiv* elemental que, en el
Poema 11, "acarrea, destroza, dispersa [su] raíz soño-
lienta" y que se extenderá a lo largo de los poemas
de una manera anatémica, arrastrando la identidad.

A propósito de la identidad, y retomando el hilo
del tema telúrico y la mujer cito unas palabras de
Saúl Yurkievich que me parecen fundamentales:

> la mujer se inviste de todas las propiedades telúricas... posee
> el mismo dinamismo, sufre todas las mutaciones del mundo
> natural.[16]

Por un lado la mujer *es* dinámica: por consiguiente,
no veo ningún inconveniente en subrayar las propiedades telúricas de la mujer (y el Poema 1 lo confirma, con su multitud de paralelos entre la amada y
las fuerzas naturales cinéticas: "Tempestad que ente-
rró las campanas, turbio revuelo / de tormentas").
Pero sólo a condición de que re-evaluemos lo telúrico
y la tierra, entendiendo a éstos también, como una
tela, un sitio de diferenciación espacial y de diferimiento temporal; en fin, de textualidad y escritura.
(Y otra vez pensamos aquí en la plétora de imágenes

---

16 Saul Yurkievich, *Fundadores de la nueva poesía latinoamericana. Vallejo, Huidobro, Borges, Neruda, Paz.* Barcelona, 1970, p. 162. A partir de ahora utilizaré las siglas [FNPL].

de la naturaleza-en-movimiento: "hojas", "viento", "mar", "tempestad", etc.)

Por otro lado, esta negación de una identidad nuclear suele quedar negada a su vez en favor de un concepto imagen de la mujer fija, de una feminidad sedentaria e inmutable (todo lo contrario de lo evocado en los poemas respecto a la amada). Esta segunda estrategia (y su correlativo es la promoción del hombre-activo) se empeña en definir a una mujer esencial según varias permutaciones idealizadas. Y el poder de definir, el poder letrado, según Angel Rama, está en manos de un orden patriarcal, que lo ha empleado para asegurar la posición dominante de (la mayoría de) los hombres, y concomitantemente, para situar a las mujeres en los márgenes. (Simplifico: un hombre que domina en la familia resulta a su vez marginalizado en un contexto de mayor envergadura, como la clase social.) Dice Toril Moi:

> si el patriarcado entiende que las mujeres ocupan una posición marginal dentro del orden simbólico, entonces puede expresarlas como el límite o la frontera de aquel orden. Desde un punto de vista falocéntrico, las mujeres vendrán a representar la frontera necesaria entre el hombre y el caos; pero debido a su marginalidad misma también parecerá que siempre recaen en y se funden con el caos de lo exterior. En otros términos, las mujeres vistas como el límite del orden simbólico compartirán las propiedades desconcertantes de todas la fronteras: no estarán ni dentro ni fuera, no serán ni conocidas ni desconocidas. Es esta posición la que ha permitido a la cultura masculina ya vilipendiar a las mujeres como representantes de la oscuridad y el caos, mirarlas como Lilith o la puta de Babilonia, ya exaltarlas como las representantes de una naturaleza más alta y pura, venerarlas como Vírgenes y Madres de Dios.[17]

("Sin dejar de ser una 'muchacha morena y ágil' (19,1) se ha transformado en una deidad, en Venus

---

[17] TORIL MOI, *Sexual/Textual Politics: Feminist Literary Theory*. London, 1985, p. 167.

y Pomona al mismo tiempo". [VP, p. 187]) Ahora bien, la noción de la primordialidad del hombre —el falogocentrismo, según Derrida— se sirve de dos valores a fin de mitigar cualquier ansiedad hermenéutica: 1. el valor-verdad (y aquí figura la mujer como alegoría principal de la verdad) y su correlativo; 2. la Feminidad (aquella esencia o verdad de la mujer)[18]. De este modo, la "sexualidad femenina" se define según una norma patriarcal. Pero, como dice Foucault:

> Donde hay poder hay resistencia, y, sin embargo, o mejor dicho, por consiguiente, esta resistencia nunca se halla en una posición de exterioridad con relación al poder. [HS, p. 95]

En otros términos, podemos decir que *la construcción de la sexualidad proviene de una multiplicidad de puntos y redes cuyo peso ideológico en conjunto en nuestras sociedades es indudablemente patriarcal, pero nunca lo es por completo, nunca de modo no-diferencial.*

Esta resistencia —perdonen la desmesurada interpolación— consiste en trazar a lo largo de los poemas la movediza "función-amada" a fin de demostrar: cómo está ella des-centrada, cómo habita esa línea divisoria de la identidad; y también que *su condición no es anormal, sino la norma misma de la identidad*; demostrar, pues, simultáneamente, cómo la persona poética masculina experimenta una progresiva pérdida del "yo" y una sensación paralela de naufragio a medida que aquel valor-verdad y aquella Feminidad, junto con una expresión teleológica, se desamarran, diseminándose fuera de su control. Se trata de interrogar el sistema hermenéutico del saber, sistema que asigna los lugares inmutables y auto-idénticos, estos valores permanentes, estas propiedades valoradas. Como dice Derrida:

---

[18] JACQUES DERRIDA y CHRISTIE V. MCDONALD, "Choreographies". *Diacritics,* Vol. 12, Verano 1982, pp. 66-76.

Tal reconocimiento [de los lugares] no debe hacer del valor-verdad o de la feminidad un objeto del saber (se trata de las normas de saber y del saber como norma); aún menos debe convertirlos en un lugar para habitar, en un hogar.[19]

En el Poema 6 entramos en un no-lugar, un "sitio" donde dos imágenes yuxtapuestas de la amada fracturan tanto nuestro concepto de imagen como el basamento de aquella yuxtaposición: (Notamos aquí que en casi todos los poemas la "escena de la escritura" es el crepúsculo, un no-sitio, o más bien, una frontera espacio-temporal.):

> boina gris, voz de pájaro y corazón de casa
> hacia donde emigraban mis profundos anhelos
> y caían mis besos alegres como brasas.

La "voz de pájaro" evoca el lenguaje y el movimiento mientras "corazón de casa" indica el hogar, ese terreno tradicional de la mujer[20]. En cuanto imágenes sucesivas, introducen en el corazón de la amada una *diferencia*; y deconstruyen el sitio de esta feminidad textual. Del mismo modo, una vez que el objeto representado se muestra dividido en sí, aquellas imágenes verbales que pretenden desvanecerse frente a la presencia de aquel objeto revelan su temporalidad y espacio interior propios, dificultando una exégesis basada en la recuperación de una representación mimética.

En busca de un lugar firme volveré al principio, a la creación original: "Cuerpo de mujer". Las palabras iniciales se repiten en la cuarta estrofa: "Cuerpo de mujer, persistiré en tu gracia". Persistiré

---

19 *Ibid.*, pp. 69-70.
20 Compárese ELSA M. CHANEY, *Supermadre: Women in Politics in Latin America.* Austin, University of Texas, 1979, p. 37: "The dominant quality both men and women of all social classes look for in married women.. is that they be "de su casa", that is, dedicated totally to their role of wife and mother".

en la imagen de tu gracia, es decir, por medio de la escritura que dio luz, después de todo, al "Cuerpo de mujer". Sin embargo, la escritura, ruptura de toda presencia consoladora, engendra la ansiedad. Los versos que completan la cuarta estrofa y ponen fin al primer Poema dan testimonio, a modo de confesión, de lo vinculados que están el amor, la escritura y el ansia:

Mi sed, mi ansia sin límite, mi camino indeciso
Oscuros cauces donde la sed eterna sigue,
y la fatiga sigue, y el dolor infinito.

En realidad, el "camino" a lo largo de los poemas de la persona poética, deseando capturar el amor y a ese "Cuerpo de mujer" de entonces a través de la escritura, sólo podría ser "indeciso".

En el Poema 2, la amada está situada en el centro del crepúsculo ("Absorta, pálida doliente, así situada / contra las viejas hélices del crepúsculo / que en torno a ti da vueltas.") y figura como fuente de raíces, punto de génesis ("y a lo exterior regresan las cosas en ti ocultas, / de modo que un pueblo pálido y azul / de ti recién nacida se alimenta"). Araya acierta en afirmar que aquí se prolonga "la visión de la parturienta como un santo o como un cristo femenino crucificado" [VP, p. 181]. También cabe destacar aquí, como ya se ha señalado antes, que esta fuerza generativa es, no obstante, ella misma "esclava / del círculo que en negro y dorado sucede". En el 3, se desplaza la imagen de aquel punto de anclaje. En cuanto "caracola terrestre" pertenece tanto a la tierra como al mar. Además, el "yo" masculino experimenta una pérdida del ego"

En ti los ríos cantan y mi alma en ellos huye
como tú lo desees y hacia donde tú quieras.

y lo sufre precisamente porque *ella no está en ninguna posición* para recogérselo.

La tercera estrofa manifiesta dos oxymoron
—recursos tropológicos que subvierten la estabilidad
del proceso de significación, abriendo un abismo de
referencia. "Cintura de niebla" es seguido por:

> y eres tú con tus brazos de piedra transparente
> donde mis besos anclan y mi húmeda ansia anida.

Puede servirnos este último verso —"donde mis besos
anclan y mi húmeda ansia anida"— de paradigma
para una estrategia de escritura que dramatice tanto
la tentativa incesante de anclarse a sí mismo y a su
ansia en la amada, como la coextensiva conciencia
de la imposibilidad de la misma.

También, a nivel de comunciación, en el Poema
4 los esfuerzos de unión del yo no alcanzan su blanco, impedidos por el juego del viento, el *espacement*
(Derrida), el medio a través del cual opera la comunicación:

> Viento que lleva en rápido robo la hojarasca
> y desvía las flechas latientes de los pájaros

Este conflicto de la expresión se representa a
través del Poema 5: "Para que tú me oigas" es el título de una intención de expresarse. Sin embargo,
nada más empezada la tercera estrofa, se abre una
distancia entre la persona poética y "sus" palabras,
hasta tal punto que se llega a dudar de que sean verdadera y simplemente suyas. A lo largo del poema
—que, con su "Voy haciendo de todas [mis palabras]
un collar infinito", apunta a las tres palabras potencialmente explosivas de la frase de Saussure: "dans la
langue il n'y a que les différences, *sans termes posi-
tifs*"[21]— se actúa un tipo de juego ("juego sangrien-

---

[21] Ferdinand de Saussure, *Cours de linguistique générale*. Ed. Tu-
llio de Mauro, París, 1973, p. 166.

to") en el que la persona poética reflexiona sobre la alternativa posesión/des-posesión de sus palabras, inclusive atribuyéndolas a ella:

> Y las miro lejanas mis palabras.
> Más que mías son tuyas.
> Van trepando en mi viejo dolor como las yedras.
>
> Ellas trepan así por las paredes húmedas.
> Eres tú la culpable de este juego sangriento.
>
> Ellas están huyendo de mi guarida oscura.
> Todo lo llenas tú, todo lo llenas.
>
> Antes que tú poblaron la soledad que ocupas,
> y están acostumbradas más que tú a mi tristeza.

Entonces el título se reitera en forma de deseo de una expresión perfecta:

> Ahora quiero que digan mis palabras lo que quiero decirte
> para que tú me oigas como quiero que me oigas

Sin embargo, en la línea siguiente se desarraiga y se disemina este fonocentrismo:

> El viento de la angustia aún las suele arrastrar
> Huracanes de sueños aún a veces las tumban.
> Escuchas otras veces en mi voz dolorida.
> Llanto de viejas bocas, sangre de viejas súplicas.

A propósito de la expresión y la propiedad de la voz, dice Saúl Yurkievich refiriéndose a *El Hondero Entusiasta*:

> Neruda descubre su propia voz (o su voz apropiada).
> [FNPL, p. 159]

Me conviene retener aquí este descenso en el valor de la propiedad. "Su voz propia ——> "su voz apropiada" (entre otras) ——> "su voz apropiada" (es decir, de otro lugar): ¿ve aquí Yurkievich esa cualidad apropiada de toda voz poética? O sea, el hecho de que la actividad poética se define y se realiza no sólo por sujeto expresivo e inspiración objetiva, sino por convenciones poéticas-discursivas —por *otras* voces ("Escuchas otras voces en mi voz dolorida"): la herencia de una tradición con sus propias normas (¿sus normas apropiadas?).

En el Poema 7 leemos por primera vez "náufrago":

> Allí se estira y arde en la más alta hoguera
> mi soledad que da vuelta los brazos como un náufrago.

Aparece no sólo en tiempos de "soledad", sino también llegado el momento en que comienzan a retroceder los polos de orientación, reemplazados por líneas divisorias amorfas e inciertas: "orilla", "tinieblas", "costa del espanto". Es interesante ver cómo se combinan en este poema una cruda afirmación, por el yo masculino, de que ella es su propiedad y el reconocimiento de que ella no está del todo allí, en tierra firme, donde él quisiera que estuviera para poseerla mejor:

> Sólo guardas tinieblas, hembra distante y mía,
> de tu mirada emerge a veces la costa del espanto.

El Poema 9 se esfuerza por conjurar el movimiento de la *des*posesión mediante una reafirmación de la red: "sentido-dirección-control":

> el velero de las rosas dirijo,
> ...
> cimentado en el sólido frenesí marino.

No obstante, esta navegación falogocéntrica, arando y sembrando simientes ("cruzo [cruzar=arar] en el agrio dolor del clima descubierto"), conduce a una diseminación y asimismo la ruptura de comunicación que ésta implica. Yurkievich lo reconoce:

> El discurso se llena de fisuras... cambia imprevistamente de
> dirección, el sujeto se vuelve indeterminado... Enrarecida, la
> comunicación conceptual se enmaraña, es invadida por la in-
> congruencia enriquecedora que desborda todo ordenamiento
> abstracto, toda regularidad. [FNPL, p. 163]

Pero su próximo párrafo trata de hacer de nuevo el
enlace preservando en el mismo movimiento el orden de las cosas. Deshecha la comunicación, frente
al abismo lingüístico, el crítico opta por la vía trascendental —"comuni[————]ón":

> Esta *comunión* confusa y tumultuosa con el universo, esta
> absorción intuitiva de la naturaleza de la plenitud de su ener-
> gía se va a acentuar con *Tentativa del hombre infinito*.
> [FNPL, p. 164. Lo subrayado es mío]

Y de pronto el discurso crítico rehúsa toda explicación social o cultural, enclaustrándose en la a-histo-
ricidad putativa de una economía discursiva teológica.

A modo de complementación, parece que el
Poema 12 nos ofrece algo esencial acerca de la identidad de la condición femenina, pero interviene lo
temporal:

> Socavas el horizonte con tu ausencia.
> Eternamente en fuga como la ola

para convertir lo eterno en un constante fracaso del
proceso de ser. "Como un viaje", ella "es" desplazamiento temporal y espacial; "Como un viejo camino",
parece ser el terreno mismo de los dos ejes. Pero:

> La escritura [es] la posibilidad del camino y de la diferencia...
> la divergencia de, y el *espacement* violento, de la naturaleza,
> de lo natural.[22]

---

[22] JACQUES DERRIDA, *Of Grammatology*. Baltimore/London, John
Hopkins University Press, 1976, p. 107.

Y a fin de confirmar esta ruptura con/de la naturaleza, con/de cualquier lugar natural/esencial de la feminidad, ella está poblada de otras voces ("Te pueblan ecos y voces nostálgicas") y, por lo tanto, es sitio de intertextualidad.

Volvamos al tema de la "naturalización de la amada". Tras subrayar la técnica de Neruda y concluir que "La mujer es el ser amoroso en sí", Araya escribe: "... el yo lírico utiliza la manifestación cultural de la naturaleza para exaltar a la amada". Entonces (refiriéndose al Poema 13, "el atlas blanco de tu cuerpo"), añade:

> El poeta se refiere *mediatamente* a la topografía femenina. *La nombra a través del producto cultural* en el cual la tierra y sus accidentes han sido *figurados,* el atlas. De esta referencia *mediata* se opera el salto hacia la materialidad mujer-tierra, mujer-naturaleza. [VP, p. 180. Lo subrayado es mío]

Esto es fundamental. Se reconoce aquí que la escritura (y por ende la cultura— interviene en la naturaleza, la *media,* la *nombra* y la *figura,* no como proceso accidental y, como consecuencia, evitable, sino como requisito previo. Es decir, *en la poesía es cuestión de los diversos grados de "culturización" de la naturaleza,* sin la seguridad de un Grado Cero.

La escena de la escritura en el Poema 13 es un oxymoron doble: "la orilla del crepúsculo". De este límite doblemente impreciso pasamos a una línea divisoria sintáctica "entre"— a la que suele confiársele la función de establecer una diferencia rígida entre conceptos, palabras, etc. En este caso, opera tropológicamente de tal manera que pone en duda aquel espacio ordenado de lenguaje y saber, aquella *tabula* de que habla Foucault. ¿Cómo puede uno estar "acorralado entre el mar y la tristeza"? ¿En qué lugar? Según Foucault (refiriéndose en *Las Palabras y Las Cosas* a un cuento de Borges), sólo en ese no-lugar que es el lenguaje[23]. Parece que el Poema lo confir-

---

[23] MICHEL FOUCAULT, *The Order of Thing, op. cit.,* p. xvii.

ma: "Entre los labios y la voz, algo se va muriendo". Sin embargo, el verso siguiente nos acerca a lo que está en juego: "Algo con alas de pájaro, algo de angustia y de olvido". No se trata simplemente del lenguaje fosilizado, sino del juego del lenguaje; o sea, no del espacio sino del funcionamiento espacio-temporal. El sentido no reside únicamente en las palabras, sino *entre* ellas:

> algo canta *entre* estas palabras fugaces
> (Lo subrayado es mío)

El Poema 16 disuelve la comunicación mencionada más arriba, iniciándose con una explicación del papel de la amada en la configuración textual:

> En mi cielo al crepúsculo eres como una nube
> y tu color y tu forma son como yo los quiero.

parece ser una descripción de su poder creador, e incluso hay mención a una "lámpara", aquel tropo arquetípico de la creación romántica[24]. A continuación, se introduce el medio de la creación ("Y viven en tu vida mis infinitos sueños"). Se trata, claro está, de la imaginación ("cómo te sienten mía mis sueños solitarios"), imaginación que comprende cierto sentido de posesión. Pero esta posesión, se la lleva el viento:

> Eres mía, eres mía, voy gritando a la brisa
> de la tarde, y el viento arrastra mi voz viuda.

Sin embargo, en los últimos versos se re-inscribe de manera diferente y necesariamente ambigua, el propio esquema tradicional de la creación, posesión, significación:

> Mi alma nace a la orilla de tus ojos de luto.
> En tus ojos de luto comienza el país del sueño.

---

[24] M.H. ABRAMS, *The Mirror and the Lamp: Romantic Theory and the Critical Tradition.* 1953.

276

La imaginación es provocada por los ojos de la amada; es decir, ella es causa, no efecto; la condición misma de la creación[25].

El Poema 17 marca el retorno de la alteridad, de esa otra adentro y afuera constantemente suprimida: "Tu presencia es ajena, extraña a mí como una cosa". Ella representa para él la otra, cuyo estado sigue subvirtiendo toda tentativa de posesión. Su cualidad proteica se introducirá también en la identidad de él:

> Sacudida de todas las raíces,
> asalto de todas las olas.
> Rodaba, alegre, triste, interminable mi alma

Disrupción espacial y temporal, se le atribuye al alma del "yo" masculino una diferencia binaria —"alegre, triste"— cuya presencia es, ella misma, diferida —"interminablemente"—. Bien, pero, ¿qué importa?

Al ocupar la feminidad varios y diversos sitios simultáneamente, asignarla una posición (subordinada), poseerla, y hasta nombrarla ("¿Quién eres tú, quién eres?") constituye un ideal violento, cuando no imposible. De este modo, la amada traspasa, va "más allá de", el lugar que le corresponde en la configuración textual nerudiana. Traspasa lo que Foucault llama en *L'Usage des Plaisirs,* el *nomos:* aquella costumbre en la antigüedad griega conforme a las intenciones de la naturaleza, que asigna a cada persona su papel y el comportamiento debido[26]:

---

[25] Compárese los pensamientos de Octavio Paz –que recuerdan al párrafo de Toril Moi citado más arriba– sobre la mujer mexicana en *El laberinto de la Soledad* (México, Ed. Rev. 1959), p. 32: "En un mundo hecho a la imagen de los hombres, la mujer es sólo un reflejo de la voluntad y querer masculinos. Pasiva, se convierte en diosa, amada, ser que encarna los elementos estables y antiguos del universo: la tierra, madre y virgen; es un fin en sí mismo, como lo es la hombría". A diferencia de Moi, Paz se afinca en la noción de un patriarcado totalizado y totalizador. El orden simbólico sería, entonces, completamente unificado, al servicio de una hombría homogénea y sin fisuras.

[26] MICHEL FOUCAULT, *The Use of Pleasure. The History of Sexuality. Volume 2.* New York, 1986.

> Alterar esta división, yendo de una actividad a otra, es despreciar este *nomos*; es a la vez ir en contra de la naturaleza y abandonar su lugar. [UP, p. 159]

Fulgura en las líneas de los poemas una pluralidad de (siempre diferentes) formas y contenidos *dentro* de ese "objeto" oscuro llamado la "feminidad" y la también subordinada sexualidad femenina. ¿Y la identidad masculina?

Si escuchamos el Poema 18, desde el primer verso oímos una afirmación ("Aquí te amo") del "yo" masculino seguro de sus acciones. El lugar de sus aventuras amorosas es el tradicional refugio marítimo y romántico que protege al náufrago en potencia del caos y la turbulencia del océano. ("Suena, resuena el mar lejano. / Este es un puerto. / Aquí te amo.") Pero cambia el tono a medida que se desvanece la ilusión de que tiene a su amada allí presente. Ahora sus besos "no llegan", y va dándose cuenta de que su abandono conforme Neruda va atribuyendo los estados de alma del protagonista a la naturaleza que le rodea:

> Ya me veo olvidado como estas viejas anclas.
> Son más tristes los muelles cuando atraca la tarde.

y por fin, la ausencia y la distancia, temás que volverán obsesivamente:

> Amo lo que no tengo. Estás tú tan distante.
> Mi hastío forcejea con los lentos crepúsculos.

Se reiteran en el Poema 19:

> Niña morena y ágil, nada hacia ti me acerca.
> Todo de ti me aleja, como del mediodía.

Algo hace que él mismo no habite aquel punto central —"mediodía"—, aquel punto de referencia separando dos semblantes (el día del día) en una economía de la identidad. Al contrario, él también ocupa el crepúsculo, aquella línea divisoria que se define relacionalmente según una escala móvil. Un tropo parecido deconstruye cualquier identidad definitiva que se nos antojara asignar a la amada:

> Mariposa morena, dulce y definitiva
> como el trigal y el sol, la amapola y el agua.

"Definitiva" es calificada por dos elementos permanentes y esenciales ("sol", "agua") y paralelamente *des*calificada mediante dos elementos estacionales y transitorios ("trigal", "amapola"). Este reconocimiento de lo temporal —y de la mutación perpetua que implica— se reitera en forma de cliché en el Poema 20: "Nosotros, los de entonces, ya no somos los mismos". A continuación, el poema vuelve a definir a la amada todavía no en términos de *posición*, sino de *posesión*: "De otro. Será de otro. Como antes mis besos". Será la subversión de esta cualidad y concepto de posesión la que motivará "La Canción Desesperada"; y la ansiedad que acompaña la conciencia del naufragio de sentido desembocará en la textura misma del poema.

Pero antes de abordar "La Canción", sigamos uno de esos patrulleos críticos, escuchemos al crítico-confesor revelando y descifrando la confesión juvenil del poeta. Aroní Yanko, parafraseando y comentando los poemas al mismo tiempo, intenta mejorar un verso de "La Canción". Dice el original:

> Era la negra, negra soledad de las islas,
> y allí, mujer de amor, me acogieron tus brazos.

Se convierte en:

> mujer de amor, mujer inmensa en su eterna feminidad,
> me acogieron tus brazos.[27]

Esto es lo que pudiéramos llamar una transferencia

crítica: del crítico al texto, esta transferencia representa un proceso de construcción que pretende, paradójicamente, revelarnos el secreto latente del texto. En este caso, el crítico arranca de las profundidades textuales/sexuales un significado ("feminidad") y le otorga una condición homogénea y presente ("eterna"). El origen de este saber está fuera del alcance de este ensayo. Subrayo simplemente: *la función ideologizante del intelectual.*

> La "Canción"... se refiere a la amada en cuanto tal, a la amada como unidad de sentido y de sentimiento tal como es vivido por el poeta adolescente. [VP, p. 172]

Las propiedades de la amada ya no están ni subsumidas por, ni contenidas dentro de, un núcleo "eterna feminidad". En cambio se las compara con no-propiedades, cosas que rebasan justo la uni(dimensionali)dad de sentido —"lejanía", "mar", "tiempo":

> Todo te lo tragaste, como la lejanía.
> Como el mar, como el tiempo. Todo en ti fue naufragio.

"Todo te lo tragaste": quisiera proponer que se trata aquí no de un simple cuerpo empírico (de mujer), sino de un vórtice corpóreo textual; a la vez envolvente y engendrante, interminablemente.

Tal vez entrevemos desde otra perspectiva la importancia de la frase que tanto se reitera: "Todo en ti fue naufragio". Sugiero que "Todo *en* ti" "fue naufragio" no a causa de lo que en ella había (infidelidad, rebeldía, etc.), sino como consecuencia de que no había nada, ninguna cosa, simple y completamente, *en* ella. Como he intentado señalar, ella figura como la subversión de toda *en-ti-dad*, de toda

---

27 Aroni Yanko, *Poesía y Abstracción en Veinte Poemas de Amor y Una Canción Desesperada de Pablo Neruda.* Madrid, 1979, p. 202.

identidad pura ("La amada adolescente ha sido transformada en una criatura bella, delicada y adorable. Sin duda *esto no es toda la mujer, no es toda la adolescente entera.* [VP, p. 187]) ya que es siempre constituida por algo "en" cada lector y por una serie de términos suprimidos (actividad, autonomía). Y los poemas, al desplegarse, trazan el movimiento de este intento (destinado a fracasar) de aprehender (en ambos sentidos) a la otra y, del mismo modo, al elusivo ser propio.

Por un lado, "La Canción Desesperada" habita de manera convencional una tradición falogocéntrica: él es el foco solitario o barco que navega por el mar oscuro y desconocido que representa la amada. Por otro lado, e inseparablemente, habita el límite de aquella tradición. *Des*-encarna a la amada y dificulta aquella estrategia crítica-confesional que la construya de nuevo como cuerpo y simple sitio de colocación. Al mismo tiempo, no creo exagerado decir que percibimos la actuación de un juego textual del tiempo y del espacio que, para la persona poética y para el crítico, conduce al naufragio. La certidumbre de poder poseer el sentido puro y simple, y la seguridad que esto implica, ceden a una: "Ansiedad de piloto".

* * *

> Postulada la identificación del yo y el cosmos, descender a las profundidades del yo es instalarse en las entrañas de la realidad. Para Neruda, la poesía es una misteriosa transferencia natural... es una comunicación magnética, una recuperación del vínculo original, un retorno al fondo y al origen. [FNPL, p. 16]

Tal postulación instruye muy poco sobre los aspectos socio-literarios del discurso poético de Neruda, atribuyendo al Poeta-Dios ese familiar privilegio del profeta sin examinar las razones históricas por las que una sociedad estimara tanto al hombre de letras, representante del poder letrado. (Véase Angel Rama[28].) Habiendo descartado la posibilidad de que la poesía sea objeto conocible dentro de los términos de conceptos tradicionales y monádicos decomunicación, expresión, etc., es perfectamente lógico y hasta necesario —impulsada esta voluntad de saber por las exigencias de una economía teológica como es la crítica tradicional— que sea "una misteriosa transferencia natural". Este paso trascendental de la crítica constituye, paradójicamente, otro intento más de anclar la empresa crítica en tierra firme: es decir, otro esfuerzo para conjurar el naufragio critico. "Ah más allá de todo. Ah más allá de todo". Ni simple transgresión ni paso trascendental, este "más allá" crítico ha de ser otro paso en el sentido de un dialéctico "más allá"; que examinará de nuevo las conceptualizaciones monádicas dominantes del sentido, llevándonos "más allá de[l] [T]odo", y de nuestra obsesión con la unidad, a lo propiamente cultural.

Terminaré resucitando algunos pensamientos teóricos sobre la voluntad de saber.

Relacionada con un concepto de verdad nodialéctica hay una red de creencias religiosas y pedagógicas que ven la verdad y el poder en términos estrictamente antitéticos. La revelación de un significado o una verdad representa un acto positivo de saber y, por esta razón, un acto de liberación. Foucault impugna esta red:

> la verdad no es por naturaleza libre —ni servil el error— sino que [...] su producción está empapada a fondo de relaciones de poder. La confesión es un ejemplo de esto. [HS, p. 60]

La voluntad de saber ejerce cierta fuerza sobre el sentido textual/sexual. Sigo a Foucault en opinar que debemos considerar esta fuerza en términos de la creencia misma en la verdad, es decir, en términos de la propia voluntad de saber y del sistema que le sirve de apoyo. La fuerza no figura aquí como mero

---

28 Angel Rama, *La Ciudad letrada*. New Hampshire, 1984.

adjunto; habita aquella estructura a la que pretende oponerse. En el caso de la sexualidad, este sistema ve represión y poder como entidades que vendrían a imponerse posteriormente a una sexualidad ya formada separadamente. Olvida esos efectos preceptivos del poder que se inscriben en la constitución misma de la sexualidad. ¿Y el resultado?: el discurso principal de nuestra disciplina, centrándose piadosamente en la hipótesis represiva, forma parte de "la misma red histórica que la cosa que denuncia (y sin duda desfigura) llamándola represión" [HS, p. 10].

(Hablar aquí de la construcción o reconstrucción del sentido literario todavía implica la posibilidad de un sentido totalizado y presente. Por esta razón, concluir así diciendo que el crítico construye en gran parte el sentido/la sexualidad de un cuerpotexto sólo puede tener carácter provisional.) En cambio, la diseminación devuelve la diferencia, la actividad y, por ende, la responsabilidad, a un concepto represivo del sentido. "Es la hora de partir. Oh abandonado". Ya "Es la hora de partir": dividir, alejarse de, ponerse en camino (de nuevo) con, el yo y el sentido. Frente a la diseminación, ahora es el "yo" quien es abandon*ado*. En un cuerpo perfecto, empezará la siguiente poesía de Neruda con un "Cuerpo de Hombre". En cambio, empieza así: "Tentativa del hombre infinito". Sólo podría ser "Tentativa", puesto que el hombre finito, fundamento positivo del *episteme* moderno, va sin rumbo y a la deriva, desde que el mundo es mundo, "en" una angustiosa textualidad potencialmente *infinita* "en" la que el sentido y la verdad, funciones imprescindibles, no quedan abolidas, abandonadas, sino re-inscritas diferencialmente en un sistema tal vez más consciente de las reglas del juego, las normas del saber.

UNA LECTURA DEL DESEO: "LA CARA DE LA DESGRACIA" DE JUAN CARLOS ONETTI

M.I. Millington
(Universidad de Nottingham)

I

Lo que voy a decir sobre "La cara de la desgracia"[1] se divide en dos partes, pero las partes comparten una preocupación con los problemas de una lectura adecuada. La primera parte explora la posibilidad de una interpenetración de la sexualidad en "La cara" que confronte los enigmas del cuento y trate de resolverlos. La segunda parte ofrece una reacción a esa interpretación: se ve obligada a considerar su fundamento y validez (y tal vez los de cualquier interpretación).

Los enigmas que propone "La cara" rompen con la disposición de la narrativa clásica. Es decir, que en vez de delinear un enigma o una serie de enigmas para luego disolverlos, "La cara" avanza delineando cada vez más enigmas sin resolverlos. En una inversión de la forma narrativa clásica, este cuento termi-

---

[1] JUAN CARLOS ONETTI, *Obras completas*. México; Aguilar, 1970; pp. 1331-1358. Dentro del texto indicaré las páginas de referencia entre paréntesis.

na con enigmas. Y muchos de estos enigmas tienen que ver con las relaciones entre los personajes, sobre todo entre el narrador y los otros. El hecho de que las relaciones que tiene el narrador con los otros sean básicamente inestables contribuye a la formación de los enigmas: por más que el narrador quiera fijar a los otros como objetos, éstos tienden a disolverse y a deslizarse fuera de su control. De esta manera, todas las relaciones —entre el narrador y su hermano, la muchacha, la policía y Betty (la prostituta)— sufren un cambio radical que revela la *diferencia* que las condiciona, algo muy distinto de lo que el narrador desea. ¿Cuáles son los enigmas que propone el fin de "La cara"? ¿Quién mató a la muchacha? ¿El narrador está diciendo la verdad? ¿Qué significa la muerte de la muchacha? ¿Por qué la policía se comporta de una manera tan informal? A estos enigmas se añaden otros que se han ido delineando antes, sobre todo: ¿Cuál es la significación de la relación del narrador con la muchacha después de la muerte de su hermano Julián?

Estos enigmas son tan insistentes que deben producir una duda preliminar en cualquier lector: ¿cómo leer este cuento? Para ciertos lectores estos enigmas podrían producir un disgusto, o, para otros, hasta podrían parecer un reto. Lo que yo voy a tratar de hacer, primero, es elaborar una posible lectura a partir de esta supuesta posición de confusión o perplejidad, y para hacerlo voy a utilizar ciertos conceptos psicoanalíticos, aunque no sistemáticamente. De esta manera, trataré de formular una lectura hipotética que busque establecer una coherencia global que sea capaz de "explicar" los enigmas, de comprenderlos directamente. Además, este tipo de lectura psicoanalítica tiene la ventaja de evitar los modos canónicos de leer a Onetti. Pero la exposición de esta posible lectura terminará revelando otros enigmas que tienen que ver con esta manera misma de leer. Y esto me llevará a analizar la base de cualquier lectura interpretativa.

Primero, la lectura hipotética. "La cara" parece estructurarse a base de una red de personajes que no tienen relaciones estables, sino movedizas y diferenciales. No existen posiciones fijas que permitan una definición permanente de los sujetos y sus objetos. La fijación de objetos parece que en última instancia es provisional a pesar de lo que el narrador ha invertido emocional y sexualmente en ellos.

Básicamente, el contexto de lo que acontece en "La cara" está constituido por la muerte de Julián, el hermano del narrador. En el pasado, la relación del narrador con Julián ha sido una clave para determinar una identidad habitable para aquél. El narrador se ha supuesto superior a Julián a causa de la edad, el conformismo y la aparente falta de vitalidad de éste. Esta presunción ha tendido a fijar a Julián como un objeto estable que facilita la auto-identificación del narrador. En el presente del cuento, la muerte de Julián ha provocado una crisis en el narrador. Julián se ha suicidado y el narrador se cree responsable, pues poco tiempo antes le ha dado ciertos consejos financieros que resultaron erróneos. La crisis de identidad del narrador lo lleva a retirarse del mundo: durante el cuento está en la costa en un hotel lejos de su trabajo y transformado en un hombre muy introvertido: al empezar el cuento el narrador se encuentra en un estado de duelo agudo.

En cierto sentido, la llegada de Betty confirma y agudiza esta crisis. La amiga de Julián revela *no* que el narrador haya sido responsable por el suicidio sino que Julián era mucho más aventurero y criminal de lo que el narrador hubiera podido imaginar. Con las revelaciones de Betty la relación entre los hermanos empieza a sufrir un cambio profundo

—ahora parece que es el narrador quien ha sido un conformista y quien ha desperdiciado su vida. Betty llega a decir que sus consejos financieros le parecieron cómicos a Julián, que ya jugaba con cantidades considerables que no le pertenecían. Además (para el narrador, por lo menos) la relación sexual de Julián con la prostituta confirma su inconformismo y marginalidad. Aquí la relación sexual es fundamental en la redefinición de la identidad de Julián —en el discurso del cuento, la base sexual en la construcción de la identidad se repite en todos los personajes.

Con el cambio progresivo en las posiciones del narrador y Julián, la inversión que hace el narrador en la relación sufre un deterioro radical. La relación ya no sirve para anclarlo y tranquilizarlo; este cambio pone su identidad radicalmente en tela de juicio. El contexto narrativo en "La cara" se define de una manera muy característica en Onetti con base a la problemática de la identidad *masculina*. Casi siempre en Onetti esta problemática produce la dinámica narrativa de la ficción. Y eso porque la conciencia de la división del sujeto produce el deseo de buscar y establecer una nueva estabilidad o identidad —o sea, el deseo de suprimir la división. Esta búsqueda tiene un evidente componente sexual, dado el tipo de acciones que emprende el narrador. Este busca un nuevo objeto en relación con el cual colocarse. Esta es la forma de su deseo, pero sus acciones y el fin del cuento parecen confirmar su falta esencial de estabilidad.

2b

En esta situación de desorientación, la muchacha penetra en la vida del narrador. El narrador aprovecha a la muchacha para reorientarse y suprimir su obsesión con Julián. Y hasta cierto punto, el narrador establece el lazo entre ellos conscientemente: la muchacha va a llenar el hueco causado por la muerte de Julián (1340). Pero lo que pasa es que la muchacha es una solución temporal. La falta de información sobre ella ayuda al narrador a elaborar su deseo. Ella está vacía, es una forma simplemente y el narrador proyecta sobre ella la significación que prefiere. Y esta reacción masculina hacia la muchacha es repetida por los otros personajes masculinos. También Arturo y el mesero esbozan sus fantasías adolescentes acerca de la supuesta disponibilidad sexual de la muchacha: hablan de sus aventuras nocturnas para animar al narrador (1343). El sentido que le presta el narrador es fuertemente sexual: la muchacha representa un objeto disponible del que puede apropiarse para recuperar su identidad socavada. La sexualidad en "La cara" (y en todo Onetti) se construye según esta estructura de poder.

Al principio, la muchacha funciona dentro de la economía de la crisis del narrador como un objeto de intenso placer voyeurístico. "La cara" se moviliza en su casi totalidad desde la mirada deseante del narrador que se dirige a la muchacha —el primer contacto depende totalmente del movimiento de los ojos del narrador sobre el cuerpo de la muchacha (1331-33). Y esta mirada no exige ninguna respuesta: no se preocupa por obtener otra mirada que devuelva una señal de reconocimiento o de interés. La sexualidad de esta relación es intensamente asimétrica y autosuficiente —la mirada de la muchacha se menciona brevemente pero carece de significación (1342). La muchacha es un objeto de deseo en el que el narrador quiere verse a sí mismo —es como un espejo que devuelve una imagen llena y tranquilizada. La posibilidad de una falta de coincidencia entre la muchacha deseada y la muchacha real no parece ocurrírsele al narrador hasta el final del cuento.

La asimetría entre la muchacha y el narrador es fundamental en la construcción de la identidad sexual del cuento. El deseo del narrador no se centra en la necesidad de conocer a la muchacha —ni siquiera se da cuenta hasta el final del cuento de que ella es sorda. Eso revela el tipo de jerarquía falocéntrica que está en movimiento aquí. El cuerpo de la muchacha se describe con algún lujo de detalle a través de la focalización del narrador —pero no hay el más mínimo detalle acerca del cuerpo del hombre, y por eso no hay ningún deseo simétrico que pueda organizarse a partir de él como objeto. Por consiguiente, cabe preguntarse en qué sentido la construcción de la sexualidad operante en "La cara" es heterosexual y en qué sentido es simplemente narcisística o "monosexual", si cabe el neologismo. Porque la pretensión es sujetar a la muchacha al poder del deseo masculino. El narrador trata de realizar una transferencia: quiere transferir sus sentimientos negativos acerca del suicidio de Julián a la muchacha y al hacerlo transformarlos en positivos[2]. Así pretende salir de su duelo.

La muchacha real parece casi irrelevante, y la reacción de narrador a su muerte confirma eso —aparentemente el narrador no siente nada más que indiferencia al verse confrontado con el cadáver de la muchacha. Sin embargo, el residuo de su atracción anterior se manifiesta en los besos que le da, los que naturalmente no provocan ninguna reacción: el cadáver permanece inmóvil. El valor de la muchacha parece que reside únicamente en lo que el narrador *cree* que representa. La disponibilidad de la muchacha para el acto sexual con el narrador produce la escena nocturna en la playa. Esta escena contiene ciertos detalles que sugieren que es casi una violación —la muchacha es la única que se desviste, el acto es muy rápido, y el narrador insiste en que ha tomado su

---

[2] Ver Sigmund Freud, "Mourning and Melancholia" en *The Standard Edition of the Complete Psychological Works*, vol. 14. Londres: Hogarth Press, 1957; pp. 237-258.

virginidad. Eso corresponde a la fantasía muchas veces repetida en los protagonistas masculinos de Onetti sobre la adolescente que se presta sin preguntas a la voluntad masculina para reemplazar una identidad perdida —la escritura de Onetti reitera esa escena y esa estructura sexuales constantemente. Y este tipo de relación sexual y la auto-absorción masculina tienen un carácter profundamente regresivo e imaginario. Los personajes masculinos de Onetti se desvían de un problema adulto de identidad para buscar identificarse con un objeto aparentemente no problemático que parece simbolizar su imaginada plenitud adolescente. Es de notar que el clímax de la actividad sexual de "La cara" se inscribe *no* cuando el narrador está con la muchacha en la playa, sino después, cuando está sólo caminando por los médanos (1348-1349). Eso es una señal inequívoca del narcisismo del narrador, de la exclusividad de la búsqueda de una auto-imagen plena, de su compromiso con las formas imaginarias.

En esas circunstancias, se comprende que la muchacha no puede ser una solución para la crisis de identidad; en efecto, es otro síntoma más. Esta verdad se manifiesta al final, cuando el narrador debe mirar el cadáver desfigurado de la muchacha. Todo lo que queda de ella es un cuerpo ajeno, descrito en una jerga forense carente de sentido. El objeto deseado no puede controlarse ahora, ya no puede apoderarse de ella. Parece que el deseo y las identificaciones del narrador sólo pueden continuar deslizándose hacia nuevos objetos y decepciones.

Fundamentalmente aquí tenemos que observar cómo intervienen la ley y el orden simbólicos para producir el fin del cuento. Es la policía la que llama al narrador a que vea el cadáver: el orden simbólico parece exigir la suspensión de la relación imaginaria con la muchacha, aunque la reacción del narrador es ambigua. Al final del cuento está en el umbral de un galpón: ni adentro ni afuera, entre los dos espacios, dudando en la división de su ser. El cuento parece demostrar implícitamente lo complejo y heterogéneo de su subjetividad pero no es obvio en absoluto que él vaya a asumirlas en vez de perseguir otras posibilidades imaginarias.

Así, en esta interpretación que utiliza conceptos psicoanalíticos, la muerte de la muchacha puede representar la pérdida del objeto del deseo masculino, y la insistencia en la ausencia de satisfacción y de plenitud. La iniciación de la muchacha en la sexualidad adulta parece destrozar su estatus ideal. Ella se destruye en el momento mismo en que él trata de realizar su fantasía. En este punto, la interpretación parece haberse completado. Uno podría suponer que ha logrado que el cuento se conforme con un plan coherente. Hemos explicado la conducta del narrador y la significación de la muerte de la muchacha.

3

Pero, a pesar del éxito relativo y cierto interés inherente en esta lectura, todavía hay ciertos detalles que indican el fracaso de la pretensión totalizadora. Es decir, que todavía hay enigmas no resueltos; por ejemplo: ¿quién es responsable de la muerte de la muchacha? ¿El narrador es el culpable? Ahora bien, la historia que cuenta no parece indicar su culpabilidad literal. Sin demostrar explícitamente su inocencia, su historia revela que la muchacha estaba viva cuando él la dejó en la playa (1348). Y cabe recordar que, en el caso de Julián, el narrador asume su culpabilidad plenamente, aunque también erróneamente. Este enigma básico (al igual que otros, por ejemplo la conducta informal de la policía) no puede resolverse mediante el análisis psicoanalítico. La pregunta fundamental, "¿Quién mató a la muchacha y por qué?", no se resuelve tan fácilmente. Y la falta de una resolución acarrea la necesidad de examinar la naturaleza de la interpretación realizada —los enigmas (y principalmente uno) se convierten así en señales que se pueden leer a un nivel más alto. Así podemos empezar a analizar la lectura.

La interpretación propuesta intenta lograr una coherencia y un control del cuento que son convencionales en cierto tipo de crítica, pero la textualidad (lo que podría llamarse la escritura) de "La cara" los resiste. Y esto me lleva a insistir en el hecho de que la fuerza dinámica en el cuento y en la lectura es el deseo —el del narrador y el del lector—, un deseo idéntico de estabilidad e identidad. El problema del lector psicoanalítico es que llega a tratar la muerte de la muchacha simbólicamente, lo que significa una ruptura con la predominante forma realista del cuento. Es decir, que la lectura propuesta no llega a explicar, a controlar, la realidad de la muerte de la muchacha. El narrador no admite que haya matado a la chica, y *si él no la mató, parece paradójico que se interprete la muerte como una explicación de su posición y de su experiencia.* Además, la lectura propuesta es inconsciente de una contradicción dentro de su propia práctica que constituye una crítica importante a la lectura misma: es que el objetivo de la lectura (o sea, explicar/controlar el cuento) repite exactamente el objetivo problemático del narrador (o sea, controlar/utilizar a la muchacha). El deseo de una lectura total y coherente se ve frustrado por la insistencia del cuento en no significar según el modelo aplicado (posiblemente según cualquier modelo —y esto podría ser el comienzo de una definición de la textualidad). De esta manera, el control del objeto es tan problemático para el crítico como para el narrador. Si la tentativa de apropiarse de la muchacha se ve compensada por su mutilación y muerte, parece igualmente probable que la lectura psicoanalítica (como cualquier otra) sólo puede mutilar y "mal-conocer" el cuento. Y no es difícil comprender por qué un lector masculino se ve tentado a repetir la experienca transferencial del narrador con la muchacha (aunque es muy posible que una lectora reaccione de modo diferente). Dadas la focalización y la estratagema narrativa del cuento, el lector implícito del cuento es masculino y es inducido a reaccionar hacia la muchacha y el texto de una manera que repite el deseo del narrador. Por ejemplo, el lector sólo descubre que la muchacha es sorda en el preciso momento en la sucesión narrativa en que lo descubre el narrador, a pesar de que éste sabe que es un dato fundamental antes de empezar a contar. El lector repite así un elemento importante de la experiencia del narrador.

Para concluir: vemos en la lectura propuesta la posible reacción de un lector que desea fijar el cuento —la interpretación representa un deseo de apropiación y está condicionada por la dinámica de la transferencia. O sea, la situación analítica no es sencilla e implica, por más impersonal que pretenda ser, cierto compromiso personal. Pero la relación con el objeto no es estable —en "La cara" el paralelismo entre el narrador y el lector revela cómo esta relación con el objeto se destruye desde adentro. La identidad del lector, al igual que la del narrador, no está garantizada. La dinámica deseante de la lectura opera una transferencia y una inversión problemáticas en el cuento. El texto se constituye en la situación de transferencia y por eso hay que preguntar si la sexualidad que antes describí está en la escritura o en la lectura, o si existe en la negociación entre escritura y lectura. Pero si las nociones de identidad y de interpretación son difíciles, y hasta imposibles en cualquier sentido absoluto, eso no quiere decir que podamos simplemente rechazarlas. Para producir cualquier lectura tendremos que utilizarlas provisionalmente —si no, no podemos siquiera fracasar. "La cara" ha sido capaz de guiarme a cierto modelo de lectura a través del fracaso de la lectura —en este sentido, la lectura fracasada produce información y no ve su modelo ilusoriamente reflejado en el cuento. Sin embargo, esto nos deja con la paradoja de que fracasar es comprender, lo cual es inquietante.

Y la relación entre cuento y crítico se complica aún más en el contexto de este coloquio que tiene un tema que yo he tratado de asumir como el marco de mi trabajo. Yo me he comprometido con este tema, lo he tomado como un tema con el que puedo trabajar sobre Onetti. Así que el deseo del crítico no es inocente —es el deseo de fijar a Onetti dentro de este marco, y el deseo de obedecer las reglas implícitas del coloquio.

Al final, ¿quién es el analista? ¿El cuento o el crítico? Al adoptar cierta posición de análisis me comporté como si yo fuera el analista, como si yo fuera el que sabía interpretar. Pero, cuando el cuento me devuelve un mensaje de fracaso me dice que él se me ha anticipado y ha escapado. Pero yo he ofrecido ambos —cuento y crítica— a otro oyente/lector o analista, o sea al coloquio. ¿Cuál es el deseo y dónde está el fracaso en esa relación? Este texto no puede surtir las respuestas, sólo puede proponer las preguntas. Y esta cadena de textos y lectores es la relación enigmática con la que voy a terminar mi ponencia.[3]

---

[3] Quisiera agradecerle a Jorge Ruiz Esparza el haber leído y comentado las versiones preliminares de esta ponencia.

EL INFIERNO TAN TEMIDO
O LA DIFICIL AVENTURA DEL EXCESO

Maryse Renaud
(Universidad de Poitiers)

I

Juan Carlos Onetti, como es bien sabido, suele no-
velar situaciones de crisis más o menos agudas, de
desmoralización y fatalismo, en una palabra historias
de vidas solitarias y fracasadas, desprovistas a primera vista de la más leve vislumbre de esperanza.
Pero también presenta la producción onettiana otra
vertiente paradójicamente dinámica, frecuentemente
desatendida por la crítica, y en la que desempeña un
papel de particular relevancia la temática erótica. Ya
tocada oblicuamente en muchos cuentos y novelas,
ésta constituye en *El infierno tan temido* uno de los
ejes estructuradores de la narración.

El sexo de la mujer, objeto en numeros casos de
fantaseos evanescentes marcadamente idealizados se
convierte aquí desembozadamente en el mismo núcleo de la ficción. Prolongando y amplificando una
tónica apenas esbozada en dos obras anteriores, *La
vida breve* y *Los adioses*, en las cuales el amor venal
y la insinuación del incesto dan pie a una reactiva-
ción de la temática erótica —este cuento lleva a su

punto culminante la evocación del frenesí amoroso. El sexo, los impulsos libidinosos revelan aquí más claramente que en cualquier otro texto su carácter perturbador, infernal y, sobre todo, transgresivo. De hecho, el cuento, al describir la inquietante e insólita actitud de Gracia César, mujer de Risso, raya constante y deliberadamente en lo que se entiende, según las normas vigentes, por pornografía, o sea "exhibición complaciente y morbosa destinada a suscitar la excitación sexual".

Pero más allá de este primer nivel significativo, más allá de ese limitado infierno del sexo, se perfila otra interpretación posible, una perspectiva simbólica que integra y rebasa a la vez el núcleo anecdótico inicial y que constituye indudablemente, como lo insinúa el mismo texto, el "mensaje" que se oculta tan torpemente detrás del desaforado exhibicionismo al que se entrega la mujer de Risso. Las cartas pornográficas enviadas al marido a manera de venganza, las "posturas empeñosas", los simulacros desvergonzados del amor físico, toda aquella comedia hábilmente dirigida, desemboca, a decir verdad, en una reflexión conmovedora sobre el exceso femenino y la inaptitud o, por lo menos, la dificultad del hombre para acceder plenamente al frenesí, a ese "plano mágico" aludido reiteradamente en el texto, que recorre con una desconcertante naturalidad la mujer. Así, pues, la lectura de *El infierno tan temido* nos lleva a interrogarnos sobre el alcance real de una actitud aparentemente pornográfica, sobre el sentido profundo de un comportamiento eminentemente transgresivo, fundado de hecho sobre una apremiante de amor y absoluto.

1 *Primer nivel interpretativo: una lectura pornográfica*

Todo contribuye de entrada a favorecer, a orientarnos hacia semejante interpretación, especialmente la elección de la instancia narrativa que una vez más privilegia la función testimonial del narrador. Este se nos presenta en efecto como un típico representante de la comunidad sanmariana. Comparte los mismos valores, los mismos prejuicios inextirpables, la misma cerrazón. Desde el primer momento se transparenta la sorda reprobación del pueblo, unido en un silencio inquieto después del casamiento de Risso con Gracia César. El narrador no sólo se contenta con describir los extraños sucesos a los que asistió, sino que se convierte en un verdadero fiscal, comentándolos a su manera, adelantando explicaciones que todas redundan en perjuicio de la esposa de Risso. Primero alude al "odio y a la sordidez" que se desprenden de la primera foto mandada por la mujer. Luego, no hay sustantivo ni epíteto que no denote o connote su monstruosa perversidad. Se la tilda de "loca", de "maldita arrastrada", hasta de "yegua". Se menciona su "infamia". En una palabra, todos los insultos con los que se la designa tienden a esquematizar, a simplificar la situación, por no decir a ignorar los verdaderos motivos de su comportamiento.

Así se va consolidando la tesis implícitamente defendida tanto por el narrador como por el abogado de Risso y el desafortunado marido: la de la culpabilidad femenina. El divorcio a que acude aquél en un momento de abatimiento y desesperación, aconsejado por el hombre de leyes, aparece, pues, en el mundo estancado y conformista de Santa María como un castigo merecido y las cartas provocativas de la mujer abandonada como una respuesta indecente pero previsible, explicable, por lo menos, de un ser enfurecido que nada puede arredrar. Nacen entonces las diferentes versiones fragmentarias del narrador que todas privilegian motivaciones como el odio, la venganza, la maldad y la lujuria, las únicas plausibles para el puritanismo de una ciudad presentada en otro texto del novelista —*Juntacadáveres*— como "cerrada a cal y canto".

Además la estructura del relato, especialmente el orden falsamente cronológico elegido por el narrador, resulta eminentemente significativa. En vez de describir la concatenación de acontecimientos que desembocaron en la separación de la pareja y el suicidio del marido, en lugar de hacer coincidir el tiempo del relato con el de la historia, se alude a un momento de crisis (la llegada de la primera carta) que evidencia la tensión existente entre marido y mujer. El relato empieza pues teatralmente *in media res*. Y, si se exceptúan dos analepsis de singular importancia (en las páginas 111, 112, 113, 114, 115 y 116) que constituyen dos calas decisivas pero algo tardías en la interioridad de Gracia César, sigue escrupulosa, linealmente, el orden cronológico que resulta precisamente abrumador para ésta.

El cotejo meticuloso de las fotos, la importancia atribuida al menor detalle, la significación asignada a las posturas de la mujer y de sus amantes de turno, la crudeza del lenguaje que no repara el evocar los "problemas de ovario" de aquélla, todo apunta a subrayar la dimensión pornográfica de la aventura: el sexo se torna un elemento autónomo, objeto de miradas fascinadas y asustadas a la vez. Queda reificado. El escudriñar implacablemente la evolución del marido, destacando al principio su incredulidad y abatimiento, luego su piedad, su breve recuperación y su suicidio final, prueba irrebatible de la perversidad femenina, todo constituye una dramatización deliberada de una situación conflictiva. Lo anecdótico se antepone a lo significativo y lo efectista de una postura audaz (la mujer, con los tacones ostentosamente clavados en el borde de un diván, aguarda la impaciencia del hombre oscuro, agigantado por el primer plano[1]) hace olvidar que sólo una toma en cuenta de la globalidad del comportamiento podría entregarnos las claves de éste. Como lo insinúan los esfuerzos del marido por "comprender la totalidad de la infamia"[2], ésta es la sóla vía de acceso al texto. Debe descartarse por lo tanto para poder entender los resortes secretos del frenesí femenino la ilusoria transparencia de los hechos, porque, como lo dijo J.C. Onetti en uno de sus primeros relatos, "los hechos son siempre vacíos, son recipientes que tomarán la forma del sentimiento que los llene"[3]. La rabia con la cual multiplica Gracia César las fotos, la insistencia en la propia "infamia" resulta a la larga sospechosa.

2   Celebración del exceso

Por poco que se examine detenidamente este cuento se ve que junto a esta interpretación pornográfica, integrándola y rebasándola, se asoma otro tipo de lectura, simbólica, metafísica, que estriba precisamente en un cuestionamiento de la noción de pornografía. El estatuto del narrador resulta a este respecto particularmente ilustrativo. En efecto, si bien estamos ante un narrador testigo que cuenta, comenta y juzga conforme a la moral puritana de Santa María, en reiteradas ocasiones da muestras de una sagacidad, de una sutileza psicológica rayana en omnisciencia. Es que, a decir verdad, no renuncia fácilmente Juan Carlos Onetti a ese privilegio narrativo. Así, por ejemplo, nuestro narrador llega incluso a retranscribir, en la página 113, los supuestos diálogos de Gracia César y de sus amantes de turno, cuando ésta intenta convencerlos de que adopten tal o cual postura evocadora ante la cámara.

---

[1] *El infierno tan temido,* Monte Avila Editores, Caracas, 1968, p. 111.
[2] *Ibid.* p. 111.
[3] *El pozo,* Editorial Arca, Montevideo, 1969, p. 31.

Es que nunca tuve un hombre así, tan único, tan distinto. Y nunca sé, metida en esta vida de teatro, dónde estaré mañana y si volveré a verte. Quiero por lo menos mirarte en una fotografía cuando estemos lejos y te extrañe.

Y después de la casi siempre fácil convicción, pensando en Risso o dejando de pensar para mañana, cumpliendo el deber que se había impuesto, disponía las luces, prepara la cámara y encendía al hombre.[4]

Además, en varias ocasiones, olvidándose de sus límites de provinciano pacato, da a entender que la explicación pornográfica sólo ofrece una comprensión fragmentaria y superficial de la situación por basarse precisamente en la ilusión de la transparencia. Los que consideran en efecto que sólo debe retenerse la índole pornográfica de las fotos son de hecho aquéllos que creen ingenuamente que la pornografía lo dice todo, lo revela todo, en resumen, que con ella se agota el saber sobre el sexo. Son aquéllos que sólo ven en éste un objeto como cualquier otro, definible, apresable, estático, muerto.

Pero el cuento trae su propio antídoto; las insinuaciones de un narrador omnisciente que nos va brindando mal que bien pistas, y sobre todo la misma actitud del marido cuya evolución delata una comprensión cada vez mayor de lo que llama "el simple absurdo del amor y (...) el complejo absurdo del amor creado por los hombres"[5]. Pasa en efecto del deseo de echar tierra al asunto (página 108), a una suerte de pavor cósmico, como si experimentara "el primer miedo del hombre sobre la tierra" (página 110), y finalmente a una forma de comprensión súbita, irracional y generosa, a un inesperado estado de gracia que le abre a las fuerzas vivas de la vida, al frenesí, al exceso, a la desmesura femenina[6].

---

[4] *El infierno tan temido, op. cit.*, p. 113.

[5] *Ibid.*, p. 112.

[6] *Ibid.*, p. 120: "Volteado en su cama, Risso creyó que empezaba a comprender, que como una enfermedad, como un bienestar, la comprensión ocurría en él, liberada de la voluntad y de la inteligencia. Sucedía, simplemente, desde el contacto de los pies con los zapatos hasta las lágrimas que le llegaban a las mejillas y al cuello. La comprensión sucedía en él, y él

La pornografía del montaje fotográfico revela entonces su verdadera función: no pasa de ser un medio. Es el ropaje agresivo deliberadamente enarbolado por la mujer para comunicar con su marido. De esto se trata en efecto en última instancia, y no de "traición", "venganza"[7] o perversidad. Junto a ese "infierno tan temido" por los conformistas de Santa María (el del desamor y del adulterio), existe otro más temible, nada ocasional sino constitutivo de la experiencia interindividual: el del desajuste entre dos seres de sensibilidad dispar, el de la incomunicación entre los sexos.

Porque, a decir verdad, las dificultades para comunicar se transparentan desde la primera página. Por poco que nos asomemos a ésta percibimos una serie de indicios que nos permiten captar mejor la índole real del malentendido existente entre Risso y su Gracia César. En un pasaje que podría constituir en otro texto que éste un cuadro de costumbres bastante logrado (el de la estrepitosa llegada de la mujer de Sociales, compañera de trabajo de Risso en el periódico), se insinúan el malestar y el asombro del hombre ante lo femenino. No se trata efectivamente, como lo demuestra la siguiente cita, de incomprensión o de antipatía pasajera frente a una mujer determinada sino de una suerte de perplejidad algo condescendiente ante ese curioso ente llamado "mujer":

> Risso la miraba desde arriba. El pelo claro, teñido, las arrugas del cuello, la papada que caía redonda y puntiaguda como un pequeño vientre, las diminutas, excesivas alegrías que le adornaban las ropas. "Es una mujer, también ella. Ahora le miro el pañuelo rojo en la garganta, las uñas violetas en los dedos viejos y sucios de tabaco, los anillos y pulseras, el vesti-

---

no estaba interesado en saber qué era lo que comprendía, mientras recordaba o estaba viendo su llanto y su quietud, la alargada pasividad del cuerpo en la cama, la comba de las nubes en la ventana, escenas antiguas y futuras.

[7] *Ibid.*, p. 119.

do que le dio en pago un modisto y no un amante, los tacos interminables tal vez torcidos, la curva triste de la boca, el entusiasmo casi frenético que le impone a las sonrisas. Todo va a ser más fácil si me convenzo de que también ella es una mujer"[8]

Todo en ella, pese a su edad, denota o connota el exceso: la cantidad de adornos en las ropas, el color chillón de las uñas, la altura de los tacones, las sonrisas exageradas, que más allá de su aspecto anecdótico nos dejan entrever el frenesí constitutivo de la esencia femenina. Frente a lo femenino, el hombre demuestra ser timorato, tímido, y como si fuera "una cosa hecha por gusto, planeada"[9] rehúye el trato de su compañera de trabajo.

Por lo demás, en dos analepsis que nos entregan por retazos momentos aparentemente anodinos de la vida pasada de los dos personajes principales surgen datos que de hecho resultan de gran revelancia, corroboran y completan las informaciones ya brindadas. Se van perfilando paulatinamente los verdaderos motivos del drama y aparece cada vez más nítidamente el abismo que separa a los dos esposos. En la reconstitución a la que asiste el lector se subraya reiteradamente la tranquilidad del marido que hasta llega a inercia, pasividad, a una suerte de negativa a luchar, una aceptación de la fatalidad y la injusticia, como lo demuestran sus reacciones después de recibidas las primeras dos cartas. Resume bien la situación una breve observación del narrador, quien hace notar con cierta desenvoltura fingida que al hombre lo rodeaba, en su despacho, un espacio "excesivo"[10].

De exceso se trata efectivamente. Pues si el mundo le viene ancho al hombre, no así ocurre con su futura esposa. Gracia César, que es una muchacha y además una virgen —como lo precisa el narra-

---

[8] *Ibid.*, p. 108.
[9] *Ibid.*, p. 108.
[10] *Ibid.*, p. 107.

dor—, es en cambio toda intensidad. Basta con recordar algunos hitos significativos que revelan su verdadero temperamento. Al principio, durante el noviazgo, le caracterizan "intensidades de curiosidad" y la certeza de que "sólo se vive de veras cuando cada día rinde sorpresa"[11]. La definen igualmente la exaltación juvenil, la furia de sus deseos, la convicción de que "todo puede suceder". Al contrario de Risso, el hombre bueno, pausado y algo rutinario, tristemente ascético como su pareja, el Brausen de *La vida breve*, Gracia César se entrega plenamente a su fantasía creadora.

No impunemente hace teatro, como lo revelan las primeras páginas que la describen "mirando a los habitantes de Santa María desde las carteleras de El Sótano, Cooperativa Teatral"[12]. No en vano destaca el narrador la coherencia y continuidad del juego teatral comparándolo con otro juego, el de naipes.

> De modo que el juego, el remedo, alternativamente melancólico y embriagador, que ella iniciaba acercándose con lentitud a la ventana que caía sobre el fiord, estremeciéndose y murmurando para toda la sala: "Tal vez... pero yo también llevo una vida de recuerdos que permanecen extraños a los demás", también era aceptado en El Rosario. Siempre caían naipes en respuesta al que ella arrojaba, el juego se formalizaba y ya era imposible distraerse y mirarlo de afuera.[13]

Gracia César está acostumbrada pues a contar con la solidaridad de los compañeros de trabajo que no le pueden fallar. Será precisamente esta certeza la que causará su ruina: si bien implica el juego teatral una complicidad total, un inevitable diálogo, no siempre se halla dentro del marco de la vida conyugal semejante comprensión. Por haber confundido la coherencia ficticia con la coherencia de lo real come-

---

[11] *Ibid.*, p. 111.
[12] *Ibid.*, p. 108
[13] *Ibid.*, p. 114.

te un error fatal. Confiesa ingenuamente a su marido una infidelidad suya desprovista de importancia, provocando así la desaprobación de Risso y la quiebra de su matrimonio.

Se vuelve entonces cada vez más palmario que nunca fue Risso lo que tanto anheló su mujer: "un puente, una salida, un principio"[14]. Con el amor, intenso al comienzo, no tarda en reificarse, en transformarse en un código por cierto sincero pero no por eso menos abstracto, impersonal, rígido, que desconoce la singularidad de la muchacha.

> En cuanto a ella, había creído que Risso daba un lema al amor común cuando susurraba, tendido, con fresco asombro, abrumado:
> —Todo puede suceder y vamos a estar siempre felices y queriéndonos.
> Ya la frase no era un juicio, una opinión, no expresaba un deseo. Les era dictada e impuesta, era una comprobación, una verdad vieja.[15]

No por falta de ternura, sino por incapacidad para compartir el frenesí, la sed de absoluto y de creatividad de la muchacha provoca Risso mecánicamente la ruptura. Se sabe "indigno de tanto odio, de tanto amor, de tanta voluntad de hacer sufrir"[16]. Finalmente, a través de la multiplicación desfachatada de las cartas, capta lo que tuvo que haber captado antes: un "mensaje de amor"[17], como lo insinúa el narrador.

Entonces se perfila la posibilidad de un vuelco. La idea de que el adulterio pueda llegar a convertirse en ciertos casos en una "caricia", de que la alquimia amorosa no admita ni límites ni normas, en una palabra, la aceptación del exceso femenino y el deseo de compartirlo de veras parece ya un progreso.

---

14 *Ibid.*, p. 109.
15 *Ibid.*, p. 115.
16 *Ibid.*, p. 111.
17 *Ibid.*, p. 110.

Pero conforme a la implacable lógica onettiana, en el momento mismo en que el hombre se dispone a dialogar en ese "plano mágico" cuyo sentido ha captado, por fin llega la última carta, la más odiosa y amorosa a la vez. Para herir irremediablemente a Risso, ataca lo que ésta más ama: su hija. El juego, la farsa frenética rebasa los límites de la pareja, alcanza un ser ajeno al asunto, provocando de esta manera un trágico desenlace. El amor desemboca, pues, en la muerte.

¿Cómo interpretar semejante conclusión? ¿Es simplemente destructor el amor? Contrariamente a lo que podría creerse, *El infierno tan temido*, si bien describe la difícil aventura del exceso, también constituye un himno conmovedor al amor, al amor libre, constantemente vivificado por el sentido del riesgo, en el que los signos pierden su univocidad y la infidelidad conyugal, la infamia más odiosa pueden de repente convertirse en una caricia insospechada, en una forma de "lealtad congénita", en un grito de amor. Incluso el suicidio final puede interpretarse en efecto como el acto transgresivo por excelencia gracias al cual, rebasando toda norma, Risso entra de lleno, inesperadamente, en el universo excesivo de Gracia. Paradójicamente, acepta por fin con la muerte ese puente tendido por Gracia César, ese diálogo crepitante tan ansiado.

Extrapolando un poco —muy poco—, la aventura del exceso, infernal y profundamente humana a la vez, viene a ser la de la escritura, como lo sugiere el texto. Gracia César, actriz profesional, intenta en efecto sacar de unas fotos a primera vista pornográficas un mensaje complejo, ambiguo, de odio y amor. Pretende romper la clausura del sentido inicial, hacer que de la destrucción nazca la comprensión y la reconstrucción. Pero, ¿acaso no es lo que pretende el mismo novelista, destruyendo el símbolo de su universo de ficción, Santa María, con la apocalíptica tormenta y el fuego devastador de *Dejemos hablar al viento*, para que de los restos humeantes se alce tal vez una esperanza, una nueva fábula?

JUAN CARLOS ONETTI:
SEXUALIDAD Y COSMOVISION EN
DEJEMOS HABLAR AL VIENTO

Peter Turton

La sexualidad es el eje de la narrativa onettiana; desde ella hay una fácil irradiación hacia su cosmovisión total. El sexo constituye la obsesión principal de sus protagonistas y por esta razón también es un excelente punto de partida desde el cual analizar la obra de Onetti. Siendo, además, su última novela, *Dejemos hablar al viento* (1979), una verdadera enciclopedia de relaciones sexuales —sabemos mucho acerca de la vida sexual de los personajes principales y algo sobre la de casi todos los demás— nuestro enfoque metodológico se nos antoja peculiarmente apropiado. *Dejemos hablar al viento* representa la culminación de la obra de este escritor, no únicamente en el sentido trivial de ser la última producción del maestro, sino por tratarse de su novela más compleja y densa y, más importantemente todavía, de la primera instancia donde se abre espacio al discurso femenino[1]. La novela tiene un final apocalíptico, como si Onetti hubiera querido poner fin de una vez por todas a su saga de Santa María, de la que hubiera

---

[1] Onetti afirma, sin embargo, que la primera instancia ocurre en *La vida breve*.

dicho la última palabra. Interesantemente encontramos en este texto una idea que habría sido una herejía en las obras anteriores y que queda sugerida en el mismo título: la de que hay que aceptar el mundo. Va aún más allá: es posible la felicidad. No nos parece una coincidencia que en esta novela el humor desempeñe un papel más importante que en las obras anteriores, en las que, por ejemplo, no hemos observado nada semejante al soberbio retrato del inglés borracho y feliz, Mr. Wright.

Es sabido que las obras de Onetti construyen escenarios para una búsqueda desesperada de absolutos y significados que no hayan de fallarles a los actores principales. Estos parten de una base inicial de insatisfacción extrema con el mundo y sus habitantes al rechazar no sólo la vida "convencional" del ciudadano común que acepta sumiso su suerte mediocre, sino también la terrible procesión de lo que consideran ser los avatares principales de toda existencia humana, es decir, un nacimiento grotesco seguido por una juventud de optimismo y fe que degenera inevitablemente en rutina, hastío, impotencia, decadencia y muerte. Este planteamiento se da en *Dejemos hablar al viento*, pero Onetti ofrece una alternativa, como hemos dicho. Por lo pronto, el absurdo genérico está abundantemente presente, tal vez sintetizado con mayor concisión en los apartados llamados respectivamente *El camino 1 y 2*, casi idénticos. También hay otro pasaje que merece ser citado, puesto en boca del narrador principal, Medina:

> Desde muchos años atrás yo había sabido que era necesario meter en la misma bolsa a los católicos, los freudianos, los marxistas y los patriotas. Quiero decir: a cualquiera que tuviese fe, no importa en qué cosa; a cualquiera que opine, sepa o actúe repitiendo pensamientos aprendidos o heredados.[2]

_____
[2] *Dejemos hablar al viento*. Barcelona, Bruguera, 1979; p. 18. En adelante, citaremos siempre esta edición.

Esto es el nihilismo a que Onetti nos tiene acostumbrados, en el fondo del cual yace el horror al "hoyo", al "pozo" y a la "gusanera" (o sea, la muerte). Hay que recordar, también, su contrapartida positiva: el anhelo de evasión y de libertad, expresado en la cita de Walt Whitman que va al frente del texto fundador de la ciudad-mundo de Santa María: *La vida breve*[3]. Ahora, sin embargo, Santa María está decadente, y Medina, su comisario de policía, traído allí por Brausen, su fundador (su Dios), necesita huir, como Brausen necesitaba en tiempos anteriores escapar de Buenos Aires e instalarse en un lugar de su imaginación (Santa María).

Medina huye al otro lado del río, a Lavanda[4], ayudado por un criminal al que debió detener, el pibe Manfredo. Se aleja de las "impuestas responsabilidades"[5] asociadas con la ciudad odiada que significa rutina, decadencia y hostilidad. Estamos ante el clásico salto existencial, tan central en Onetti. Típicamente, Medina se permite ironizar sobre esta acción, comparándola con la conversión de San Pablo en el camino de Damasco. En Lavanda, Medina piensa encontrar un "hoy sin ayer ni mañana"[6] y, significativamente, "un hermano, un descastado, un apátrida como yo; alguien que hubiera escapado de Santa María sin permiso de Brausen, por asco a Brausen y a todo lo que de él fluía"[7]. Subrayamos este anhelo de camaradería masculina porque la misoginia de los protagonistas onettianos esconde un marcado trasfondo homosexual. Este es un punto al cual volveremos luego.

---

[3] O something pernicious and dread! / Something far away from a puny and pious life! / Something unproved! Something in a trance! / Something scaped from the anchorage and driving free.

[4] Lavanda cf. La Banda (Oriental), Montevideo. Véase el cuento "Justo el 31" (1964) para el núcleo de *Dejemos hablar al viento*.

[5] *Dejemos hablar al viento*, p. 120.

[6] *Ibid*. p. 116.

[7] *Ibid*. p. 30.

Por lo pronto, no obstante, observemos que las principales actividades de Medina en su territorio "libre" serán las dos puertas al absoluto privilegiadas en la obra onettiana: las relaciones sexuales con mujeres y la creación artística. Así lo dice Frieda, su ex-amante: "Sólo pensás, de verdad, en eso (la cama) y en la pintura"[8]. En Santa María, Medina no tiene amigos (¿por ser comisario?) y "es imposible imaginar un comisario con caballete"[9]. Claro está, hay maneras secundarias aún más transitorias de alcanzar el más allá de las cuales Medina tampoco se privará: el alcohol, el tabaco, la droga, la música, quizá algún quehacer intelectual. Pero enfoquemos ahora la primera de aquellas dos modalidades principales de "verle la cara a Dios": el sexo.

Medina ha tenido una relación amorosa con otra persona "fugitiva" de Santa María, María Seoane, quien lo está manipulando a través de su hijo Julián, "de diecisiete o dieciocho años" y cuyo padre, según ella, es Medina. "En realidad, María Seoane sólo podía causarme dolor haciendo infeliz a Seoane, hijo mío o no"[10], comenta Medina. Por su edad y su estado de deterioro causado también por el abuso del tabaco y del alcochol, María le parece a Medina una "gorda repugnante"[11]. Se trata pues, de la clásica mujer ya no joven inevitablemente repudiada por el macho onettiano. Y aún más: "Yo quería deshacerle la nariz de un solo golpe, casi sin moverme, estirando apenas el brazo"[12]. María Seoane le espeta, en cambio, una furiosa diatriba feminista sobre la maldad de los hombres.

Con la cantante Frieda von Kliestein, también ex-amante de Medina, éste tiene una relación aún más problemática. Frieda es una mujer "libre", según

[8] *Ibid.* p. 86.
[9] *Ibid.* p. 229.
[10] *Ibid.* p. 33.
[11] *Ibid.* p. 27.
[12] *Ibid.* p. 32.

la definición de las feministas extremas, es decir, hace lo que le da la real gana, dañe a quien dañe. "Desde los catorce años ella se había dedicado a emborracharse y a practicar el amor con todos los sexos previstos por la sabiduría divina"[13]. A su bisexualismo o lesbianismo suma el sadomasoquismo y una perversa manipulación de la gente. Es una especie de Penélope maligna que teje y desteje no sólo el pullover que le vemos hacer, sino las vidas ajenas. Sabemos de sus relaciones sexuales con Medina, con la muchacha Juanina, con Seoane, con una mujerzuela celosa que la golpea y a la que Medina describe como una "inmundicia", con un ex-amante (Roa) al que chantajea, e incluso con el degenerado Mr. Wright. Medina cree que ella es la responsable de que su posible hijo Seoane haya caído bajo la influencia de la droga y del alcohol y de que se haya enamorado de ella. Un atractivo de ella para Medina, notamos, es que tiene algo de muchacho. Acaba sádicamente asesinada, al parecer por Seoane.

Después de Frieda, aparecen unas chicas cuya naturaleza andrógina resalta todavía más. Una es Olga, llamada por Medina Gurisa (de *guri*, muchacho), "nombre inefable". Medina fantasea sobre un posible parentesco entre ellos de medio hermanos con un padre común. Olga es "enorme e infantil", "una bestia maternal y campesina"[14]. Ex-amante de Roa, como Frieda, Olga posa para un cuadro de su cuerpo pintado por Medina. Frieda manda la pintura a la casa de la novia de Roa el día de su boda con una tarjeta que dice en letras mayúsculas de imprenta: *"ES BUENO COMPARAR PASADO CON FUTURO"*[15]. La atracción que experimenta Medina por Olga es de amor-furor: un "desesperado y novedoso deseo de conocernos el alma y los intestinos, de construir una unidad her-

---

13 *Ibid.* p. 65.
14 *Ibid.* p. 48.
15 *Ibid.* p. 49.

mafrodita que soportara natural y gozosa cuatro brazos, cuatro piernas, un solo cerebro, un solo sexo emperrado en éxtasis y comunión"[16], pasaje que nos recuerda el mito platónico de la génesis del amor. A pesar de ser Olga la hembra con la cual Medina consigue la comunión más íntima, éste confiesa que Olga nunca le habló de amor. En la última escena de la novela, antes de administrarle una droga para que duerma, Medina tiene un encuentro sexual con Olga, "ella con su natural mezcla de candor y perversión; él con una virilidad sorprendente que le pareció, cada vez, ajena y morbosa"[17].

La segunda chica es Juanita, más efebo aún que Olga, perversa y depravada, "un camello recién nacido en dos patas, cínico y burlón"[18], que "parece un muchacho"[19]. Se anuncia como una "putita", se acuesta con una pandilla de pescadores antes y después de conocer a Medina, que quiere pintar su "cabeza audaz y canalla"[20] a fin de lograr el dinero necesario para pagarle un aborto del cual no deberá enterarse una tía suya. Se acuesta con Frieda y explica que Medina es "un viejo" y que le gusta "manejar a los viejos y hacerles creer que manejan ellos"[21]. Al igual que con Olga, las sesiones de pintura de Medina acaban en la cama, pero en este caso la chica no hace más que prestar su cuerpo indiferentemente para el amor o la pintura. En una ocasión le ruega Medina: "haceme lo que quieras, pero hacelo pronto porque me estoy muriendo de sueño"[22]. Cuenta risueña a Medina una conversación de dos colegiales de catorce años oída por ella en que hablan de prostituirse sin necesidad alguna: lo llaman "hacer chiquichiqui".

16 *Ibid*. p. 139.
17 *Ibid*. p. 253.
18 *Ibid*. p. 74.
19 *Ibid*. p. 77.
20 *Ibid*. p. 82.
21 *Ibid*. p. 81.
22 *Ibid*. p. 89.

Con Frieda está en connivencia contra "la mala raza de los hombres"[23] y al final admite cínicamente a Medina que no le hace falta un aborto, no existe una tía que la persiga y que sus relaciones sexuales han sido tan sólo de "compra-venta".

Si esto no fuera bastante, la perversidad femenina aparece aún más nítidamente en una nínfula o ninfeta clásica: Victoria, una putita de 300 pesos descrita en un pasaje nabokoviano como

> la muchacha, calidad que ninguno de los elegidos para la vulneración sin defensa que impone la presencia, paso, risa, corto suicidio y desafío de las muchachas, intentará nunca explicar. Los que pueden entender ya lo saben, los otros no comprenderán nunca y, además, no importan.[24]

Medina da una explicación de su "vieja repugnancia, asco y a veces odio por las putas, la dulce putita en este caso": ese tipo de mujeres es "capaz de destruir la felicidad ofrecida por las camas"[25]. Se trata de una epifanía trucada. Hay encuentros con dos prostitutas más —la del establecimiento de Carreño/Larsen y "Maruja"— aún más compulsivos e infructuosos.

Queda una última mujer, Teresa, vista románticamente en sueños pero evocada de día con blasfemias. Esta vez, el malentendido es por culpa del voyeurismo de Medina: Teresa

> no podía entender el deleite con que yo me abandonaba e iba gozando y extendiendo los prólogos, no podía comprender que deseándola la hiciera desnudar y me demoraba bebiendo y fumando, mirándola con disimulo, hablándole de cosas graves y tontas porque al abrir la boca respiraba mejor. No lo entendía y, desconfiaba, se sentía molesta e impúdica. Pero no era el amor; era, como ahora, el placer de prolongar la espera de las escasas seguridades que me da la vida.[26]

[23] *Ibid.* p. 90.
[24] *Ibid.* p. 51.
[25] *Ibid.* p. 53.
[26] *Ibid.* p. 216.

Las relaciones de Medina con todas las mujeres tienen siempre algo de perversión, trátese de sadismo, gusto por el tipo andrógino o voyeurismo. También le gusta fantasear sobre ellas, recreándose en escenas pasadas o futuras. De ahí el vínculo con el Medina pintor.

Abundan también los comentarios generales sobre las mujeres: "con las mujeres nunca se sabe antes. Si me dieran cien dólares cada vez que me equivoqué"[27]; "una mujer no vale el precio de soportarle la charla, los perfumes, la misma presencia antes y después [del sexo]"[28]; "conozco a las mujeres como si las hubiera parido"[29]; "no hay límites para una mujer"[30]; "nunca llegan a ser definitivamente esto ni lo otro"[31].

El problema para el típico macho onettiano representado por Medina es que quiere realizarse a través de la mujer, alcanzar la felicidad con ella de instrumento. Y este instrumento lo emplea para darse placer sexual en primerísimo lugar, otro error que vagamente intuye al hablar tristemente del "infierno de los cortos coitos clausurados"[32]. Su relación con la hembra es de dominio, un conato de posesión que en un sentido lato ha de fallar siempre. Por esta razón, Medina se queja de que la mujer se le escapa, es inapresible. El ideal suyo de ser "duro, egoísta y burlón"[33], naturalmente, constituye un obstáculo para la comunicación con "lo otro": es más, acentúa la distancia. No es de extrañar, entonces, la presencia de la violencia masculina frente a la mujer, que culmina en esta novela en dos asesinatos: el crimen del degollador de Enduro y la muerte de Frieda. Por

---

27 *Ibid.* p. 196.
28 *Ibid.* p. 208.
29 *Ibid.* p. 212.
30 *Ibid.* p. 184.
31 *Ibid.* p. 184.
32 *Ibid.* p. 134.
33 *Ibid.* p. 79.

otra parte, las relaciones equilibradas entre hombre y mujer se abren a la burla y el sarcasmo: pensamos en las irónicas especulaciones hechas por sus colegas sobre las posibilidades de felicidad del policía Martín, recién casado, y en la patética figura de Barrientos, atado a una mujer sin prole y un perro gordo y decrépito. Y las familias con hijos inspiran aún más lástima.

Volvamos ahora a los discursos femeninos de esta novela, que creemos innovadores en los escritos de Onetti. Observamos que son negativos, simples respuestas a la misoginia del macho. La arenga que María Seoane le endilga a Medina se nos antoja un clásico de esta modalidad combativa:

> ellos tenían un pitito y nosotras no. [...] Los hombres: frente a los demás tan amables y buenos. Con una, siempre superiores, la cama, el silencio, la grosería. Y nosotras, muchachas, sin poder vivir libres como ellos, ir a los campamentos, inventar viajes [...] no podemos aprovechar un farol sin luz para tantearles el bulto y ellos sí pueden manotearnos las tetas y el culo. [...] Ahora, es cierto, los llenamos de cuernos a cambio del cuento de un anillo, de una cartera que encontramos perdida o de alguien que apareció vendiendo a crédito y se olvida de cobrar. [...] Y siempre Medina, desde que me asomaron las tetas, ustedes, los machos, reunidos, apresurados para juzgar. Porque una chica, una mujer, no es una persona, no llega, no pasa de un cuerpo o de una cosa, etc. [34].

El discurso de Frieda reviste un carácter igualmente agresivo:

> vos, que nos has parido a todas las mujeres, te morirás sin saber con seguridad si una mujer gozó contigo o te lo hizo creer, sin saber si tu hijo es tuyo, sin saber siquiera por qué te mienten o si la mujer que te miente sabe siquiera por qué lo hace. [35].

[34] *Ibid*. pp. 34-35.
[35] *Ibid*. p. 213.

Frieda también acusa a Medina de una falta de entrega ante la mujer, de estar siempre jugando a las cosas. No parece que la relación con Frieda que tiene Medina es la más peliaguda de todas porque en el fondo Frieda y Medina se asemejan demasiado. Se trata, de hecho, de una rivalidad: al lesbianismo de Frieda corresponde el ansia experimentada por Medina de la fraternidad y compenetración masculinas (con el pibe Manfredo y con Seoane específicamente, pero esa ansia queda manifestada generalmente a lo largo de la novela). O sea, hay un trasfondo psicológico homosexual, del que es también señal la preferencia de Medina por la niña andrógina (sin embargo, la abierta relación homosexual entre el hombre maduro y el adolescente muchacho no es aceptable: véase la irónica actitud de Medina hacia el aficionado a la pintura Carve Blanco, al que no le gustan las mujeres ni los hombres que han superado la adolescencia). Por otra parte, la idea de haber parido a todas las mujeres es significativa y nos remite a un pasaje de Proust donde el narrador se siente dar a luz a una mujer. Medina y Frieda, además, comparten una pareja sexual (Juanina) y están unidos y revueltos en torno a Seoane. Y si Seoane parece ser el asesino de Frieda, su deseo de llevar a cabo este acto es compartido por Medina.

No obstante aflora de cuando en cuando en la conciencia de Medina el vago sentimiento de haberles fallado en algo a las mujeres, incluso a Frieda, y en una ocasión, al fantasear sobre la infancia de Seoane, extiende a María Seoane cierta comprensión del desengaño de ésta con su condición femenina. Evoca una pubertad de María cuyas "rígidas ternuras le permitieron intuir que se había hecho inmunda y sagrada", para añadir: "Había nacido para la espera ciega y estúpida, para un corto estío, para una serie de puntuales decepciones con las que era necesario construir una vida"[36].

---

[36] *Ibid.* p. 225.

En cuanto a las relaciones de Medina con Seoane, tan importantes para aquél, están condenadas al fracaso. Seoane acaba diciéndole: "nadie te quiere. Yo te quise cuando eras mi padre, cuando necesitaba uno"[37]. Es que Medina abandonó a María Seoane, riéndose cuando ella lo confrontó con "la cara morada del gusano hediondo y llorón" del "ex feto que [...] era mi hijo"[38]. Hay otras referencias asqueadas a fetos y embarazos aquí y en obras anteriores de este autor. Onetti postula como norma una disyuntiva entre la procreación y la creación. El artista es siempre superior al padre de familia (en Onetti, las dos categorías poseen una relación de incompatibilidad) porque el primero como un demiurgo crea algo nuevo aparentemente de la nada, mientras el proceso de procreación física meramente obedece a los eternos impulsos oscuros y malignos que acechan tras el mundo de las apariencias y hacen girar la rueda del sufrimiento. La visión es auténticamente schopenhaueriana. Medina pierde a Seoane porque rechaza sus responsabilidades de padre (sean éstas un engaño de la mujer o no), y cuando se acerca protector a Seoane en la época de Lavanda (cuando Seoane está atravesando la adolescencia tardía), Seoane ya ha determinado vivir su vida sin permitirle a Medina inmiscuirse en ella. Seoane llega a sugerirle, cruelmente, que el querer tener un hijo es simplemente una forma disfrazada de egoísmo.

> Querías tener un hijo desde siempre, probablemente desde la primera vez que te acostaste con una mujer. Lo dijiste, recuerdo. Lo que sentías arriba de una mujer era tan importante, tan sin relación con cualquier otro tipo de experiencia posible, que necesitabas hacerlo eterno, o duradero, o palpable, con un hijo. Nunca entendí eso; no puedo entenderlo, por lo menos, en un hombre. Nunca quise tener un hijo. Con Frieda menos que con nadie. [...] Tampoco ella quiso tenerlo.

---

[37] *Ibid.* p. 177.
[38] *Ibid.* p. 33.

Nos queríamos demasiado para necesitar y ni siquiera aceptar que algo se agregara. [...] tu vieja, congénita necesidad de un hijo y [...] la mala suerte que te impidió. Entonces, desde que me conociste, o desde mucho antes, quisiste jugar a que yo era tu hijo. Nada de amor, en realidad; el placer del dominio, la pobre satisfacción orgullosa de imponer destinos y contactos.[39]

Se percibe en esta cita y la que viene a continuación las profundas raíces de la psicología del macho onettiano, que no está dispuesto a tolerar, para su fuero interno, el más mínimo egoísmo en la conducta humana. Un personaje más psicológicamente equilibrado comprendería la sana necesidad de una pequeña dosis de egoísmo. Medina muestra un afán casi nietzscheano de penetrar detrás del mundo de las apariencias, un anhelo mórbido de quitarse ilusiones:

¿Cuál es la mentira entre él y yo —pensaba Medina—, lo que me obliga a seguir queriéndolo y a intentar imponerle (a Seoane) una felicidad distinta a la que disfruta ahora y que yo me empeño en llamar desgracia, y por qué me empeño en hacerlo? Hay una mentira, hay un sentimiento falsificado: no se trata de la amistad, no es sólo que quiera salvarlo de la borrachera y la droga que le da o le vende Frieda, estoy seguro. Salvarlo de la humillación y el sufrimiento. En realidad, no he querido de veras a nadie. No se puede, no es posible llegar más allá de la necesidad de actuar como un ser humano entre otros. Hay algo más, una cosa más fuerte y más limpia que el cariño, que la amistad y cualquier forma de amor; no sé qué es, pero debe parecerse a la dignidad y al orgullo.[40]

Este es un pasaje clave, que nos muestra qué es lo que hay detrás de las actitudes de estos machos de Onetti. Un miedo a entregarse, a ofrecerse sin esperanza de recompensa, a *amar*, porque quieren mantenerse *limpios*. Su cobarde psicología parece sacada de una letra de tango, como ya lo apuntó algún crítico.

---

[39] *Ibid.* pp. 186-187.
[40] *Ibid.* p. 182.

Nos queda ahondar un poco más en el tema de la función del arte en este texto. Ya señalamos que la creación artística, para Medina y sus congéneres, representa una puerta a la libertad, un escape del odioso mundo cotidiano. El Medina pintor se complace en la reflexión de que "el tiempo no existe, no es. [...] Yo lo sabía, desde la infancia, y protegía mi secreto como una enfermedad"[41]; "sólo podría importarme lo que inventara"[42]; "pintar, meterse en un cuadro y sufrirlo debe ser como sentir y pensar de una manera total, con todo el cuerpo y olvidado del cuerpo"[43]. Su gran ambición es pintar una ola "total": "Tiene que ser la primera y la última. Una ola blanca, sucia, podrida, hecha de nieve y de pus y de leche que llegue hasta la costa y se trague el mundo"[44].

> No era una ola del Pacífico, no era una ola japonesa: que esto quede aclarado. Tal vez ni mereciera mi firma al pie. Era una ola borrosa, con la cresta de un blanco sucio [...] de ópalo: inmunda mezcla de orines, ojos reventados. Elementos: vendas con sangre y pus, pero ya desteñidas; corchos con las marcas borradas; gargajos que podían confundirse con almejas; saliva de epiléptico, pedazos sin filo de yeso, restos de vómitos, bordes de muebles viejos y molestos, toallitas higiénicas semideshechas.[45]

Nótese el afán totalizador de esta empresa, la manía fáustica de abarcarlo todo. Unicamente que el todo, para Medina, es asqueroso. Su ola, su expresión del mundo, funciona, en realidad, como vertedero de lo que Medina tiene dentro de sí, es decir, todos los odios y todas las frustraciones de un ser sumamente infeliz. Olga le cuenta luego, al final, que ha encontrado el cuadro de una ola, y sospechamos que se trata de un intento de pintar esta ola total.

---

[41] *Ibid.* p. 37.
[42] *Ibid.* p. 42.
[43] *Ibid.* p. 83.
[44] *Ibid.* p. 71.
[45] *Ibid.* p. 99.

Sea esto como fuera, ello no impide que Medina termine incendiando Santa María: evidentemente sus anhelos fáusticos no han sido satisfechos con la realización de la ola, fallida o no.

El afán de totalidad, claro está, y su narcisismo, son los que pierden a Medina (sobre todo, como ya hemos observado, en sus relaciones con mujeres) y lo llevan a tratar de acabar con Santa María (el mundo) mediante el incendio, ayudado por un pirómano (el Colorado) escapado de las páginas de un cuento anterior, *La casa en la arena* (1949). Medina quiere ser Dios, le dice en una ocasión Seoane, ser el dueño arbitrario de todo: como ser afectivo y sexual (sobre todo en su papel de macho dominador de mujeres), como ser social (comisario de Santa María) y como artista (pintando la ola). Cuando percibe que ha fracasado inicia la destrucción del mundo en aras (otra vez) de la "limpieza". La conciencia puritana y represiva que no acepta "lo otro" se revela como una conciencia destructiva.

La desconfianza en el arte como tabla de salvación se presenta ya en la primera obra publicada por Onetti: *El pozo*, donde se ironiza sobre la escritura del narrador Linacero. Tal vez sea *Para una tumba sin nombre* donde hallamos un mayor desengaño al respecto, en las últimas palabras de Jorge Malabia:

> Y, más o menos, esto era todo lo que yo tenía después de las vacaciones. Es decir, nada: una confusión sin esperanza, un relato sin final posible, de sentidos dudosos, desmentido por los mismos elementos de que yo disponía para formularlo.[46]

Dejemos hablar al viento contiene múltiples referencias a la ficticidad de los hechos narrados y a la imposibilidad de la certidumbre, lo cual es una manera de poner en entredicho el quehacer del escritor. Incluso encontramos pasajes tomados, ligeramente modificados o no, de otras obras anteriores y embutidos en el texto.

---

[46] *Para una tumba sin nombre*. Montevideo, Arca, 1968, pp. 85-86.

Onetti ha sido siempre un artista de la incertidumbre, de significados polivalentes, un artífice del barroco. Los primeros editores de *El astillero* estuvieron en lo cierto cuando escogieron para la portada de esa gran novela (Buenos Aires, Fabril, 1961) la reproducción de un cuadro de Seurat, no recordamos si el famoso *Baño de Asnières* o el *Puente de Courbevoie* (en ambos, la vista está dirigida hacia la otra margen de un río). Calificar a Onetti de escritor puntillista acaso no sería un error (y notamos que en la pintura de Medina predomina el color, la mancha, sobre la línea). No hay nada nítido en este mundo borroso repleto de alternativas. El pesimismo general y la furia destructiva de los personajes principales de Onetti, por esta razón, no agotan sus obras al nivel del significado, y menos aún en *Dejemos hablar al viento*, que representa un avance cualitativo en cuanto a posibles mensajes positivos. Si la novela termina con el comienzo de la destrucción de Santa María (la ciudad imaginaria que en otras épocas fue la salvación de su creador, pero ya decaída, otra señal de la incapacidad del arte para proporcionar una solución duradera al problema de la insatisfacción existencial), al lector le queda en la memoria una imagen de signo muy contrario: la de unos gringos viejos dueños de una estrafalaria tienda de hierbas e instrumentos musicales, personajes que son el arquetipo de la pareja enamorada y feliz:

> Que empezaron a jugar al sexo cuando tenían catorce años y ahora se siguen queriendo, y casi digo adoración, mediante la única manera admisible a los ochenta años de edad, sesenta y cinco o sesenta de vida en común, mediante la ironía, la broma, la burla, la ineludible ternura. [...]
> Sin necesidad de tocarse, felices en la seguridad de que no, ya no, necesitaban unir los cuerpos para defender lo sagrado de cualquier intento de intromisión, seguros de que el tiempo, la fe y el Dios a quien rezaban había erigido —y no gratuitamente— una valla que apartaba el secreto de la inmundicia. Casi inmóviles, inescrutables y al parecer para siempre. [...]

Ella o él que se quería desde los catorce años por encima y por debajo de todas las palabras que un genio o un imbécil tartamudo pudiera componer para expresar lo indecible, para empequeñecer y manchar aquella pureza de sesenta y cinco años.[47]

El amor que ha rebasado la sexualidad es aquí la clave: triunfante, también sobre cualquier intento de expresarlo (otra vez se apunta al necesario fracaso del arte como camino al absoluto). En este escenario reinan la naturaleza y la música (la armonía). Los viejos gringos han aprendido a aceptar el mundo, no cuestionarlo, "dejando hablar al viento", aunque éste traiga las llamas de un incendio apocalíptico. Al ansia destructiva se contrapone el amor, a la huida la paz interior, al furor de dominio la entrega a lo otro, a la frenética especulación sobre el mundo el simple vivir en ella, a la compulsiva actividad sexual el cariño, "limpio" y desinteresado. Visión taoísta, budista o cristiana contra la fáustica del *homo faber*, que acaba siempre vendiendo el alma al diablo.

> *Do not move*
> *Let the wind speak*
> *That is paradise.*
> E.P.

---

[47] *Dejemos hablar al viento*, pp. 130-131.

LECTURA DEL POEMA IX DE *TRILCE*

Antonio Melis

He escogido el poema IX de *Trilce* para este Coloquio sobre "Escritura y Sexualidad" por dos razones
diferentes y complementarias. En primer lugar, porque creo que, a pesar de la inmensa bibliografía sobre el poeta peruano, queda todavía mucho por in-
vestigar a propósito de este texto bastante críptico.
En segundo lugar, porque me parece que el poema
se ofrece como una piedra de toque para aclarar la
relación entre escritura y sexualidad, en todas sus
posibles implicaciones.

Me permito formular una hipótesis para explicar el relativo descuido que ha sufrido este texto por
parte de los exégetas vallejianos. Las dificultades de
interpretación que presenta son notables, pero no
superiores a las que se encuentran frente a otros
poemas de *Trilce*. Parece como si hubiera una actitud de reticencia, y sería una reticencia, por otra
parte, explicable, por lo menos hasta cierto punto.
Recorre todo el poema, en efecto, una tensión dolo-
rosamente erótica. Subrayo el adverbio, para señalar
una connotación constante en la poesía amorosa de
Vallejo, pero que alcanza aquí una de sus cumbres.

Para facilitar la tarea del lector, transcribo el
poema analizado:

1 Vusco volvvver de golpe el golpe.
2 Sus dos hojas anchas, su válvula
3 que se abre en suculenta recepción
4 de multiplicando a multiplicador,
5 su condición excelente para el placer,
6 todo avía verdad.

7 Busco vol ver de golpe el golpe.
8 A su halago, enveto bolivarianas fragosidades
9 a treintidós cables y sus múltiples,
10 se arrequintan pelo por pelo
11 soberanos belfos, los dos tomos de la Obra,
12 y no vivo entonces ausencia,
13   ni al tacto.

14 Fallo bolver de golpe el golpe.
15 No ensillaremos jamás el toroso Vaveo
16 de egoísmo y de aquel ludir mortal
17 de sábana,
18 desque la mujer esta
19   ¡cuánto pesa de general!

20 Y hembra es el alma de la ausente.
21 Y hembra es el alma mía.[1]

Desde una primera lectura, aparecen los elementos que conforman una situación erótica inquietante. Algunas referencias resultan relativamente transparentes: "su válvula / que se abre en suculenta recepción" (vv. 2-3), "su condición excelente para el placer" (v. 5), etc. Una interpretación diferente del poema, por supuesto legítima, tiene como punto débil el descuido de estos indicios importantes[2].
Otros elementos relevantes para comprender la

[1] CESAR VALLEJO, *Obra poética completa;* Lima, Mosca Azul Editores, 1974, p. 109.
[2] Es el caso, por ejemplo de IVAN RODRIGUEZ CHAVEZ (en *La ortografía poética de Vallejo*; Lima, 1973, pp. 47-51), que interpreta el poema como la expresión de un deseo de venganza.

estructura del poema son los *íncipit* de las tres primeras partes (no se trata, estrictamente de estrofas): "Vusco volvvver" (v. 1), "Busco vol ver" (v. 7), "Fallo bolver" (v. 14). Se trata de la enunciación de dos tentativas, que se resuelven en un fracaso.

Sobre estas comprobaciones parciales podemos emprender un intento de interpretación del poema. Desde el primer verso y la primera palabra nos encontramos frente a una anomalía gráfica. Se sabe bien que estos fenómenos son muy frecuentes en la poesía de Vallejo[3]. Ellos se concentran sobre todo en *Trilce*, que representa el aporte personalísimo del poeta peruano al vanguardismo de estos años.

"Vusco" es una variante gráfica que coexiste, dentro del mismo poema, con la forma normal "Busco" (v. 7). Esta alternancia tiene una base obvia en el sistema del castellano y el propio poeta aprovecha el fenómeno en otras partes de su obra. En la misma colección de poemas (*Trilce*, LII), encontramos un ejemplo parecido, que refleja la clara intencionalidad del poeta:

Y llegas muriéndote de risa,
y en el almuerzo musical,
cancha reventada, harina con manteca,
con manteca,
le tomas el pelo al peón decúbito
que hoy otra vez olvida dar los buenos días,
esos sus días, buenos con b de baldío,
que insisten en salirle al pobre
por la culata de la v
dentilabial que vela en él.[4]

Más tarde, volverá a plantear el mismo juego gráfico, en el contexto profundamente distinto del poema *España, aparta de mi este cáliz:*

[3] V. sobre todo GIOVANNI MEO ZILIO, con la colaboración de XAVIER ABRIL, IGNACIO CHAVES, GIUSEPPE D'ANGELO, ROBERTO PAOLI, *Neologismos en la poesía de César Vallejo,* en *Lavori della Sezione Fiorentina del Gruppo Ispanistico C.N.R.,* Messina-Firenze, 1967. pp. 13-98.
[4] CÉSAR VALLEJO, *Obra poética completa; op. cit.,* p. 154.

"¡Viban los compañeros! Pedro Rojas",
[...]
¡Abisa a todos compañeros pronto!
[...]
¡Viban los compañeros
a la cabecera de su aire escrito!
[...]
¡Viban con esta b del buitre en las entrañas
[...]
¡Abisa a todos compañeros pronto!
¡Viban los compañeros al pie de esta cuchara para siempre!
[...]
"¡Viban los compañeros! Pedro Rojas".[5]

Siguiendo en la lectura, nos encontramos con otra alteración gráfica ya en la segunda palabra. En este caso ("volvvver") se trata de la prolongación del grafema "v". Un caso parecido, dentro del mismo libro, se encuentra en el poema XLVIII:

Ella, vibrando y forcejeando,
pegando grittttos,[6]

La insistencia en estos procedimientos nos alerta de entrada sobre su posible motivación. Dentro de la relación tensa y totalizante que Vallejo mantiene con la escritura poética, no puede tratarse de un mero ejercicio lúdico. La voluntad expresiva extremada, con su énfasis en los significantes, corresponde a un estado de ánimo alterado.

Volver es un verbo que presenta una frecuencia alta dentro de la poesía vallejiana. En su primer libro, *Los heraldos negros*, encontramos, por ejemplo, en el poema liminal del mismo título:

Y el hombre... Pobre... pobre! Vuelve los ojos, como
cuando por sobre el hombro nos llama una palmada;

_____
[5] *Ibid.,* pp. 332-333.
[6] *Ibid.,* p. 150.

vuelve los ojos locos, y todo lo vivido
se empoza, como charco de culpa, en la mirada.[7]

En "Avestruz" se halla un sintagma análogo:

yo quiero que de él nazca mañana alguna cruz,
mañana que no tenga yo a quien volver los ojos,
cuando abra su gran O de burla el ataúd.[8]

Otros ejemplos del mismo libro: "ni volveré a ofenderte" ("El poeta a su amada"), "no vayas a volver" ("La copa negra"), "volvía a ver la piedra" ("Fresco"), "no vuelvas" ("Yeso"), "Hay ganas de volver" ("Los anillos fatigados"), etc.[9]

Como se ve por estas citas parciales, el significado del verbo oscila entre "dar vuelta", "repetir" y "regresar". En el verso que estamos examinando, en cambio, parece ser sinónimo de "devolver", significando la voluntad de una respuesta que exige un esfuerzo. Las alteraciones gráficas observadas, entonces, podrían relacionarse con esta tensión expresiva.

"De golpe el golpe" presenta la iteración de un semantema que aparece la primera vez en una locución adverbial, la segunda como substantivo. También en este caso, puede ser útil registrar algunos antecedentes en el uso del término por el poeta. El primer ejemplo, obviamente, pertenece al ya nombrado poema inicial de *Los heraldos negros*, todo dominado por el motivo de los "golpes en la vida". El vocablo "golpe", solamente en este texto, se reitera seis veces. Pero vuelve a presentarse en "Babel" ("fabricado / de un solo golpe"), "Romería" (Pero un golpe"), etc.[10]

Para detectar el significado que tiene en el poema IX el vocablo, es necesario contextualizarlo. A

---

7 *Ibid.*, p. 11.
8 *Ibid.*, p. 24.
9 *Ibid.*, pp. 36, 41, 43, 44, 81.
10 *Ibid.*, pp. 30, 31.

partir de la hipótesis formulada al comienzo, que ve en el texto la alusión a una situación erótica, "volvver de golpe el golpe" podría aludir a la búsqueda de armonía, de sintonía de la pareja durante el acto sexual. Es evidente, por otra parte, que la elección del término "golpe" no es casual, sino que está cargada de connotaciones dramáticas y agonistas.

` Los versos siguientes (vv. 3-5) se refieren a la mujer, a la *partner* del acto. La imagen ya citada, "su válvula / que se abre en suculenta recepción", es de las más transparentes. Indica al órgano femenino durante el acto sexual. Hasta se puede encontrar en la palabra "válvula" no solamente el impulso psicolingüístico, sino la presencia "física" de otro vocablo aún más explícito: "vulva" ("VáLVUlA", u otras combinaciones posibles). Es un procedimiento anagramático parecido al que Ferdinand de Saussure define como *locus princeps* o *mannequin*[11]. La "suculenta recepción" se refiere al placer vivido en el acto, anticipando el v. 5: "su condición excelente para el placer".

Queda por explicar el sintagma "Sus dos hojas anchas", que tal vez necesite ponerse en correlación con otros versos del mismo poema. A la luz de la analogía interna, se puede vincular con "los dos tomos de la obra" (v. 11), que aparece como determinación de "Soberanos belfos". A partir del significado de "belfos" se puede tal vez hacer la hipótesis del valor semántico de la expresión correlativa. Se trata, creo, de otra alusión sexual explícita, aunque parcialmente filtrada a través de una imagen animal. Los "belfos", en efecto, son los labios abultados de los animales. El acercamiento al mundo animal no significa necesariamente, en el poeta peruano, un proceso de degradación. Lo iluminan, aunque sea retrospectivamente, muchos pasajes de su poesía madura. Piénse-

---

[11] Jean Starobinsky, *Les mots sous les mots. Les anagrammes de Ferdinand de Saussure*; París, Gallimard, 1971.

se en el célebre comienzo de uno de los *Poemas en prosa*:

> En el momento en que el tenista lanza magistralmente
> su bala, le posee una inocencia totalmente animal;
> en el momento
> en que el filósofo sorprende una nueva verdad,
> es una bestia completa.[12]

En *Poemas humanos* encontramos, entre otras alusiones, esta impresionante exaltación de la animalidad del hombre:

> Hermano persuasible, camarada,
> padre de la grandeza, hijo mortal,
> amigo y contendor, inmenso monumento de Darwin.[13]

El vocablo "belfos", en el poema IX de *Trilce*, aparece significativamente connotado por el adjetivo "soberanos". Se define así una correlación entre "hojas anchas" y "soberanos belfos", que resultan como sintagmas sinonímicos. Son dos representaciones equivalentes de los labios del órgano sexual femenino, enaltecidos por la adjetivación ("anchas", "soberanos"), que los transforman en "los dos tomos de la Obra", en una auténtica tarea con la que hay que enfrentarse.

"De multiplicando a multiplicador" indica el crecimiento progresivo del placer, evocado directamente en el verso sucesivo como disposición, potencialidad.

El v. 6 se presenta como un resumen de la primera parte, introducido por la palabra "todo". El verbo *aviar*, de uso bastante raro, tiene un antecedente en un poema de *Los heraldos negros*, que puede contribuir a aclarar nuestro texto:

---

12 CESAR VALLEJO, *Obra poética completa; op. cit.*, p. 207. V. también la nota "De Feuerbach a Marx", en *Contra el secreto profesional*; Lima, Mosca Azul Editores, 1973, p. 13.
13 CESAR VALLEJO, *Obra poética completa; op. cit.*, p. 44.

Mas... una noche de lirismo, tu
buen seno, tu mar rojo
se azotará con olas de quince años,
al ver lejos, aviado con recuerdos
mi corasario bajel, mi ingratitud.[14]

Me fundo en la lectura textual que interpreta "avía" como tercera persona singular del presente de indicativo de *aviar*. Por supuesto, leyendo "avía" como deformación gráfica de "había" cambiaría, aunque no totalmente, el significado. Al mismo tiempo, hay que considerar la posibilidad, no contradictoria, sino más bien complementaria, de interpretar "todo avía" como descomposición del adverbio "todavía".

Con el apoyo en el poema citado de *Los heraldos negros*, donde *aviar* es sinónimo de *ataviar*, interpreto "avía" como "dispone, alista, prepara". La posibilidad feliz de conseguir la armonía erótica se sintetiza en este verso, al mismo tiempo que adquiere una significación superior, configurándose como una búsqueda de la verdad, de la autenticidad.

La segunda parte se abre con la reiteración de la tentativa:

Busco vol ver de golpe el golpe.

Las variantes gráficas posiblemente concurren a la formación del significado. En el verbo inicial, el regreso a la bilabial parece sugerir un aumento de intensidad, de plenitud. Aunque se trata, como ya se ha dicho, de un procedimiento meramente gráfico, debido a la equivalencia fonética de los dos signos, no es arbitrario afirmar, a la luz de los reiterados juegos del poeta acerca de la "b" y la "v", que el empleo de la variante gráfica conlleva una intencionalidad fonética.

Asimismo, frente a la multiplicación del grafema en "volvvver", encontramos aquí la descomposición analítica de la palabra.

---

[14] CESAR VALLEJO, *Obra poética completa; op. cit.*, p. XX.

En el v. 8, "A su halago" puede interpretarse en sentido tanto subjetivo como objetivo. Pero el significado no cambia sustancialmente. El término-clave es aquí el "halago" (o sea, el "gozo", el "placer"), que puede, según las dos interpretaciones aludidas, ser la finalidad de la acción indicada inmediatamente después, o la causa de la misma.

El sintagma "envete bolivarianas fragosidades" es de descifración más difícil. "Enveto" parece indicar un proceso de profundización, reclamado por la complejidad de la empresa, en la que el sujeto se enfrenta con "bolivarianas fragosidades". En estaconcentración de vocablos raros, "bolivarianas" aparece como una nueva enfatización del carácter supremo de la áspera tarea.

Vuelve otra vez la imagen de la multiplicación del placer, "a trentidós cables y sus múltiples". "Múltiples" se vincula, evidentemente, con los anteriores, "multiplicando" y "multiplicador". "Cables" alude a la transmisión del placer mismo a través de los nervios, que funcionan, justamente, como cables. Una metáfora casi igual, que ilumina este pasaje, es la que se halla en el poema XXX de *Trilce*:

Olorosa verdad tocada en vivo, al conectar
la antena del sexo
con lo que estamos siendo sin saberlo.[15]

El número "trentidós", por supuesto, tiene un valor genérico, dentro del sistema pitagórico y cabalístico de *Trilce*.

El verso que sigue insiste en el motivo de la difusión del placer. Aparece otro vocablo raro ("se arrequintan"), casi un tecnicismo, para expresar la misma idea de tensión. El sintagma "pelo por pelo" tiene una evidente analogía con la imagen de los "cables" comentada arriba.

Ya he anticipado la propuesta de lectura relativa

---

15 *Ibid.*, p. 131.

a "soberanos belfos" y "los dos tomos de la Obra", que rematan la altura de la hazaña sexual. En el encuentro con la amada parece entonces realizarse una victoria sobre la enajenación, sobre la "ausencia", gracias al "tacto", al contacto. La segunda secuencia de versos parece, en otras palabras, concluirse con el cumplimiento victorioso del objetivo anunciado en la primera parte.

La tercera parte, en cambio, representa la consumación del fracaso. "Fallo" introduce simétricamente esta sección, en correspondencia con "Vusco" y "Busco" de las dos anteriores. En este verbo, una vez más, es posible reconocer un *mannequin*: el de la palabra "falo". La imposibilidad de controlar el ritmo, para realizar así la armonía sexual de la pareja, se remata en el verso siguiente. "No ensillaremos jamás el toroso" evoca esta frustración, con una referencia al elemento masculino ("toroso") y a la incapacidad de dominar sus impulsos. Debido a la puntuación irregular del poema (así como de buena parte de *Trilce*), "Vaveo" (que propone nuevamente el juego de alternancias entre "b" y "v") puede interpretarse gramaticalmente de dos maneras. Puede ser sustantivo deverbal de "babear", connotado por el adjetivo "toroso". Pero podemos suponer una pausa, no señalada, después de "toroso" y entonces "Vaveo" sería la primera persona singular del presente indicativo de "babear". Un antecedente interesante lo podemos localizar en *Los heraldos negros*, en el poema IV de la serie titulada "Nostalgias imperiales":

> Llega el canto sin sal del mar labrado
> en su máscara bufa de canalla
> que babea y da tumbos de ahorcado![16]

No cambia, sin embargo, el significado de fondo, puesto que se alude, en ambos casos, a la armonía

---

[16] *Ibid.*, p. 49.

no alcanzada en el orgasmo, que devuelve el hombre a su soledad ("egoísmo").

Por eso, el amor fracasado, degradado, pierde su aura de "verdad", se reduce a un "ludir de sábana", a un acto mecánico, que lleva en sí mismo un contenido de muerte ("mortal").

La explicación se encuentra tal vez en el peso ("¡cuánto pesa!"), en el carácter general ("totalizante de general!", y recuérdese "los dos tomos de la Obra") de la mujer. La empresa enunciada con entusiasmo y optimismo al comienzo, se revela superior a las posibilidades.

Los dos versos finales sintetizan el fracaso, por medio de la repetición simétrica de la palabra "hembra". Su atribución a los dos amantes señala la imposibilidad, la esterilidad del encuentro. La expresión "el alma de la ausente" parece insinuar una contraposición a la presencia del cuerpo. "Alma" es la palabra-clave en *Los heraldos negros*, donde se encuentran muchísimos ejemplos, desde luego por influjo del lenguaje poético modernista. "Ausente" es el título de un poema del mismo libro, donde el vocablo se presenta tres veces más[17]. En el poema IX de *Trilce*, el triunfo de la ausencia, en contradicción total con la perspectiva vislumbrada anteriormente ("y no vivo entonces ausencia"), es al mismo tiempo símbolo y compendio del fracaso existencial. La anécdota se supera totalmente, así como decae toda interpretación meramente naturalista. A través del fracaso sexual se ilumina una condición general de incomunicabilidad. Se disuelven las ilusiones de vencer la "ausencia", el "egoísmo", de conseguir la "verdad". La promesa de unidad contenida en el acto de amor naufraga en la comprobación inexorable de la soledad.

---

[17] *Ibid.*, p. 23.

DEL INCESTO AL PARRICIDIO: ESCRITURA Y SEXUALIDAD EN LA OBRA DE AUGUSTO ROA BASTOS

Alain Sicard

Si existe entre Augusto Roa Bastos y otros autores que comparten las mismas preocupaciones históricas y sociales una diferencia, ésta podía resumirse de la manera siguiente: la escritura para él no aprehende la realidad histórico-social a partir de una comunión o de una epifanía, sino a partir de una incapacidad o de una carencia. Esquematizando mucho: quien protagoniza la palabra escrita está excluido de la praxis histórica o marginado con respecto a ella. Inversamente, en quien protagoniza el pueblo y su historia, "la voz no es palabra", como escriben justamente Adriana Valdés e Ignacio Rodríguez[1], "No radica en el convencionalismo de los signos su lenguaje. El habla se encarna en la acción de cada uno de ellos, en los viajes míticos que realizan, ya sea empujando un vagón por la selva o conduciendo un camión por el desierto hacia el enorme objetivo del tiempo nuevo". Esto vale para los personajes de *Hijo de hombre* y también para el personaje doble de *Yo El Supremo*: son sujetos divididos en quienes la separación interna es lo que genera la escritura.

---

[1] ADRIANA VALDÉS e IGNACIO RODRIGUEZ, *"Hijo de hombre*: el mito como fuerza social" (en *Homenaje a A.R. Bastos*, HELMY F. GIACOMAN. Anata las América, 1973).

El acto de escribir reproduce esta división al mismo tiempo que la inscribe en un contexto objetivo que es la escisión lingüística que caracteriza la sociedad paraguaya. Se sabe en efecto que el Paraguay es en América Latina el único país donde existe un bilingüismo que es en realidad una diglosia, ya que los dos hemisferios lingüísticos —el guaraní, lengua de la tradición oral, cargada de los valores de la vida anónima y colectiva, afectiva y familiar, y el castellano, lengua de la cultura escrita, literaria, científica y administrativa— no se complementan, sino que se excluyen. "La escritura, metáfora del exilio", dijo un día A. Roa Bastos: escribir es vivir la exclusión del mundo unánime y anónimo de la oralidad. Es vivir como texto ausente[2], el texto de la palabra originaria. Es, para decirlo en palabras del Supremo, habitar "un lugar que ha trasladado su lugar a otro lugar".

Ello implica para la escritura un estatuto contradictorio que es preciso describir brevemente antes de examinar su relación con la sexualidad.

Rescate del "son-ido", el camino de la palabra es para Roa Bastos un camino esencialmente regresivo. Escribir es avanzar de espaldas. Escribir es borrar —"borrador de lo borrado", es la definición que propone Roa Bastos de su novela *Yo El Supremo*[3]—

---

[2] En *La narrativa paraguaya en el contexto de la literatura hispanoamericana actual* (*Revista de crítica literaria hispanoamericana,* núm. 19, año X, Lima, 1984), A. Roa Bastos lo define como un texto "arcaico y libre, latente en la subjetividad individual de cada hablante, en su afectividad emocional impregnada por los sentimientos de la vida social... este texto primero que se lee y oye a la vez subyace en el universo bivalente castellano/guaraní y emerge siempre conflictivamente tanto en la vida de la relación y comunicación como en la búsqueda de expresión de los escritores de este país. Es un texto subyacente en el humus matricial del mundo mestizo. Un texto en el que uno no piensa, pero que lo "piensa" a uno, como sucede con la lengua o la historia".

[3] "Algunos núcleos generadores de un texto narrativo" (*Travaux de l'Université de Toulouse-le-Mirail*, Tome VI, Toulouse, 1978).

de la misma manera que leer es desescribir. Hay que precisar que este concepto de regresión está exento de toda connotación temporal. Más que de memoria es de "desmemoria" de lo que se trata, a fin de alcanzar, "quemada la memoria de la costumbre", los "recuerdos de antes de nacer" de los que habla el nonato en el cuento de "Moriencia" del mismo nombre, recuerdos que no pertenecen al tiempo de la cronología sino al tiempo sin tiempo, a la historia sin historia del mito y del fantasma.

Inseparablemente de regresión, o involución, o más exactamente para cumplir esta involución, la escritura se hace sustitución, supone una traición de la palabra originaria y una impostura que resultan homólogas, para poner dos ejemplos mayores, de la traición de Miguel vera en *Hijo de hombre* y de la impostura final que representa, en *Yo El Supremo*, el poder absoluto con respecto a la revolución. Habitar el texto ausente, hacerlo presente en lo escrito, involucra necesariamente esta traición y esta impostura.

He aquí, esquemáticamente esbozadas, las dos caras opuestas e inseparables —involución y sustitución, fidelidad y traición, autenticidad e impostura— que conforman el destino de la palabra escrita. Ahora cabe preguntarse qué papel desempeña, en este proceso contradictorio, la sexualidad.

* * *

En *Yo El Supremo*, el poder absoluto, poder que pretende tener en sí mismo su origen implica la obliteración de las fuentes naturales o biológicas de su existencia. "No tengo padre ni madre", no se cansa de repetir El Supremo. "¿No puede uno acaso nacer de sí mismo?" A lo que uno de los hermanos Robertson le objeta: "Yes, certainly Excellency but... yo me arriesgaría a decir que está de por medio el principio del placer"[4]. El poder absoluto niega el principio del placer, lo reprime, lo encierra en sus mazmorras, como a Charles Andreu-Legard, el amigo de otro famoso encarcelado, el Divino Marqués. El Poder Supremo sofoca lo sexual porque, a través del consentimiento a la dualidad que supone, representa una amenaza para lo Uno y Unico. Recuérdese la entrevista del Supremo con la Bella Andaluza que penetra en la recámara del Dictador precedida por el "inmemorial husmo a hembra", variante del pestilente hedor que expande su *leit-motiv* en todo el texto:

> La náusea me paraliza al borde de la arcada. Estoy a punto de vomitar. Me contengo en un esfuerzo supremo. No es que huela solamente ese olor a hembra, que lo haya recordado de pronto. Lo veo. Más feroz que un fantasma que nos ataca a plena luz, saltando hacia atrás, hacia adelante, hasta el final de esos días primeros, quemados, olvidados en los prostíbulos del Bajo. El olor está ahí, Sansón-hembra que se ha abrazado a las columnas de mi templado templo. Enrosca sus millares de brazos a horcones de mi inexpugnable eremitorio-erectorio. Pretende desmoronarme...[5]

La amenaza es en realidad tentación, tentación de un regreso hacia "esos días primeros, quemados, olvidados" que componen el horizonte imposible de la escritura. Por eso lo sexual es al mismo tiempo censurado e invitado. "No recibí a la Andaluza. Le concedí Audiencia mas no la recibí", dice ambiguamente el Supremo. De la misma manera encarcela a Charles Andreu-Legard y lo trae a su aposento para amenizar sus siestas, con el relato oral de las hazañas obscenas del Marqués embastillado[6], o mandará quitar los espías de la Casa de Muchachas huérfanas y recogidas secretamente convertido en gran prostíbulo en cuya puerta está clavada, simétrica del pasquín

_____
[4] A. ROA BASTOS: *Yo El Supremo* (Biblioteca Ayacucho, Caracas, 1986), p. 117.
[5] *Ibid.*, p. 44.
[6] *Ibid.*, p. 60.

clavado en a puerta de la Catedral, una licenciosa Licencia firmada por su mano[7].

Son múltiples los lugares, en *Yo El Supremo*, donde la sexualidad, reprimida, aflora en la escritura con la secreta —¿inconsciente?— complicidad del que la reprime. Sería imprudente, no obstante, interpretar esas irrupciones de la sexualidad en el texto como un culto rendido a la omnipotencia del deseo como una promesa de su liberación por medio de la palabra. Recuérdese la lección de escritura que recibe Patiño de la mano del Supremo. El acto de escribir está representado eróticamente:

> La mulatez de la tinta se funde con la blancura de la hoja. Mutuamente se lubrican los lúbricos. Macho/hembra. Forman ambos la bestia de dos espaldas. He aquí el principio de mezcla. Eh ah no gimas tú, no jadees. No, Señor... no jodo. Sí jodes. Esto es representación. Esto es literatura. Representación de la escritura como representación[8]

Pero en otros textos, la representación puede cobrar formas muy diferentes de este coito escriptural. Por ejemplo, en un cuento reciente titulado "La Caspa", la escritura está escenificada por unos adolescentes que rodean una muchacha atada a un árbol. La muchacha canta una canción que es una invitación al amor, mientras los adolescentes, sentados sobre pilas de libros y carpetas "se masturban al ritmo de la tonada, serios y ceremoniosos, cerrando los ojos en el orgasmo casi al mismo tiempo"[9]

¿Coito o masturbación? La contradicción se resuelve si nos acordamos de la advertencia previa del Supremo al comenzar su clase. No se trata de una reconciliación sino únicamente de un "simulacro de transitoria identificación". La sexualidad casi se po-

---

[7] *Ibid.,* p. 288.

[8] *Ibid.,* p. 52.

[9] Publicado en revistas, este cuento integra una antología de cuentos en lengua francesa titulada *Récits de la nuit et de l'aube* (Le Calligraphe, París, 1984).

dría decir que entretiene con la escritura relaciones esencialmente metafóricas en la medida en que ella es esto: un simulacro necesario a una identificación, un sustituto en el imposible rescate de la oralidad.

* * *

Ya hemos varias veces sugerido, al insistir en el carácter regresivo del gesto de escribir, la relación que existe entre la oralidad y la figura materna. El momento ha llegado de precisarla.

Rubén Barreiro Saguier dijo un día en una hermosa fórmula que "es en la dulce andadura de las plantas del corazón materno que el niño paraguayo aprende el guaraní". Este fue precisamene el caso de Augusto Roa Bastos. Fue por boca de su madre, quien le comentaba en guaraní las Sagradas Escrituras, como le fue transmitida la lengua indígena. El guaraní es, para emplear una expresión popular muy sugestiva, algo que el joven Augusto "mamó" en su infancia. No por casualidad se habla siempre de "lengua materna" como lo observó Gabriel Saad en su intervención en un reciente coloquio[10]. Mientras que la lengua escrita representa una apropiación asimilable a un robo, la lengua oral se presenta, dice Saad, "como una prolongación natural de aquel primer contacto con el mundo real a través de la lactancia y del cuerpo de la madre". Ahora bien: lo que el sujeto de la escritura intenta restaurar es este contacto, y para ello sustituye la madre por la mujer carnal. Ahí es dónde se trenza el vínculo entre escritura y sexualidad.

Augusto Roa Bastos no es un hombre muy proclive a la confidencia autobiográfica. Entregó, sin embargo, en 1978 a un periodista del periódico *El*

---

[10] *Semana del autor: Augusto Roa Bastos* (Instituto de Cooperación Iberoamericana. Ediciones de Cultura Hispánica, pp. 89-93). El psicoanálisis también ha abordado bajo este ángulo los problemas planteados en ciertos sujetos por una situación de bilingüismo.

Nacional de Caracas un dato que toma particular relevancia a la luz de la frase de Gabriel Saad sobre la lengua como lactancia originaria. Cuenta Roa Bastos que tuvo su primera sensación erótica a los ochos años durante el primer viaje que hizo a Asunción. Su padre lo había confiado a una mujer que iba amamantando a un hijo de pocos meses. Viendo el inocente mamar con tanto entusiasmo, el joven Augusto se puso a mamar el otro pecho, y en este momento experimentó su primer vislumbre de vida sexual.

Al superponer, incestuosamente, en la novela, las imágenes de Damiana Avalos —la madre sustitutiva— y de la Lágrima González, su enamorada del momento, el narrador experimenta un sentimiento de culpabilidad: "como si estuviera haciendo algo malo", dice. Años más tarde, encontrando a la Lágrima González en un prostíbulo, se negará a hacer el amor con ella: "Hubiera sido un incesto", confiesa escuetamente.

Sería interesante analizar de qué manera en *Hijo de hombre*, el tema del incesto generado por aquel episodio autobiográfico enlaza con el tema de la culpa histórica del teniente Vera (su traición con respecto a sus compañeros por una parte, y con el tema de la escritura por otra). Solamente recordaremos aquí un pasaje en el que estos diferentes niveles manifiestan su coherencia profunda. Es el momento en que, muriéndose de sed en el desierto del Chaco, el Teniente Vera, después de confundir en su delirio la laguna I'Poi con la imagen del sexo materno, emprende un viaje regresivo en el cual la historia involuciona y se reabsorbe en sí misma:

> ... me arrastro y me hundo de cabeza en esa vulva tibia y latente, tratando de permanecer en sus oscuras y suaves profundadidades. Pero enseguida me asfixio y vuelvo a salir expulsado, escupiendo tierra y suciedad, mientras la laguna estalla en una pompa jabonosa. A veces dejo atrás el cañadón y me veo en el islote del penal conversando con Jiménez en

cuyo hombro se ha posado el guacamayo ocultándole la cara con sus alas cegadoramente azules. O retrocedo aún más, al tiempo de la niñez y de la adolescencia. La carne gomosa de las tunas me renueva el sabor de los pezones de Damiana Avalos que mis labios mordieron aquella noche, entre las ruinas bebiendo su lecho. O es el viejito Macario Francia, trayéndome agua del Tebikuary en el hueco de sus manos, diminuto y encorvado por la desmesurada planicie. Anda y anda... llega al fin, me inclino a beber y sólo encuentro en la palma de sus manos de telaraña el agujero negro de la moneda robada...

En las diferentes etapas de ese viaje desmemoriado se habrá observado que la oralidad constituye un denominador común: desde la lactancia mamada en el pecho de Damiana cuyo sabor está restituido por la carne gomosa de las tunas, hasta la presencia del guacamayo y la figura no menos emblemática de Macario en quien se encarna la leyenda anónima del pueblo paraguayo. También se habrá mbnotado cómo la moneda robada por Macario en su niñez al Supremo Dictador entra en consonancia con la leche robada por Miguel al pecho de Damiana y esta leche con el agua ansiada por el Teniente Vera en el tórrido Chaco, para dibujar los contornos de una culpa fundamental no circunscribible a la simple circunstancia histórica.

Es significativo que, al reescribir en 1982, su novela, Augusto Roa Bastos sintió la necesidad de hacer hincapié en este tema del incesto señalando con más nitidez su relación con la problemática escritura/oralidad y oralidad/figura materna. Me referiré principalmente al pasaje de la libreta del Teniente Vera redactado para la versión de 1982 donde el narrador-protagonista interpreta a la luz de su propia experiencia la "gramofonía colectiva" que se apodera de los futuros combatientes, y el "complicado mecanismo de sustituciones y delegación de poderes" que lo induce a mandar cartas a madrinas de guerra. En la relación epistolar con esas madres sustitutivas, Vera percibe como un eco del "clamor del ancestral desamparo del hombre ante la mujer como madre y amante". Ahora bien: ¿de qué se nutre la palabra escrita, sino de esta ambigüedad y de este desamparo? El incesto, en *Hijo de hombre*, aparece pues como un tema en el que se articulan, a través del lenguaje y de la situación específica que asigna el bilingüismo al escritor paraguayo, la subjetividad individual y el contexto histórico-social. Lo mismo puede decirse del parricidio simbólico, que es como el corolario de la palabra incestuosa, y que examinaremos brevemente a modo de conclusión.

* * *

No es oportuno analizar aquí el complicado proceso de escrituras y tachaduras, de borradores y de reescrituras por medio del cual se va elaborando la obra de Roa Bastos. Pero sí importa para nuestro tema cotejar dos reescrituras cuya casi coincidencia en el tiempo echa una luz interesante sobre la escritura en su relación con el incesto. Se trata de la reescritura en 1978 del cuento titulado "Lucha hasta el alba", y de la reescritura en 1982 de la novela *Hijo de hombre*.

Esta doble reescritura fue para Roa Bastos la ocasión de echar un puente entre ambas obras, un puente que se nos antojó como una invitación a pasar de una obra a otra y a reflexionar en la solidaridad de los temas del incesto y del parricidio. Se trata de una frasecita, que ocupa un lugar modesto entre las otras addenda que Roa Bastos hizo a la versión original de *Hijo de Hombre* en el año 1982, publicado ya *Yo El Supremo*, y publicado también "Lucha hasta el alba". Se halla en la libreta del Teniente Vera donde se puede leer lo siguiente:

En aquella lejana región de Itapé, ante el cristo leproso del cerrito, mi admiración infantil lo identificó [el Padre Maíz] como el profeta de la religión de los humildes y oprimidos.

> Yo dije o hice algo que mereció la reprimenda de mi padre,
> ex-seminarista y luego pobre empleado del ingenio de azúcar.

Es notable en esta última frase la imprecisión que acompaña la referencia a la reprimenda paternal (algo que "yo dije o hice"), y la precisión insólita que acompaña la referencia al padre y a su identidad. Esta imprecisión y esta precisión son cuidadosamente calculadas. La identidad del padre del Teniente Vera se revela ser la misma que la identidad del narrador protagonista de "Lucha hasta el alba", y la misma que la del propio padre de Augusto Roa Bastos que fue "ex seminarista y luego pobre empleado del ingenio de azúcar".

La alusión imprecisa a la reprimenda paternal enlaza también aquel recuerdo de la infancia de Vera con las primeras líneas de "Lucha hasta el alba" que se abre con el mismo tipo de reprimenda y castigo por motivos no precisados. Enlaza también con la biografía de Roa Bastos que declaró haber aprendido el guaraní, lengua prohibida para los chicos de la pequeña burguesía "... a costa de grandes palizas paternales".

Es preciso, para entender los motivos que llevaron a Roa Bastos a establecer este tipo de relación, decir algunas palabras de "Lucha hasta el alba" y del puesto muy paticular que este cuento ocupa en la obra del autor.

Este cuento merece el nombre de "cuento primero-último" que le dio Milagros Ezquerro en el excelente estudio —el único existente hasta el momento— que hizo de este texto. Primer cuento que escribió a los trece años, "Lucha hasta el alba" "quedó perdido y olvidado durante más de una treintena de años", explica Roa Bastos en una nota. "Durante esos años de amnesia, de seguro no inocente", añade el escritor, "dudé incluso que lo hubiese escrito alguna vez". Esta alusión a una censura inconsciente con respecto a este texto antiguo, se entiende cuando se sabe que su tema es el parricidio. Este cuento, re-encontrado por el escritor entre las páginas del *Tratado de la pintura* de Leonardo da Vinci en la época de "compilación" de *Yo El Supremo* y reescrito en 1978, parafrasea la lucha bíblica de Jacob con el ángel. Pero, en versión roabastiana, vencido, al término de una larga noche el misterioso adversario, el narrador-protagonista, después de cortarle la cabeza con el filo de una piedra, reconoce en ella el rostro del Dictador Francia, padre de la nación uruguaya, al mismo tiempo que reconoce el rostro de su propio padre. Se entiende entonces cómo la amnesia que sumió el cuento en un olvido de trece años haya podido ser no del todo inocente.

En la reflexión autocrítica sobre *Yo El Supremo* escrita el mismo año, Roa Bastos ha reconocido en ese relato "primero-último: un antecedente de su novela, y ha descifrado en él lo que llama la "cicatriz del mito": "Sentí por primera vez", escribe, "que la escritura era para mí los bordes de una cicatriz que guardaba intacta su herida indecible".

Se echa de ver ahora toda la importancia de la introducción, en la versión definitiva de *Hijo de hombre*, de una frasecita que confunde en la misma referencia autobiográfica el narrador-protagonista de *Hijo de hombre* y el narrador-protagonista de "Lucha hasta el alba". El círculo iniciado con el recuerdo incestuoso de la leche robada en el pecho de Damiana se cierra en "Lucha hasta el alba" con el recuerdo del padre temido. El parricidio simbólico reconocido como condición necesaria de toda escritura remite especularmente al incesto simbólico involucrado por el imposible rescate de la oralidad perdida. Incesto y parricidio aparecen por fin como los dos bordes de la misma cicatriz, como las dos caras de un mismo simulacro, que destina la palabra escrita a una irreductible relatividad y ambigüedad.

INDICE

COLECCION ESPIRAL
HISPANO-AMERICANA